»Ich bin jung und reich und gebildet; und ich bin unglücklich, neurotisch und allein. Ich stamme aus einer der allerbesten Familien des rechten Zürichseeufers, das man auch die Goldküste nennt. Ich bin bürgerlich erzogen worden und mein ganzes Leben lang brav gewesen. Meine Familie ist ziemlich degeneriert, und ich bin vermutlich auch ziemlich erblich belastet und milieugeschädigt. Natürlich habe ich auch Krebs, was aus dem vorher Gesagten eigentlich selbstverständlich hervorgeht.« Mit diesen Sätzen beginnt der junge Schweizer Autor, der sich selbst den Namen Fritz Zorn gibt, seine Aufzeichnungen, in denen er über sich, seine Herkunft und seine Krebserkrankung berichtet.

Schwere Depressionen und tiefe Traurigkeit hatten den dreißigjährigen Millionärssohn und Gymnasiallehrer veranlaßt, psychotherapeutische Hilfe zu suchen. Während seiner Behandlung erfuhr er, daß er an Krebs litt. Die Krankheit wird zum auslösenden Moment der Selbstbefragung, einer rücksichtslosen Betrachtung des eigenen ungelebten Lebens. In seinem Krebs sieht Zorn nur die somatische Form seiner Neurose, die ihren Ursprung im Elternhaus am Zürichsee hat; in dieser gespenstigen Familie, in der man Berührungen vermeidet, jede Herausforderung von Realität unter der Magie des Rituals versteckt, jeden Anflug von Sexualität mit dem Begriff der Anständigkeit vertreibt. »Man kann eine Kindheit haben, ohne Kind zu sein; eine Jugend, ohne jung zu sein; erwachsen werden ohne Gegenwart«, schreibt Adolf Muschg in seinem Vorwort zu diesem Buch. Erst die physischen Qualen der Krebserkrankung durchbrechen den Schutzschild der »Unempfindlichkeit der Seele«, erst der nahende Tod erweckt den Widerstand – gegen die Krankheit, gegen die familiäre und soziale Herkunft, gegen das Nichtlebendürfen.
Zorn hat die Veröffentlichung seiner Aufzeichnungen nicht mehr erlebt, er starb 1976 – 32 Jahre alt – an Krebs.
Mars – das Zeugnis eines Todkranken – übt erbitterte Kritik am falschen Ideal und Lebensstil einer Klasse und erregte weltweites Aufsehen.

Der Schweizer Schriftsteller Adolf Muschg, der das Manuskript entdeckte und dem Verleger anbot, schreibt in seinem Vorwort in sehr persönlicher Weise über die Entstehung des Buches und seinen Autor.

Fritz Zorn
Mars

»Ich bin jung und reich und gebildet;
und ich bin
unglücklich, neurotisch und allein…«

Mit einem Vorwort von
Adolf Muschg

Fischer
Taschenbuch
Verlag

Limitierte Sonderausgabe
Veröffentlicht im Fischer Taschenbuch Verlag GmbH,
Frankfurt am Main, Januar 1994

Lizenzausgabe mit freundlicher Genehmigung der
Kindler Verlags GmbH, München
© 1977 by Kindler Verlag GmbH, München
Umschlaggestaltung: Balk/Gelberg/Heinichen
Foto: Gerhard Kerff,
»Niederrhein – Landschaft bei Xanten«
Druck und Bindung: Clausen & Bosse, Leck
Printed in Germany
ISBN 3-596-12129-9

Gedruckt auf chlor- und säurefreiem Papier

Geschichte eines Manuskripts

Der Autor dieses Buches ist zweiunddreißig Jahre alt geworden. Er lebte noch, als ich Anfang Oktober sein Manuskript von einem befreundeten Buchhändler erhielt, mit der Bitte um Prüfung, ob es – der Autor wünsche es dringend – veröffentlicht werden könne. Die Lektüre wurde zu einer Prüfung anderer Art, einer für mich selbst. Ich schrieb dem Autor, ich stünde, wie selten zuvor, unter dem Eindruck, ein notwendiges Manuskript gelesen zu haben; unter diesem Eindruck falle mir auch der Schein kritischer Objektivität schwer. Ich bemühe mich jetzt nicht weiter darum und schicke das Manuskript einem Verleger weiter, dem ein ruhigeres Urteil zuzutrauen sei, und allenfalls auch eine Veröffentlichung. Ich fühle mich nur verpflichtet, den Autor an Rücksichten zu erinnern, die das *Manuskript* nicht zu nehmen brauche, die familiär Betroffene aber vom *Buch* erwarten würden.

Seine schriftliche Antwort – er hatte sie damals auch bereits testamentarisch bei Freunden hinterlegt –: er sei zur Wahl eines Pseudonyms bereit. Sonst sehe er keine Wahl: das Manuskript müsse *heraus*. Der Brief »Fritz Zorns«, das einzige Zeugnis unserer Bekanntschaft, war klar bis ins Schriftbild hinein; dieses hatte das hoffnungslos Ordentliche, das ich (zu spät) bei einem Freund deuten gelernt hatte, der sich unlängst das Leben nahm: als Ausdruck extremer Not. – Zurück von einer Amerika-Reise, auf der mich die Erinnerung an *Mars* verfolgt hatte, bekam ich vom Verleger zögernden Bescheid: entschieden sei noch nichts, aber mancherlei Bedenken überwögen. Das Nächste erfuhr der Verleger vom Psychotherapeuten »Fritz Zorns«: die Antwort vertrage keinen Aufschub mehr, wenn sie den Autor noch lebend erreichen solle. Er liege im Spital, sein Zustand sei kritisch. Die Versuchung der Notlüge meldete sich und wurde überwunden: hier verbot sich nicht nur die »rücksichtsvolle«, sondern *jede* Gefälligkeit. Der Verleger teilte dem Autor sein Ja schriftlich mit; er sandte den Brief nicht expreß, um dem Sterbenden den Gedanken an Eile zu ersparen; dieser Takt fiel ins Leere. Denn als ich am 2. November im Spital anrief, um Z. meinen Besuch anzukündigen, erfuhr ich, daß er an diesem Morgen gestorben war. Einige Stunden quälte mich und andere der Gedanke, die Nachricht – die einzige, auf die er noch freudig warten konnte – habe ihn verfehlt. Aber er hat sie erhalten. Sein Psychotherapeut, der sie ihm am Vorabend des Todes noch bringen konnte, bezeugt, daß er sie wahrgenommen hat.

Verwandtschaften

Ohne dem Autor begegnet zu sein, erkannte ich seine Herkunft, seine Umwelt, seinen Bildungsweg, seine Lebenserwartung; die Nähe dieser Biografie zu meiner eigenen bestürzte mich. Ich wurde, zehn Jahre früher, an derselben »Goldküste« geboren. Ich hatte Z.s Schulen besucht, bis und mit Universität; ich hatte an einem Zürcher Gymnasium unterrichtet, wie er. Ich war – trotz vieler Beweise des Gegenteils – ein schlechter Reisender, wie er; auch mich hat der Weg, als mir das Tödliche meiner Jugend-Erwartung begegnet war, in die Psychoanalyse geführt. Freilich: in Z.s Bericht war das Tödliche schon keine Metapher mehr; es war ein medizinischer Befund mit einem volkstümlich-schauerlichen Namen: Krebs. Daher das Bestürzende der Lektüre. Ich erkannte dies Leben wieder, zugleich suchte ich gute Gründe, mich von dem wohlbekannten Unbekannten, der sich da Fritz Zorn nannte, abzusetzen.

Es gab auch Unterschiede. Mein kleinbürgerliches Milieu hatte nicht so grausam dicht gehalten wie sein privilegiertes. Zwar war ich erst recht in Furcht und Zittern gehalten worden vor den Normen, nach denen seine Jugend geregelt war. Aber bei mir war ihr System früher geborsten und hatte, als ich jeden Tag um meine soziale Qualifikation zittern mußte, ihr Scheinhaftes enthüllt – noch lange nicht für mein Bewußtsein von damals, aber, *de facto*, für mein Verhalten. Ich hatte schon als Kind lernen müssen, mir neben der brüchig gewordenen »rechtsufrigen« Existenz eine andere zu konstruieren, in Wort, Schrift, Phantasie und allmählich auch in Wirklichkeit. Z. begegnete dieser Alternative erst, als er sie nicht mehr zu leben vermochte. Ich war – anders als er – ein sogenannter guter Turner gewesen, ein Zwangs-Motoriker, genau gesagt; indem ich meinem Körper in jeder Schulpause einmal davonjagte, *fühlte* ich ihn doch, wenn ich auch – so wenig wie Z. – ein brüderliches Verhältnis zu ihm entwickelte. Z.s Kontakthemmungen, ich kannte sie auch. Aber ein dunkles Gefühl hatte mich doch immer wieder gezwungen, damit die Flucht nach vorn anzutreten; auf dieser Flucht bin ich, anders als er, auch der Sexualität begegnet, in unglücklichen und schuldbewußten Formen zunächst, aber dabei brauchte es nicht zu bleiben. Ganz unvorstellbar war mir Z.s Apathie gegenüber Zeitungen, gegenüber jeder Kultur-Neuigkeit, Jazz, der letzten Single: die Mauern um mein bißchen Eigenleben mochten nicht weniger hoch gewesen sein als bei ihm, aber ich benützte jede Lücke, sei es zum Ausbruchsversuch, sei es um das Neueste zu mir hereinzuzerren. Die doppelte Moral hatte mich wenigstens gelehrt, mein Heil nicht von mir selbst zu erwarten, ich *wußte*, daß ich mir nicht genügte. Nicht die Starre war mein Problem, sondern der Krampf: die Angst, etwas zu versäumen und beim Gutmachen meiner Schuldgefühle (dem einzigen, dem wahren Kleinbürger-Kapital) nicht ganz vorn zu sein. Diese Angst vor dem Versäumnis brauchte mir nicht erst, wie Z., mit einem klinischen Befund zusammen aufzugehen. Sie begleitete mich als Lebensform.

Und vielleicht hat sie mir (mit der Auflage der Über-Forderung) immer wieder eine Zukunft offengehalten. Denn daß ich mir eine Schwellung an meinem Hals ohne jene Angst, »etwas zu versäumen«, hätte durchgehen lassen, *das* wäre nicht zu denken gewesen. Was mich mein Puritaner-Haushalt nicht lieben gelehrt hatte – meinen eigenen Körper –, mußte desto wachsamer *beobachtet* werden. Keine Stelle in Z.s Manuskript habe ich verständnisloser gelesen als die, wo er das todbringende Symptom erst einmal als Metapher behandelt (»unvergossene Tränen«), statt es beim ersten Verdacht radikal-medizinisch behandeln zu lassen. In der Tat hätte ihm, wäre er weniger nobel gewesen, *diese* Angst vielleicht das Leben gerettet. Er, der Sohn aus behütetem Haus, war nicht dazu erzogen, auf Versäumnisse zu achten – es hatte schon zuviele davon gegeben. Vielleicht wußte er es aber auch zu gut – ES in ihm wußte, was ihm am Halse zu blühen begann, und ES war heimlich im Bunde damit. Denn der Anfang des akuten Sterbens bezeichnet in dieser Biografie ja den erstmaligen, schmerzhaften Einbruch wirklichen Lebens. Die melancholische Wahrheit, wonach wir nur um den Preis des Lebens die Kunst lernen, das Leben zu genießen

9

– hier zieht sie sich auf einen einzigen, glühenden Punkt zusammen und hätte die Kraft, Wunder zu wirken, wenn sie nicht den Stoff mitverzehrte, an dem sich das Wunder hätte zeigen können. Wahrheit ist kein Trost für entgangenes Leben – kein Brennen der Welt vermag das Blühen zu ersetzen.

Ist das noch Literatur?

Dies ist das Lebenswerk eines Sterbenden. Dennoch: die Frage, ob es auch Literatur sei, soll darum nicht mit einer moralischen Erpressung beantwortet werden. Es ist eine *ästhetische* Frage, und als solche besonders ernst zu nehmen bei einem Dokument, dessen Problem die veruntreute Sinnlichkeit, die verlorene Wahrnehmung ist. Das Urteil über den literarischen Wert muß sich neben einem Todesurteil zeigen dürfen, ohne erniedrigende Rücksichten zu nehmen – und sehr leicht wird es dann gerade dem teilnehmenden Leser nicht fallen.

Gewiß doch, *Mars* ist Literatur, insofern hier ein gebildeter, die Sprache sehr wohl handhabender Mensch schreibt – ein Mensch auch –, der die Pointe nicht verschmäht, wo sie sich bietet, und sie gelegentlich forciert bis zur reinen Sentenz: »Ich war gescheit, aber ich konnte nichts.« – »Ich finde, jedermann, der sein ganzes Leben lang lieb und brav gewesen ist, verdient nichts anderes, als daß er Krebs bekommt« – »Geben ist viel, viel weniger selig denn Nehmen.« – »Meine Lebensgeschichte bedrückt mich zu Tode, aber sie leuchtet mir ein.« Das ist schlagend geistvoll und läßt die lateinische Erziehung des gelernten Romanisten erkennen, den Willen zur Klarheit unter Feuer. Wer sich das letzte Elend nur herausgeschrien denken kann, wird hier *auch* Rhetorik finden, selbst Deklamation. Das Buch ist noch einmal »Literatur« im Sinn jener prekären Noblesse, die die Nähe der Guillotine zusammenbestehen läßt mit der Brillanz des Alexandriners, wie in den Gedichten André Chéniers; oder das Bonmot mit der Verzweiflung, wie in »Dantons Tod«; oder das blendende Kalkül mit der inneren Auszehrung, wie in allen Dramen Schillers. Man kann an diesem Buch lernen (im Deutschen tut es zu lernen not), daß diese Verbindung nicht Lug und Trug zu sein braucht, sondern *gedeckt* sein kann durch den Einsatz der *ganzen* Person. Kurzatmige Moralisten können hier etwas erfahren über den Ursprung der Rhetorik aus dem Geiste der Tapferkeit.

Dennoch läßt *Mars*, als Literatur betrachtet, durchaus zu wünschen übrig. Es ist nicht nur ein Buch ohne Anekdote; es ist ein Buch, das an entscheidenden Stellen auf den »erlebten« Beleg, auf die tragende Einzelheit verzichtet. Ein Beispiel: wir erfahren wohl, daß sich Z.s Eltern einmal (ein einziges Mal) gestritten haben; wir erfahren nicht – obwohl es von höchstem sachlichem, also auch literarischem Interesse wäre – worüber. Ein anderes Beispiel: wir vernehmen, daß der Kranke Lehrer war, Spanisch- und Portugiesischlehrer – in der Tat unterrichtete er bis kurz vor seinem Tod –; wir vernehmen nirgends, nicht mit einem Wort, was ihn die Schule gekostet hat, was ihm die Schüler in dieser kritischen Zeit bedeutet haben mögen. Für solche Realbewegungen fehlt das soziale Auge, fehlt die Ruhe, fehlt – man muß es deutlich sagen – gerade die *sinnliche* Bereitschaft der Sprache. Wo sie nicht blendet, wirkt sie blaß: sie muß ihre Farben von immer demselben Feuer borgen, das sie verzehrt. Sie hat eine eigentümliche Kälte nötig, um darin zu bestehen.

In der Tat gehört es zur tragischen Ironie – unliterarisch gesprochen: zur *Glaubwürdigkeit* dieses Buches –, daß es selber das Versäumnis dokumentieren muß, das es beklagt und denunziert; daß es das Kunst-Werk eines Beziehungslosen, ein im höchsten Sinn autistisches Dokument ist. Die Kunst kann nicht hergeben, was das Leben schuldig blieb: Reichtum der Körperreflexe, ein abwechslungsreiches Verhältnis zu sich und der Welt, das Spiel mit einem Du, die Gabe, einem Leser *unwillkürlich* zu Herzen zu gehen. Hätte Z. solche Talente gehabt, er hätte wohl nicht so jung zu sterben – er hätte jedenfalls sein Leben nicht so zu verwerfen brauchen. Hier ist not-gedrungen ein anderer Kunstwille am Werk; er zeigt nichts mehr im Licht des Zartgefühls, der Sehnsucht oder Erinnerung. Er denkt nicht daran, den Objekten der Erkenntnis ihre Schärfe zu nehmen. Die einzige Gnade, die diese Kunst gewährt (wenn es eine ist), liegt eben in der abstrakten Plastik ihrer Schreck- und Angstbilder. Zu ihnen gefriert die Erinnerung an körperliches Glück.

Dennoch wäre es unrecht zu sagen, dieses Buch habe kein Gegenüber mehr als den Tod. Es wendet sich vielmehr als Ganzes dem Leser zu, freilich ohne einen Hauch von Intimität oder gar Anbiederung. Die verschwiegene Du-Form dieses Essays ist das Plädoyer. Der Anwalt wirbt um Gerechtigkeit für einen Verhinderten: sich selbst.

Monsieur le vivisecteur

Dieser Text nimmt keine Rücksichten; er scheint keine zu verlangen. Das Streng-Abweisende seines Stils rührt aus dem Pathos eines Subjekts, das sich selbst als Objekt vorstellt; als Objekt einer höchst privaten, dabei überpersönlichen Wissenschaft. Es ist etwas wie Hohn und Rache in dieser Pose; Rache an der lebenslänglichen Unempfindlichkeit der Seele, die jetzt, wo der physische Schmerz sie zu beleben beginnt, unter das Messer der Erkenntnis gelegt wird und dazu stillhalten muß, als fühle sie noch immer nichts.

Wir wissen, wie sehr der ästhetische Schein dieser Anaesthesie trügt, wie zerbrechlich das rekonstruierte Gebäude der Seele ist, das nur sein Demonstrations-Zweck noch aufrecht erhält. Aber eben weil diese Demonstration, diese Scheinobjektivität, so sehr gewollt ist, verlangt sie, respektiert zu werden. Z. *will* sich als Fall (es ist sein Letzter Wille). Er führt sich nicht allein als Person, sondern als Muster vor, daher das seltsam Exemplarische seines Stils. Die *Haltung*, in der er gesehen sein will, ist nicht diejenige der Not, sondern diejenige der einzigen Tugend, zu der die Not noch werden kann: des Anatomen in eigener Sache. Wir sollen vergessen, daß es sich nicht um ein *post mortem*, sondern um ein *ante mortem*, also um eine Vivisektion handelt. Wir sollen vielmehr von den extremen Versuchsbedingungen profitieren. Das Buch beansprucht einen folgenreicheren Affekt als unsere Teilnahme: unser Interesse.

Ich meine, daß der Erkenntniswert dieses Dokuments ungewöhnlich ist: der psychologische wie der medizinische (um diese prekäre Arbeitsteilung der Wissenschaften noch einmal mitzumachen). Z. beschreibt seine Kindheit als Fallstudie eines sozialen Milieus, dessen guter Ton darin besteht, *Gegenwart* zu vermeiden; das den Mechanismus des *Verschiebens* zum Lebensstil perfektioniert hat, um jeden Augenblick mit Harmonie aufwarten zu können – oder, da Harmonie im realen Sinn nicht möglich ist (insofern seelische *Arbeit*, Vermittlungs- und Versöhnungsaufwand dazugehören würde), mit der *Fiktion* von Harmonie. Ein feines Haus führen, das bedeutet: Probleme als stillos behandeln; in der

Herausforderung durch Tatsachen eine Unhöflichkeit sehen; besonders aufsässige Realitäten entweder auf »morgen« vertagen oder an ein gründlicheres Studium (durch andere) verweisen. Es bedeutet: den totalen Dispens vom eigenen Standort; die diplomatische Nichtanerkennung anderer Standorte; die kunstvolle Verbindung eines unverbindlichen Ja mit einem unausgesprochenen Nein; die Herstellung einer Topographie ohne Licht und Schatten, definiert durch die Abwesenheit der Probleme, die – regen sie sich doch – ins Jenseits des »Schwierigen« oder »Unvergleichbaren« ausquartiert werden. Es bedeutet: sich für den Verlust eigener Körperlichkeit schadlos halten durch das exotische (aber: dezente) Schauspiel fremder Körper. Es bedeutet: sich – unter Vermeidung aller Präsenz – im Wortsinn die Zeit zu vertreiben bis zum Tod. Auch der Tod ist ja, bis auf weiteres, der Tod der anderen.

In diesem Gespensterhaus, wo man Patiencen legt und Berührungen vermeidet, Menschen »komisch« findet und Sachen »schwierig«, dämpfen sich Zeit und Raum unter der Magie des Rituals zur völligen Gefühlsstille. Man kann eine Kindheit haben, ohne Kind zu sein; eine Jugend, ohne jung zu sein; erwachsen werden ohne Gegenwart; die Leute grüßen, ohne zu leben. Dabei weiß man nichts von einem Verlust, es ist ein völlig schmerzloser Zustand. Denn Schmerz wäre ja ein Gefühl; Gefühle aber trägt man nur, man lebt sie nicht, man reagiert nicht darauf. Man hat sie nicht nötig in diesem Kreis: wer fürs Zuschauen bezahlt, braucht schließlich nicht als Schauspieler herumzuhüpfen. Bezahlt womit? Geld ist das wenigste, und doch schweigt man davon, weil es sich von selbst versteht. Von allem, was sich nicht von selbst versteht, schweigt man erst recht: von der Sexualität zum Beispiel, die nach bewährtem Muster weggezaubert wird: erst steht sie in weiter Ferne, dann hat man sie anständigerweise hinter sich zu haben: nur *hier* und *jetzt* gibt es sie nie. Zuschauerkultur. Die Ahnung, soviel Lebens-Art könnte in aller Stille mit dem Leben bezahlt sein, schleicht sich langsam in Z.s Jugend ein und beginnt sie zu vergiften, zunächst in Form eines psychologischen Verdachts: wie, wenn ich andern so lächerlich erschiene, wie sie mir? Wieviel Schrecken muß die Welt verbergen, da man ihr offenbar nur mit unerschütterlicher Artigkeit begegnen kann? Wenn über alles, was mich betrifft, geschwiegen werden muß: wie ungeheuerlich mag die Schuld sein, die ich eigentlich gutzumachen hätte? Der

Halbwüchsige geht unter seinesgleichen mit dem Gefühl umher, er habe »eine tote Krähe am Hals«: eine unheimlich prägnante Vor-Zeichnung seines terminalen Symptoms. Hier steht es noch für die Auszeichnung, die kein Mensch ehrlich verdient haben kann: vom Leben ausgenommen zu sein. Während des Studiums, des nächsten Lebensaufschubes, dämmert es ihm unwiderruflich auf: was mir geschieht, ist nicht das Rechte; es ist etwas nicht richtig mit mir. Die Verschiebung des Lebens, die mir angewöhnt wurde, die ich mir als eigene Leistung angewöhnt habe, ist eine Krankheit zum Tode.

Wir sehen mit Beklemmung die Negation wahrer Bedürfnisse sich *vergegenständlichen* an Körper und Seele des jungen Menschen. Zuerst im Schatten einer unerklärlichen Schwermut, einer allgemeinen Herabstimmung dessen, was die ältere Medizin »Lebensgeister« genannt hat. Das Realitäts-Defizit (angesammelt in Jahren scheinbarer Harmonie und trügerischen Privilegs) sucht einen Ausweg aus dem Totschweigen der Kindheit und findet zunächst nur diese summarische Sprache der Traurigkeit. Sie kommt der Realität wenigstens insofern näher, als sie ihr Elend aufdeckt. »Depression« nennt die Schulpsychiatrie diesen Zustand, und wenn sie um das auslösende Moment verlegen ist, setzt sie das Adjektiv »endogen« hinzu. Sie könnte lernen, sich deutlicher zu fassen, nähme sie Z.s Biografie als Anamnese beim Wort. Nur überschritte sie dann die Grenzen der Zunftweisheit und also ihre Begriffe von Kompetenz. Wohin käme sie, wenn sie gerade das *Gelingen* einer Lebensleistung (nämlich das Verschwinden eines menschlichen Körpers im gesellschaftlichen Anstand) als neurotisch, als Ursache der seelischen Krankheit betrachten müßte?

Nachdem sich, Studienerfolg und Schulerfolg hin oder her, die Depression zur Resignation verdichtet hat, sucht Z. einen Therapeuten auf, bei dem die leibseelische Einheit besser aufgehoben ist als bei den Fachärzten. Die Behandlung beginnt Folgen zu zeitigen (zum ersten Mal erlebt Z., daß was er tut, Folgen hat), aber zunächst scheinen sich die Folgen gegen ihn selbst zu richten, und zwar in der schärfsten, ja katastrophalen Form. Die Einsicht in das Still-Zerstörerische seiner bisherigen Lebensform löst die offene Zerstörung aus und droht mit der Fiktion auch die Basis aller Hoffnung zu zerstören. Zwar führt die Analyse in der Tat den Beweis, daß die leibseelische Einheit, die eine gute Erziehung weggeblendet hatte, eine überwältigende Tatsache und unauflösbar ist. Aber diese Unauflösbarkeit einsehen, heißt jetzt soviel wie: an der Heilbarkeit der Krankheit verzweifeln; denn jene Einheit hat sich inzwischen eingestellt im Zeichen ihrer Zurücknahme, der Zurücknahme der *ganzen* Existenz. Der niederschmetternde Name für diese Zurücknahme lautet: Krebs.

War es an dem, daß Z., seinen Befund in der Tasche, beim Analytiker Zuflucht suchte vor der Verzweiflung? Es war wohl vielmehr an dem, daß der körperliche Befund, begrenzt wie er schien, der Seele so viel Entlastung verschaffte, daß sie sich der Analyse jetzt gewachsen fühlte. »Von außen« dürfte es schwer zu fassen sein, daß der Name Krebs für den Patienten zunächst nicht mit einem Todesurteil, sondern gerade mit einer Hoffnung zusammenfiel. Das lebensfeindliche Prinzip schien, indem es ihn jetzt offen angriff, endlich selbst einen Angriffspunkt zu bieten. Im Willen zu diesem Gegen-Angriff konnte er sich durch die Psychotherapie bestärken lassen. Zum ersten Mal im Leben hatte dieser Beziehungs-Invalide einen klaren Feind; dieser Feind konnte jetzt als Idealpartner an die Stelle aller vermißten Kontakte treten. Es schien noch nicht ganz fatal, daß dieser Feind ihm in Gestalt des eigenen betrogenen Körpers erschien.

Krebs – was ist das?

Dieser Traktat könnte mehr sein als ein Beitrag zur Psychologie einer tödlichen Lebensform. Es könnte ihrer Behandlung weiterhelfen und nützlich sein für das Verständnis einer Krankheit, die in Todesanzeigen »unheimlich« und »heimtückisch« genannt wird; die die Schulmedizin am liebsten gar nicht beim Namen nennt. Der Krebs hat den Erfindungen dieser Medizin bisher in einer Weise gespottet, die den Verdacht nahelegt, diese Krankheit sei auf allopathischer Basis ein für allemal nicht zu behandeln; sie setze ein neues, revolutionäres Verständnis des Zusammenhangs von Gesundheit und Krankheit voraus. Krebs ist eine Krankheit in Anführungszeichen, die auf verwirrende Weise auch keine ist, sondern ein asozialer Prozeß der biologischen Norm. Ein unter gewissen Bedingungen wünschbares, ja lebenswichtiges Zellwachstum hört eines Tages auf, sich an die Grenze des Wünschbaren zu halten, bricht aus dem »gesunden« Schema aus und infiziert das eigene System mit einer Anarchie, die zum Tode dieses Systems führt. Wer gibt das Signal zu dieser Entwicklung, die in jedem von uns (daher das »Heimtückische«) zu jeder Zeit möglich ist? Setzt dieses Wachstum zum Tode eine heimliche Disposition, ja das Einverständnis des betroffenen Organismus voraus? Haben wir es am Ende nicht mit einem Anschlag »von außen«, sondern mit einer unbewußt gesteuerten Entwicklung »von innen« zu tun? Die ältere magisch-alchimistische Heilkunde, die in einigen ketzerischen, aber merkwürdig florierenden Ablegern weiterlebt (und in Gestalt exotischer Therapien wieder auf uns zukommt), hat Gesundheit niemals als eine Größe *per se*, sondern als ein Gleichgewichtsverhältnis gesehen, als labile Balance des materiellen und geistigen Stoffwechsels, als ein bestimmtes Kommunikationsniveau zwischen Innen und Außen, kurzum: als Harmonie. Woraus zu folgen scheint, daß Krankheit identisch ist mit Ungleichgewicht, mit gestörter Kommunikation; daß sie demnach nicht als *Ursache*, sondern als *Folge* einer Disharmonie beschrieben und behandelt werden muß. Man »wird« nicht krank, außer man »ist« es schon; außer man lebt in einer chronischen Unverhältnismäßigkeit zur eigenen Umgebung und daher auch zu sich selbst.

Das wahrhaft Beunruhigende am Krebs ist die Tatsache, wie getreu er bis ins physiologische und psychologische Detail diese Deutung von Gesundheit und Krankheit zu bestätigen scheint. Er weist jede Therapie ab, die von einem weniger radikalen Verständnis der Zusammenhänge ausgeht; die technisch-radikale Behandlung mit Stahl und Strahl ist, wie die Resultate beweisen, ein durchaus unzureichender Ersatz. Wer *nur* den Krebs erforscht und behandelt, erforscht und behandelt auch ihn nicht recht – das müßte die allgemeine Folgerung aus der Unheilbarkeit dieser speziellen Zivilisationskrankheit sein; eine Folgerung, die freilich nicht nur im wirtschaftlichen Sinn sehr kostenintensiv wäre. Der Gedanke müßte unser Menschenbild umwälzen, daß wir an nichts so häufig sterben, wie an unserer Unfähigkeit, mit den Bedingungen der selbstgeschaffenen Zivilisation in Frieden zu leben (jenem Frieden, der den Konflikt auslebt, statt ihn verdrängen zu müssen). Am Fall Z. wäre zu studieren, was der Krebs eines Individuums aller Wahrscheinlichkeit nach *ist*: ein Protest gegen die objektiv herrschenden Bedingungen des Unlebens; ein Signal zum Tode, das sich der so verkürzte Organismus selber gibt, indem er, für sich allein, und am Ende gegen sich, ein *kompensierendes* Wachstum ausbildet.

Es genügt freilich nicht, im Krebs einen individuellen Befund des Lebens-Unwillens, einen Akt unbewußter Zurücknahme zu sehen (obwohl der individuelle Therapeut da ansetzen muß, wenn er den tödlichen Prozeß früh genug umkehren will). Der Krebs ist ein Urteil über die Gesellschaft, die Unterdrückung nötig hat und Gefühllosigkeit nötig macht. Der Hinweis auf »Moskau« – den stereotypen Ort, wo es *noch* schlechter zu leben ist – bezeichnet, als Alibi, nur die mangelhafte Präsenz, das Unwirkliche der eigenen Verfassung. Hier stellt der keineswegs »linke« Z. den genauen Zusammenhang her zwischen Lebensdefizit und Antikommunismus, Misere und Aggression. »Moskau« wird zum Decknamen dafür, daß wir uns bedroht fühlen müssen, um überhaupt jemand zu sein.

Im Krebs entwickelt sich diese Disposition nun zur *wirklichen* Bedrohung. Im Krebskranken ist schuldig gesprochen, was uns *alle* am Leben hindert. Im Nachweis dieses Zusammenhangs, geführt mit den letzten Reserven eines gesunden Aufbegehrens und besiegelt mit dem Tode, liegt die bewegende Kraft dieses Buches. Könnte die Prämisse seines Handelns (die Unversöhnlichkeit gegenüber falschen, weil unzureichenden, auf Verdrängung beruhenden Vorstellungen über »Gesund« und »Krank«) zum allgemeinen Gesetz erhoben werden, so wäre diese Publikation ein Markstein. Sie würde der Menschenkunde – und vor allem der Medizin – neue Ziele setzen, vielleicht 180 Grad von denen entfernt, die die industrielle Heilmittelproduktion und ihre Ärztevertreter verschreiben.

Gegenangriff

Es gehört zu den tragischen Ironien des Buches, daß die Hoffnung, die Z. aus der Einsicht in die Ursache seiner Krankheit schöpft, für ihn, den Einzelfall, zu spät kommt. Er *weiß* es im Grunde; die schwer erträgliche Spannung der letzten beiden Kapitel beruht, ausgesprochen oder nicht, auf der Wette mit dem nahen Tod. Aber in einem bestimmten Sinn *will* er jetzt nichts davon wissen. An diesem neuen Eigen-Sinn hängt der kleine, vielleicht doch noch lebensrettende Vorsprung, den er sich ausrechnet. Die objektive Todesnähe suggeriert ihm eine bisher unerhörte Nähe zum Leben und vermag jene Probleme wenigstens gedanklich und sprachlich zu liquidieren, die bisher im Gefängnis der Depression und des höflichen Schweigens verschlossen blieben. Was auch immer der Krebs noch anrichten wird: die Depression, die Grundtraurigkeit hat er – in Verbindung mit der analytischen Einsicht – gründlich vertrieben, abgelöst durch realen Schmerz. Dafür kann ihm (ingrimmig) gedankt werden.

Z. gibt in diesem Buch ein Exempel seiner bisher nie genützten Widerstandskraft. Er nimmt sich die Freiheit, die tödliche Geschwulst an seinem Leib als Erkenntnisorgan einzusetzen. *Auch das bin jetzt ich,* lernt einer sagen, dessen Ich-Form lebenslang unterentwickelt war. (Daß es anderseits *nur* die Ich-Form, den melancholischen Autismus gegeben hatte, ist nur ein scheinbarer Widerspruch.) Noch mehr, er tut endlich, was jeder Blume gelungen war und ihm nie: er lernt »sein Wachstum zeigen«. Und diese Selbstdarstellung scheint auch den Tod aufzuwiegen, der in seinem bösartig gewordenen Wachstum steckt. Es ist endlich – in Stellvertretung aller versäumten Außenbeziehungen, der ganzen verscherzten Außen-Welt – ein *äußerer* Tod; wohl schmerzhafter, aber niemals bösartiger als der stillschweigende innere »Tod« zuvor. Diesen äußeren Tod kann er sich, wenn gar nichts helfen sollte, immer noch zu *eigen* machen. Freilich nicht in der Weise, wie Hofmannsthals Claudio endlich dem Tod in die Arme sinkt:

> »Da tot mein Leben war, sei du mein Leben, Tod!
> Was zwingt mich, der ich beides nicht erkenne,
> Daß ich dich Tod und jenes Leben nenne?«

Seinen Tod sterben heißt für Z. unerbittlich: beides *erkennen,* Tod und Leben; die Terminologie klar halten; auf poetische Verwechslungstricks ein für allemal verzichten. Es heißt: den Tod Tod nennen, und seine grausame Unvernunft festhalten; das Leben unerbittlich Leben nennen, auch dann, wenn es verwirkt sein sollte.

Ja: *nicht* in diese Versöhnung mit dem Tod zu willigen, jene depressive Versöhnlichkeit und Parteilosigkeit im Umgang mit Tatsachen, der das Leben zum folgenlosen Traum gemacht hatte, diesmal um jeden Preis zu vermeiden: darin besteht der *persönliche* Sinn dieses letztwilligen Dokuments. Wenn in dieser Haltung ein Stück Spekulation steckt, so geht sie über die Hoffnung auf einen möglichen Wettbewerbsvorteil weit hinaus. Und hier muß von der wahren Vermessenheit dieses Sterbenden die Rede sein. Er rechnet sich aus – und dem bestürzten Leser vor –, daß diese Krankheit zum Tode, auch wenn sie unaufhaltsam fortschreitet, umkehrbar sein wird, *anders* umkehrbar: daß sie sich nämlich in ihrer ganzen Sinnlosigkeit wenden lassen wird gegen den Urheber alles Sinnlosen ... Was Er dem Kranken angetan hat, diesen Krebs, das wird der Kranke dem »Krokodilsgott« heimzahlen. Denn wenn es wahr sein sollte, daß das Universum ein zusammenhängender Organismus ist, dann kann auch dieser metaphysische Organismus nicht stärker sein als sein schwächstes Glied. Darin aber, schwächstes, also geopfertes Glied zu sein, soll wiederum die tödliche Stärke des Opfers bestehen. Sein Sterben soll das Ganze angreifen und den wohlverdienten Tod nach drüben fortpflanzen ...

Der Krebs erscheint hier nicht mehr bloß als Reflektor des eigenen Lebens, sondern als Waffe, als schwarze Magie, als bösartige Verdrehung des evangelischen Satzes, wonach das, was dem Ärmsten unter den Brüdern angetan wird, Ihm geschieht. Das Anti-Hiob-Motiv, die absolute Weigerung, sich mit dem Todes-Gott zu versöhnen, ist das vorwaltende Leitende der letzten beiden Kapitel. Z. gräbt sich ein in die Trotzposition des Camus'schen Sisyphus und hat die Stirn zu wiederholen: »Il est heureux«. Das ist in der Tat ein ausschweifender Existentialismus, den hier einer – nicht ohne Blick auf den verwandten Satan/Luzifer – mit seiner lebendigen (endlich: lebendigen!) Seele beglaubigt. Es gehört ein Maximum von Selbstüberwindung – nein, von Selbstbehauptung dazu, in Z.s Lage festzuhalten an dem Camus'schen Glaubenssatz, es komme angesichts des Absurden nicht darauf an »le mieux«, sondern »le plus« zu leben. Das ist ein lebemännischer Immoralismus, der in der Tat die eigene befristete Existenz weit überzieht. Eben dieses Maximum ist Z. gerade extrem genug, um dem stummen Gewicht des Lebensversäumnisses wenigstens der Tendenz nach die Waage zu halten.

Aber der Widerstand, der *Zorn* des unerbittlich Sterbenden (der sein Pseudonym eingegeben hat) richtet sich nicht nur gegen das transzendente Absurde. Er spekuliert nicht minder kühn gegen das Konkret-Absurde unserer gesellschaftlichen Einrichtungen an, gegen das Heillose der eigenen familiären und sozialen Herkunft.

Auch diese möchte der Sterbende mit seiner endlich beinahe lebensmächtigen Hoffnungslosigkeit vergiften. Er sieht seinen Tod – oder seinen wütenden Lebensrest – als revolutionären Angriff auf das Bestehende, ohne sich dabei einer bestehenden revolutionären Kraft anzuschließen, von denen keine seinem prekären Absolutismus genügt. Es ist sein Tod als solcher, der das Tödliche dieser Gesellschaft herausarbeiten soll, indem er es einsehbar und unabweislich macht. Dieser Tod wird nicht nur die Ruhe der Eltern und ihrer Gesellschaft stören; er wird nicht nur ihre Schuld exponieren (diesen Schuldspruch spricht Z. am Ende, nachdem er ihn erst als allgemeine Anklage in der Luft hängen ließ, mit gezielter Schärfe aus). Mehr noch: er wird es ihnen (nicht auf einmal, aber wenn die Opfer, von denen er nur eins unter vielen ist, ein kritisches Quantum erreicht haben) *unmöglich* machen, mit sich selbst zu existieren. Er wird, als »passiver Revolutionär«, einzig dadurch zum Untergang des Abendlandes beigetragen haben, daß er NICHT GEGEN die Revolution war. Eine Gesellschaft, die nicht leben gelernt hat, stirbt, sie ist schon gestorben; es fehlt nur, daß der Tod, zu dem sie verurteilt ist, offenbar wird.

Leiden eines Knaben

Diese Offenbarung schleudert Z.s Buch dem Leser vor die Füße. Und damit sie durch keine jenseitige Hoffnung gemildert werde, spricht sie mit dem Todesurteil über eine Gesellschaft auch das über ihren Gott aus. Der Gott, der diese Gesellschaft gedeihen ließ, den wiederum sie als Schöpfer ihrer Ausflüchte nötig hat, *soll nicht sein*. Da er an dem System hängen muß, das ihn erzeugt, reicht *ein* guter Haß wohl für die Zerstörung beider Welten aus. Denn Er soll kein unbegrenzter, er soll ein lokaler Gott sein, ein Gott der »Goldküste« – absolut nur in seiner Borniertheit, im übrigen nur das relative Böse, das durch den Abbruch aller Beziehungen zu ihm aufgehoben werden kann. Es ist erschütternd, wieviel Scharfsinn Z. darauf verwendet, die Begrenztheit, die *Regionalität* Gottes nachzuweisen – als führe ihm hier unerkannt die absurde Hoffnung die Hand, im Universum möge das Übel ähnlich begrenzbar sein, wie (er hofft es noch immer) an seinem Körper. Ja, bis auf die letzte Seite – und Z.s letzte Tage, als sich der von Metastasen Zerfressene zu einer »Schlafkur« ins Spital begeben wollte – bleibt das *Gutartige* seines Lebenswunsches erkennbar. Er stellt sich nur so entsetzlich böse, um ja nicht der alten fatalen Artigkeit verdächtig zu sein. Aber seine Hoffnung benützt die Formen äußerster Verkehrung – den Gottesfluch – verstohlen mit. Denn was bedeutet jene tollkühne Spekulation, das Universum mit seiner Misere *anzustecken*, anderes als den extrem gewordenen Mitteilungswunsch eines auf den Tod Vereinsamten? Die Feier des Lebens *per se* auf Kosten des eigenen – was verbirgt sie anderes als die letzte Bitte um Fortpflanzung; was spricht sie anderes aus, als – zum Fluch verkehrt – den Wunsch der Liebe?

Der dieses Buch geschrieben hat, entwarf in ihm – wie immer er sie gewendet haben mag – eine Strategie des Überlebens. Wenn alle Stricke reißen, soll wenigstens das Eine von ihm übrigbleiben: eine durchdringende Einsicht. »Ich werde tot sein, und ich werde gewußt haben, warum«. Es mag eine vergiftete Einsicht sein – aber lieber stellt Z. seine ganze Existenz als Müll dar, der uns zu schaffen machen und die Welt belasten kann, ja im Grenzfall zerstören würde, als daß er diese Existenz einfach zu nichts werden ließe.

»Mars« wollte leben bis zum letzten Augenblick und darüber hinaus. Erst sein Krebs, von dem er sich umsonst zu befreien suchte, führte ihm vor Augen, wie gern er immer hätte leben wollen, und wie wenig er jemals gelebt hatte; was Leben hätte sein können. Wer an diesem Manuskript die Reife vermißt, muß sich daran erinnern, daß diesem Toten nicht einmal die Unreife vergönnt war. Hier ist ein Mann mit sogenannten normalen Neigungen zweiunddreißigjährig gestorben, ohne mit einer Frau geschlafen zu haben. Daß er nicht einmal darin ein Einzelfall ist, wäre schon Grund zur Empörung – zur einzigen *sittlichen* Entrüstung, die ich in unserer Gesellschaft für legitim halten kann. Sie müßte sich gegen das Lebensverhindernde in uns selbst richten – und eben dies tut, in der schärfsten und privatesten Form, dieser Bericht eines Sterbenden. Der Leser mag immer noch finden, daß dieses Buch nicht harmloser ausgefallen wäre, wenn es die »kleine« Erfahrung vor die auffällige Spekulation gesetzt hätte; daß es vielleicht erst in dieser Form ganz »persönlich« genannt werden könnte. Schön und gut. Aber daß dieser junge Mensch die Voraussetzungen für eine solche persönliche – und das muß heißen: sinnliche – Existenz entbehrte, ist eben das Leid, das er uns hier klagt und an dem er gestorben ist. Seine Würde sucht er darin, das tiefste Leid nicht als *Leid,* sondern als *Zorn* zu äußern. Es ist der Tod zu Lebzeiten, gegen den Z. protestiert und dem er das einzige entgegenhält, was er *wirklich* erfahren hat: daß es ein Leben – ein gepeinigtes, unvollständiges, aber immerhin ein Leben – vor dem Tode geben *muß*; wenn es nicht anders geht, ein Leben im Sterben, als Agonie. Sein Zorn deckt nirgends ganz seine Bitte um Gerechtigkeit zu, seinen Wunsch, fair zu sein. Dieser alte verdächtige Wunsch kämpft bis zum letzten Augenblick mit dem elementaren Bedürfnis, *sich* auszudrücken, seine Wünsche endlich einmal anzumelden.

Aber selbst diese Wünsche sind, wenn man ihr Schneidendes von innen betrachtet, eher leise und seltsam bescheiden. Z. schreibt an einer Stelle, daß es – um den Krebs zu aktivieren – nur gerade von allem etwas zuviel gegeben habe. Etwas zuviel der verlogenen Stille, der institutionellen Gefühllosigkeit, der familiären Belastung. Seine Lebensart war ihrer Qualität nach nicht notwendig tödlich. Es war das Quantum, das Zuviel des Nicht-Menschlichen, was sie in die Todeskrankheit umschlagen ließ. Darf man darauf schließen, daß etwas mehr an Phantasie, an Zuwendung, an körperlicher und seelischer Aufmerksamkeit dieses Leben gerettet hätte, auch unter bürgerlichen Umständen? Man darf und muß es wohl. Z. hat die Hintertür zum Mitmenschlichen nur so vehement zugeschlagen, weil er wußte, daß sie auf diese Weise nicht zu verschließen war. Der Leser bleibt eingeladen zum Widerspruch angesichts dieser radikalen Todesgestik. Er ist schon allein deshalb legitim, weil er, kräftiger als diese, zur Tat verpflichtet; weil er hier und jetzt gelebt werden kann und also muß. Der hier sterben mußte, ist nicht das Opfer eines Schicksals, er ist an uns gestorben; an dem, was uns, von einer Gelegenheit zur andern, zum ganzen Menschen fehlte. Er ist daran gestorben, daß er sein Leben nicht teilen, nicht mitteilen lernte, bis es zu spät war. Was ihm also gefehlt hat, war derjenige und diejenige, die ihm Teilung und Mitteilung rechtzeitig abverlangt hätten. In einer unheilbaren Gesellschaft ist sein Tod keine Ausnahme, sondern der Normalfall. Wir werden weiter so sterben, solange wir weiter so leben. Das ist das wirklich Erschütternde an diesem Buch.

ERSTER TEIL

MARS IM EXIL

I

Ich bin jung und reich und gebildet; und ich bin unglücklich, neurotisch und allein. Ich stamme aus einer der allerbesten Familien des rechten Zürichseeufers, das man auch die Goldküste nennt. Ich bin bürgerlich erzogen worden und mein ganzes Leben lang brav gewesen. Meine Familie ist ziemlich degeneriert, und ich bin vermutlich auch ziemlich erblich belastet und milieugeschädigt. Natürlich habe ich auch Krebs, wie es aus dem vorher Gesagten eigentlich selbstverständlich hervorgeht. Mit dem Krebs hat es nun aber eine doppelte Bewandtnis: einerseits ist er eine körperliche Krankheit, an der ich mit einiger Wahrscheinlichkeit in nächster Zeit sterben werde, die ich vielleicht aber auch überwinden und überleben kann; anderseits ist er eine seelische Krankheit, von der ich nur sagen kann, es sei ein Glück, daß sie endlich ausgebrochen sei. Ich meine damit, daß es bei allem, was ich von zuhause auf meinen unerfreulichen Lebensweg mitbekommen habe, das bei weitem Gescheiteste gewesen ist, was ich je in meinem Leben getan habe, daß ich Krebs bekommen habe. Ich möchte damit nicht behaupten, daß der Krebs eine Krankheit sei, die einem viel Freude macht. Nachdem sich mein Leben aber nie durch sehr viel Freude ausgezeichnet hat, komme ich nach prüfendem Vergleich zum Schluß, daß es mir, seit ich krank bin, viel besser geht, als früher, bevor ich krank wurde. Das soll nun noch nicht heißen, daß ich meine Lage als besonders glückhaft bezeichnen wollte. Ich meine damit nur, daß zwischen einem sehr unerfreulichen Zustand und einem bloß unerfreulichen Zustand der letztere dem ersteren doch vorzuziehen ist.

Ich habe mich nun dazu entschlossen, in diesem Bericht meine Erinnerungen aufzuzeichnen. Das heißt, es wird sich hier weniger um Memoiren im allgemeinen Sinn handeln, als vielmehr um die Geschichte einer Neurose oder wenigstens einiger ihrer Aspekte. Es wird also nicht meine Autobiographie sein, die ich hier zu schreiben versuche, sondern nur die Geschichte und Entwicklung eines einzigen, wenn auch bis heute beherrschenden Aspektes meines Lebens, nämlich des Aspektes meiner Krankheit. Ich will versuchen, mich an möglichst viel zu erinnern, was mir für diese Krankheit seit meiner Kindheit typisch und bedeutsam scheint.

Wenn ich mich nun also an meine Kindheit erinnern soll, so will ich zuerst sagen, daß ich in der besten aller Welten aufgewachsen bin. Dem verständigen Leser wird es nach dieser Bemerkung sogleich einleuchten, daß dann die Sache notwendigerweise schief herauskommen mußte. Nach allem, was man mir über mich erzählt hat, muß ich ein sehr liebenswürdiges, lebhaftes, fröhliches und sogar strahlendes Kind gewesen sein; es läßt sich also leicht vermuten, daß ich eine glückliche Kindheit verlebt habe. Anderseits kommt mir hier ein Artikel aus der psychologischen Seufzerecke einer Zeitschrift in den Sinn, worin es um einen jungen Mann ging, der mit seinem Leben durchaus nicht fertig werden konnte, nicht aus und ein wußte und sich nicht fähig fühlte, sein Leben zu meistern, was um so erstaunlicher sei, als er eine sehr glückliche Kindheit verlebt habe. Der Kommentar des psychologischen Briefkastenonkels dazu war sehr einfach gewesen: Wenn der betreffende junge Mann sich jetzt außerstande fühle, sein Leben zu bewältigen, so sei unzweifelhaft auch seine Kindheit nicht glücklich gewesen. Wenn ich aber nun bedenke, wie ich bis heute mein Leben bewältigt oder vielmehr nicht bewältigt habe, so kann ich nur vermuten, daß auch meine Kindheit nicht glücklich gewesen sein kann.

Ich kann mich freilich kaum an besonders unglückliche Einzelheiten aus meiner Kindheit erinnern; alles was mir von meinen Kinderjahren geblieben ist, sieht im Gegenteil meist ganz glückhaft aus, und ich hielte es für übertrieben, aus einzelnen Fällen kindlichen Kummers jetzt ein Aufheben zu machen, das ihnen nicht zukommt. Nein, es ging eigentlich immer alles gut und sogar zu gut. Ich glaube, das war gerade das Schlimme: daß immer alles allzu gut ging. Ich bin in meiner Jugend von fast allen kleinen Unglücken verschont geblieben, und vor allem von allen Problemen. Ich muß das noch genauer ausdrücken: ich hatte nie Probleme, ich hatte überhaupt keine Probleme. Was mir in meiner Jugend erspart wurde, war nicht das Leid oder das Unglück, sondern es waren die Probleme und somit auch die Fähigkeit, sich mit Problemen auseinanderzusetzen. Man könnte es paradoxerweise so sagen: Eben daß ich mich innerhalb der besten aller Welten befand, das war das Schlechte; eben daß in dieser besten aller Welten immer alles eitel Wonne und Harmonie und Glück war, das war das Unglück. Eine ausschließlich glückliche und harmonische Welt kann es doch gar nicht geben; und wenn meine Jugendwelt eine solche nur glückliche und harmonische Welt gewesen sein will, so muß sie in ihren Grundfesten falsch und verlogen gewesen sein. Ich will es also einmal so zu formulieren versuchen: nicht in einer unglücklichen Welt bin ich aufgewachsen, sondern in einer verlogenen. Und wenn eine Sache nur recht verlogen ist, so braucht man auf das Unglück auch gar nicht lange zu warten; das kommt dann schon ganz von selbst.

Hier will ich noch einen Hinweis zum chronologischen Aufbau meiner Jugenderinnerungen einschieben: ich fürchte, die zeitliche Aufteilung wird in diesem Bericht fast ganz fehlen. Ich werde nämlich weniger von einzelnen Erlebnissen erzählen (die man ja ohne weiteres in einer chronologischen Reihe aufeinander folgen lassen könnte), sondern mir eher über verschiedene Bewußtseinsstufen klar zu werden versuchen, bei denen ich mich meist nicht mehr erinnern kann, wann es sich um ein bloßes Ahnen, wann um eine mehr oder weniger nebulose Entwicklung und wann um eine Gewißheit gehandelt hat. Außerdem wäre ich in meinen Jugendjahren noch gar nicht fähig gewesen, meine Eindrücke zu formulieren und mir meiner Reaktionen bewußt zu werden. Viele Dinge werde ich darum heute ganz anders zeitlich zusammenstellen, als ich es getan hätte, als ich diese Dinge wirklich erlebte, und kann daher von einer Menge Einzelheiten heute nicht mehr sagen, in welches Lebensjahr sie tatsächlich gefallen sind.

Das wichtigste Motiv meiner Jugendwelt ist sicher die Harmonie, von der ich schon gesprochen habe. Von den eigentlichen Kinderjahren – oder Nur-Kinder-Jahren – will ich hier Abstand nehmen, um nicht Gefahr zu laufen, etwas in meine Kindheit hineinzuprojizieren, das mir eher wahrscheinlich und plausibel scheint, als daß ich mich konkret zu erinnern vermöchte, daß ich es tatsächlich erlebt habe. Es soll also gleich von der Welt die Rede sein, wie ich sie als kleiner Junge erlebte. Diese Welt war nun eben über alle Maßen harmonisch. Den Begriff der Harmonie kann man hier nicht total genug verstehen. Ich bin aufgewachsen innerhalb einer so vollkommen harmonischen Welt, daß selbst den ausgepichtesten Harmoniker darob noch das große Grausen packen könnte. Die Atmosphäre meines Elternhauses war prohibitiv harmonisch. Ich meine damit, daß bei uns zuhause alles durchaus harmonisch zu sein hatte, daß alles gar nicht anders als harmonisch sein konnte, ja, daß es den Begriff oder die Möglichkeit des Unharmonischen gar nicht gab. Man wird hier sogleich einwerfen, daß die totale Harmonie ein Ding der Unmöglichkeit ist, daß es nur Licht geben kann, wo auch Schatten ist, und daß es um das Licht schlecht bestellt sein muß, das von keinem Schatten weiß noch wissen will. Und ich teile diesen Einwand.

Die Hamletfrage, die mein Elternhaus bedrohte, lautete: Harmonie oder Nichtsein. Es mußte alles harmonisch sein; etwas Problematisches durfte es nicht geben – denn dann ging die Welt unter. Alles mußte unproblematisch sein; oder falls es das nicht war, mußte es unproblematisch gemacht werden. Es durfte in allem immer nur eine Meinung geben, denn eine Meinungsverschiedenheit wäre das Ende von allem gewesen. Heute leuchtet mir auch ein, warum eine Meinungsverschiedenheit bei uns zuhause einem kleinen Weltuntergang gleichgekommen wäre: wir konnten nicht streiten. Ich meine damit, daß wir nicht wußten, wie man das tat, streiten; genau so, wie jemand nicht wissen kann, wie man Trompete bläst oder Mayonnaise zubereitet. Wir beherrschten die Technik des Streitens nicht, und darum unterließen wir es, so wie ein Nichttrompeter keine Trompetenkonzerte gibt. Daher waren wir darauf angewiesen, nie in die Situation zu kommen, streiten zu müssen. Die Folgen davon waren katastrophal: Alle waren immer derselben Meinung. Sollte es aber einmal den Anschein haben, als sei dem nicht so, so mußte es sich für uns notwendigerweise um ein Mißverständnis handeln. Es hatte dann nur irrtümlicherweise so geschienen, als liege eine Meinungsverschiedenheit vor; die Meinungen waren nur scheinbar geteilt gewesen, und nach Behebung des Mißverständnisses wurde offenbar, daß alle Meinungen in Tat und Wahrheit identisch waren.

Ich weiß heute, daß ich es in meiner Jugend nicht gelernt habe, eine eigene Meinung zu haben; ich habe nur gelernt, keine eigene Meinung zu haben. Ich habe als Junge und als junger Mann eigentlich auch nie eine Meinung gehabt.

Ich bezweifle, daß ich das Wort »nein« von meinen Eltern gelernt habe (es mag wohl in der Schule einmal in meinen Wortschatz gelangt sein), denn es wurde in meinem Elternhaus nicht gebraucht, da es überflüssig war. Daß man zu allem ja sagte, wurde nicht als lästige Notwendigkeit oder gar als Zwang empfunden; es war ein in Fleisch und Blut übergegangenes Bedürfnis, das als das Natürlichste von der Welt empfunden wurde. Es war der Ausdruck der totalen Harmonie. Im Grunde genommen war freilich das Jasagen schon eine Notwendigkeit (wenn auch keine bewußt empfundene): denn wie furchtbar wäre es gewesen, wenn einmal jemand nein gesagt hätte? Dann wäre unsere harmonische Welt in einen Horizont hineingestellt worden, dem sie sich durchaus nicht gewachsen fühlte, und den sie um jeden Preis »draußen« behalten wollte. So sagten wir eben ja. Vermutlich kann man nicht als Jasager geboren werden, so daß ich mich nicht als den geborenen Jasager bezeichnen kann; aber ich möchte feststellen, daß ich der perfekt erzogene Jasager war.

Wieweit wir – oder vielleicht auch nur: wieweit ich – dieses ewig unausgesprochene Nein als ein Skelett im Schrank empfanden, fällt mir heute schwer zu ermessen. Irgendwie und irgendwann muß sich dieses Skelett doch auch einmal gerührt haben; aber ich kann mich nicht mehr daran erinnern. Es muß wohl ein sehr behutsames Rühren gewesen sein. Meine Eltern dachten ohnehin nicht gern an Skelette und werden wohl auch nicht gehört haben, was sie nicht dachten. Mein eigener Geschmack war viel makabrer als der meiner Eltern; vielleicht habe ich es als kleiner Junge manchmal gehört, ohne mir dessen bewußt zu werden.

Damit im Zusammenhang muß gestanden haben, daß nicht nur das Neinsagen ein Ding der Unmöglichkeit war, sondern daß uns oft auch das bloße Aussagen über alle Maßen schwer wurde. Jeder der etwas sagte, mußte dessen ein bißchen eingedenk sein, daß die anderen auf seine Aussage immer mit ja antworten sollten und wollten, so daß wir aus Zartgefühl alle Aussagen vermieden, auf die den anderen das natürliche Jasagen etwa hätte schwerfallen können. Wenn es galt, ein Urteil darüber abzugeben, wie einem etwas gefallen hatte, etwa ein Buch, so mußte man, wie beim Kartenspiel, zuerst die möglichen Reaktionen der anderen erwägen, bevor man seine Karte ausspielte, um nicht Gefahr zu laufen, etwas zu äußern, das des allgemeinen Beifalls nicht sicher war. Oder wir hielten mit dem Urteil so lange zurück, bis wir hoffen konnten, daß ein anderer sich zuerst vorwage und seine Meinung zum besten gebe, der wir uns dann beifällig anschließen konnten. Wir warteten also darauf, daß endlich einer die Katze aus dem Sack ließ und die Aussage machte, es sei, zum Beispiel, »schön« gewesen. Darauf fanden wir es alle auch »schön«, sogar »wunderschön« oder »großartig«. Hätte der erste Sprecher aber »nicht schön« gesagt, so hätten wir ihm ebenso beigepflichtet und es auch »gar nicht schön« und sogar »abscheulich« gefunden.

Ich gewöhnte mich daran, kein eigenes Urteil zu fällen, sondern immer nur den Urteilen der anderen beizustimmen. Ich gewöhnte mich daran, nicht selbst die Dinge zu schätzen, sondern immer nur die richtigen Dinge zu schätzen: was die anderen als richtig ansahen, gefiel mir auch, und was die anderen nicht als richtig betrachteten, dem zollte auch ich keinen Beifall. Ich las »gute Bücher«, und sie gefielen mir, weil ich wußte, daß sie »gut« waren; ich hörte »gute Musik«, und sie gefiel mir aus demselben Grund. Was aber »gut« war, bestimmten die anderen und nie ich selbst. Ich verlor jede Fähigkeit zu spontanen Gefühlen und Vorlieben. Ich hatte erfahren, daß klassische Musik »gut«, daß Schlager und Jazz aber »schlecht« waren. Darum hörte ich klassische Musik, wie das meine Eltern taten, und fand es »gut«, und ich verabscheute Jazz, von dem ich wußte, daß er »schlecht« war, obwohl ich noch gar nie Jazz gehört hatte und überhaupt keine Ahnung davon hatte, was Jazz eigentlich war. Ich hatte nur gehört, daß er »schlecht« war, und das genügte mir.

Eine andere zweifelhafte Jugendvorliebe wird mir in diesem Zusammenhang wieder gegenwärtig: die für das »Höhere«, von dem hier auch noch ausgiebig die Rede sein wird. Ich wußte, daß – um bei diesem Beispiel zu bleiben – Jazz schlecht war, beobachtete aber, daß alle meine Klassenkameraden in der Schule, und überhaupt alle Gleichaltrigen, gerne Jazz und gerne Schlager und jede Art von »schlechter« Musik hörten, und kam zu folgendem Schluß: ich hatte eben bereits das »Richtige« gemerkt und war beim »Höheren« angelangt; ich hatte bereits eingesehen, was gut und schlecht war. Meine etwas zurückgebliebenen Klassenkameraden waren noch auf der Stufe der »schlechten« Musik stehengeblieben, während ich mich bereits zu den Höhen der »guten« Musik emporgeschwungen hatte. Daß ich gar nicht verglichen hatte, daß ich nie zwischen der einen und der anderen Art von Musik gewählt, sondern daß ich blindlings das Vorurteil von der »guten« klassischen und der »schlechten« modernen Musik akzeptiert hatte, war mir vollkommen unbewußt geblieben. Ich war nicht über die Erkenntnis herausgekommen, daß in der Kunst alles Alte grundsätzlich »gut« und alles Moderne grundsätzlich »schlecht« war: Goethe und Michelangelo waren »gut«, denn sie waren tot; aber Brecht und Picasso waren »schlecht«, denn die waren modern. Ich glaubte, ich hätte eine Hürde genommen und mich zum Liebhaber des Klassischen erhoben, wo ich mich in Wirklichkeit nur nie an diese Hürde herangewagt und sie nur umgangen hatte. Ich hatte auf diese Weise ein bißchen das »Höhere« für mich gepachtet und konnte auf die noch nicht so Hohen herunterblicken, ohne zu ahnen, wie hohl meine scheinbare Höhe in Wirklichkeit war.

Die erste Schallplatte, die ich mir von meinem Taschengeld kaufte, war denn auch etwas durchaus Klassisches und »Richtiges« – vermutlich irgend ein langweiliges Stück von Mozart oder Beethoven –, und ich war sehr stolz auf meinen »richtigen« Kauf. Die erste Schallplatte, die mein um drei Jahre jüngerer Bruder kurz darauf von seinem Taschengeld erstand, war der damals sehr populäre »Kriminaltango«. Ich belächelte die Wahl meines kleinen Bruders, weil ich wußte, daß der Kriminaltango »kitschig« war; daß aber mein Bruder nach seinem eigenen Geschmack gewählt und nicht boß der Zensur eines blutlosen und theoretisch richtigen guten Geschmackes nachgegeben hatte und daß seine Wahl die spontanere und im wahrsten Sinne des Wortes richtigere war, sollte mir erst viele Jahre später aufgehen.

Ich hatte damals kein Urteil, keine persönlichen Vorlieben und keinen individuellen Geschmack, sondern folgte in allem der alleinseligmachenden Meinung der anderen, des von mir anerkannten urteilenden Gremiums von Leuten, die die Öffentlichkeit darstellten und die wußten, was richtig und falsch war. Und immer, wenn ich glaubte, daß ich auch das Niveau dieses imaginären Gremiums erreicht hätte, freute ich mich und war stolz darüber. Wie ich es in meiner Familie gelernt hatte, zählte im Leben nicht die Meinung des einzelnen, sondern die Meinung der Allgemeinheit, und nur der befand sich am richtigen Platz, der diese allgemeine Meinung möglichst uneingeschränkt teilen konnte. Natürlich führte dieses beständige Streben nach der richtigen und alleinseligmachenden Meinung schon sehr bald zu einer großen Feigheit in allen Fragen des Urteils, so daß meine übergroß gewordene Scheu vor Zivilcourage jede spontane Stellungnahme unmöglich machte. Auf die meisten mir gestellten Fragen pflegte ich zu antworten, ich wisse es nicht, ich könne es nicht ermessen oder es sei mir gleich; nur dann vermochte ich eine Antwort zu geben, wenn ich im voraus wußte, daß sie jenem seligmachenden Kanon gerecht werden konnte. Ich glaube, ich war damals ein richtiger verschüchterter kleiner Kant, der immer nur so zu handeln können glaubte, daß es durchaus dem allgemeinen Gesetz entspräche.

Eine wunderliche Welt entstand daraus für mich, über die ich heute lachen könnte, wenn ich nicht wüßte, wie verderblich sie mir später geworden ist. Ich las also nur »gute« Bücher, d. h. ich besaß gar keine anderen; ich wußte gar nicht, was denn »schlechte« Bücher überhaupt seien. Ich wußte, schlechte Bücher waren »Schund« – von dem ich aber nicht wußte, was er denn eigentlich war. Ich war äußerst erstaunt, als mir einmal bewußt wurde, daß es möglich war, daß einem ein »gutes« Buch unter Umständen auch einmal nicht gefallen konnte. Ich hatte Scheffels *Ekkehard* gelesen und hatte das Werk natürlich »gut« gefunden. Ein gleichaltriges Mädchen, das das Buch in meinem Büchergestell sah, fragte mich einmal, ob mir das Buch gefallen habe. Ich dachte im stillen bei mir: »Blöde Frage – es ist doch ein ›gutes‹ Buch«, denn solche Selbstverständlichkeiten fragte man doch nicht; und ich antwortete natürlich mit Ja. Als sie darauf mitteilte, daß ihr selbst das Buch überhaupt nicht gefallen habe, kam ich aus der Verblüffung kaum mehr heraus, denn daß ein »gutes« Buch mißfallen konnte, ging über meinen Horizont. Nachher überlegte ich mir die Sache und kam zu dem Schluß, das Buch, nachdem es jenem Mädchen mißfallen hatte, von nun an auch als »schlecht« zu betrachten.

Solche kleinen Kindheitserinnerungen mögen freilich unbedeutend und lächerlich anmuten, und ich gebe gerne zu, daß sie an sich noch nicht viel aussagen. Aber ich bin überzeugt davon, daß solche kleinen anekdotischen Beispiele schon das ganze Verderben, das später über mich hereinbrechen sollte, in sich enthalten. Ich meine damit die Vergewaltigung meiner damaligen kleinen – oder besser gesagt: schon klein gewordenen – Persönlichkeit, in der es nichts Eigenes geben durfte, weil sich alles an den Gesetzen des Richtigen und Allgemeingültigen auszurichten hatte, weil sonst die »Harmonie« Gefahr lief, angegriffen zu werden; und das, wußte ich, durfte nicht geschehen. Das Ende der Harmonie wäre das Ende von allem gewesen. Ich muß hier noch einmal wiederholen, daß diese Jugendzeit für mich nicht unglücklich war; sie war bloß »harmonisch«, und das war viel, viel schlimmer.

Einerseits gab mir das Bewußtsein, immer das Richtige zu tun und zu sagen, eine gewisse Sicherheit; anderseits aber eröffnete sich für mich ein Feld voller Gefahren, sobald ich einmal nicht mehr das Richtige wußte und mich auf mein eigenes Urteil hätte verlassen sollen, das eigene Urteil, das ich ja eben mit allen Kräften zu unterdrücken mich anhielt. So erinnere ich mich an ein Gespräch mit einem Schulkameraden, der mich fragte, für was ich mich eigentlich interessierte. Ich wußte keine rechte Antwort, so daß er sich zu erkundigen begann, ob ich mich für dies oder das oder jenes interessiere. In allen Fällen mußte ich nein sagen, wenn auch äußerst widerstrebend, da ich ja nicht gerne nein sagte und ahnte, daß sich der andere eben dafür interessierte, wofür ich ein persönliches Interesse verneint hatte. Ich sah auf mich zukommen, daß wir in bezug auf das Interesse an allen diesen Dingen verschiedener Meinung sein würden, was ich doch nach Möglichkeit zu vermeiden gewohnt war. Schließlich fragte er mich, ob ich auch so gerne Tiere hätte. Obwohl ich vor allen Tieren Angst hatte, brachte ich es nicht über mich, ihm noch einmal mit nein entgegnen zu müssen, log und sagte ja, wenn auch innerlich davor bangend, daß dieses Ja entsetzliche Folgen haben und er mich dazu einladen könnte, in seiner Gesellschaft mit Tieren zu spielen. Vielleicht weil ihm mein Ja nicht sehr überzeugend geklungen hatte, wollte er noch wissen, ob ich mich denn vielleicht für Autos interessiere. Jetzt wollte ich aber erst recht derselben Meinung sein wie er, log abermals und bejahte wiederum. Da erwiderte er, daß er selbst überhaupt nichts für Autos übrig habe. So hatte ich es gerade zweimal verfehlt: Die erste Lüge aus Höflichkeit hatte er mir nicht geglaubt; mit der zweiten Lüge aus Höflichkeit aber hatte ich eben mein Vorhaben vereitelt, mit ihm derselben Meinung sein zu können. Ich wollte nur höflich und derselben Meinung sein wie er; ehrlich sein konnte ich nicht. Gelernt aber hatte ich nichts daraus. Ich glaube, daß ich mir auf diese Weise jahrelang die Freundschaft anderer Menschen verscherzt habe, da ich Angst davor hatte, ich könnte einmal mit jemandem verschiedener Meinung oder es könnte sonst etwas nicht »richtig« sein. Um diesen Eiertanz durchhalten zu können, durfte ich nie ehrlich sein.

Es mag nun ein bißchen übertrieben scheinen, daß ich nie eine eigene Meinung gehabt haben soll; es scheint unmöglich, daß sich für mich nicht mehr Konfliktsituationen ergeben haben sollten, die mich dazu hätten zwingen müssen, Farbe zu bekennen. Aber ich war tatsächlich in der Kunst des Ausweichens sehr gut geschult, und wenn ich auf unangenehme Fragen nicht einfach eine Stellungnahme verweigerte, standen mir eine Menge Umgehungstechniken zur Verfügung.

Einer der beliebtesten Helfer in der Not, wenn es sich um Zivilcourage handelte, war in meiner Familie das »Schwierige«. »Schwierig« war das Zauber- und Schlüsselwort, um alle offenstehenden Probleme hintanzustellen und somit alles Störende und Unharmonische aus unserer heilen Welt auszusperren. Wenn sich bei uns zuhause, etwa im Gespräch am Familientisch, eine heikle Frage einzuschleichen drohte, so hieß es sogleich, die Sache sei halt »schwierig«. Damit sollte angedeutet werden, daß das betreffende Problem so komplex und reich an unfaßbaren Möglichkeiten sei, daß es sich von selbst verbiete, darüber zu diskutieren, so, als übersteige das Problem das Fassungsvermögen des Wortschatzes und des menschlichen Geistes. Das Wort »schwierig« hatte etwas Absolutes an sich. So wie man kaum über das Unendliche sprechen kann, weil der Mensch als endliches Wesen kein Vorstellungsvermögen dafür hat, so schienen sich auch die »schwierigen« Dinge im Raum des Menschenunmöglichen zu bewegen. Man brauchte bloß dahinter zu kommen, daß eine Sache »schwierig« war, und schon war sie tabu. Man konnte dazu sagen: Aha, das ist ja »schwierig«; also sprechen wir nicht darüber und lassen wir das. Man mußte dann gar nicht mehr darüber sprechen, ja, man konnte dann sogar gar nicht mehr darüber sprechen; vielleicht durfte man gar nicht mehr darüber sprechen, weil es »für den Menschen nicht gut ist, vom Schwierigen zu sprechen«. Ich möchte das Wort »schwierig« als nahezu magisch bezeichnen: man sprach »schwierig« über eine Sache, als sagte man einen Zauberspruch darüber, und die Sache war verschwunden.

Zu den »schwierigen« Dingen gehörten aber fast alle menschlichen Beziehungen, die Politik, die Religion, das Geld und selbstverständlich die Sexualität. Ich glaube heute, daß alles Interessante bei uns zuhause »schwierig« war und folglich nie besprochen wurde. Wenn ich mich jetzt zu erinnern suche, worüber wir zuhause denn überhaupt sprachen, so kommt mir fürs erste nicht viel in den Sinn; das Essen vermutlich, das Wetter wahrscheinlich, die Schule natürlich, und selbstverständlich die Kultur (wenn auch nur die klassische und die von Leuten, die schon tot waren).

Dagegen kann ich mich noch erinnern, wie ich zum ersten Mal in meinem Leben erfuhr, daß man auch über etwas Aufregendes und Interessantes reden kann. Es war auf einer Schulreise, wo wir die Nacht im Massenlager einer Alphütte verbrachten. Davor hatte ich Angst gehabt, wohl weil ich mir vorgestellt hatte, daß mir meine Kameraden meine Angst ansehen und mich darum mit dummen Streichen quälen würden. Stattdessen stellte ich fest, daß die anderen Jungen nach dem Lichterlöschen sich im Dunkeln noch miteinander über die interessantesten Dinge von der Welt unterhielten, und daß ich bald mit in ein Gespräch gezogen war. Es ging darin um religiöse Probleme, um die Vorzüge einer ziemlich verschrobenen christlichen Sekte, der einer meiner Kameraden angehörte. Darum aber war es ein großes Erlebnis für mich, auf einmal über spannende Themen zu sprechen, weil ich diese Erfahrung noch nie gemacht hatte.

Obwohl ich mir heute vorstellen muß, daß das oben erwähnte nächtliche Gespräch in der Alphütte nicht das einzige gewesen sein kann, das den Namen eines fesselnden Gesprächs verdiente, und daß ich sicher noch auf eine Menge anderer Anregungen gestoßen sein muß, so verfiel ich während meiner ersten Jugendzeit doch nie darauf, die Gesprächsarmut meines Elternhauses als einen wirklichen Mangel zu empfinden. Ich kannte zwar Orte, an denen es interessanter zuging als bei mir zuhause; aber ich empfand die Atmosphäre meines Elternhauses nie als schal. Ganz im Gegenteil. Ich sah es als ein besonderes Verdienst meiner Eltern an, daß sie alles »schwierig« fanden, denn das schien mir der Beweis für ein höheres Niveau zu sein: ich selbst in meiner Beschränkung sah die Dinge alle noch so einfach, daß sie mir durchaus verbalisierbar vorkamen. Meine Eltern aber schienen mir erfahrener und klüger zu sein und hatten bereits ein höheres Niveau erreicht, auf dem sie einsahen, daß die Dinge »nicht so einfach«, sondern eben »schwierig« waren, so »schwierig« sogar, daß man gar nicht mehr darüber sprechen konnte. In meinem unglücklichen Drang nach dem »Höheren« versuchte ich auch, dieses erhabene Niveau der tieferreichenden Erkenntnis zu erlangen und auch einzusehen, daß die Dinge »schwierig« waren. So gewöhnte ich mir auch an, wie ich es von meinen Eltern gelernt hatte, über nichts mehr nachzudenken und mich im Abglanz der von mir entdeckten Schwierigkeit der Dinge zu sonnen. Daß man sich zuerst einmal alles überlegen muß, ehe man den buddhaähnlichen Zustand der so hohen geistigen Vollkommenheit erreicht, in dem man sich über gar nichts mehr den Kopf zu zerbrechen braucht, davon ahnte ich zu der Zeit natürlich noch nichts. (Wobei man wohl noch hinzufügen muß, daß ein solcher Buddha wohl eher alles als »einfach« denn als »schwierig« bezeichnen dürfte.) Dieses postulierte höhere Niveau meiner Haltung war eben auch äußerst bequem für mich, wie für uns alle: wir brauchten uns nie zu engagieren, wir brauchten uns nie festzulegen oder gar bloßzustellen; wir brauchten bloß immer alles »schwierig« zu finden.

Wenn in meiner Erinnerung das »Schwierige« vor allem die Domäne meiner armen Mutter war, so war mein armer Vater der Meister des »Unvergleichlichen«. Meine Mutter begnügte sich meist damit, die Dinge an sich »schwierig« zu finden; mein Vater ging gern noch einen Schritt weiter und machte den Dingen den Garaus, indem er sie aus ihrem natürlichen Zusammenhang herausriß und sie für unvergleichbar erklärte. Immer wieder fand er sich außerstande, verschiedene Dinge miteinander in Beziehung zu bringen; er pflegte zu sagen, »das ließe sich gar nicht miteinander vergleichen«, und ließ somit alles im luftleeren Raum stehen. Dabei bewährte sich seine Kunst vor allem bei sehr ähnlichen Dingen, die zu einem Vergleich geradezu hätten herausfordern müssen. Auf diese Weise ließ sich eine Diskussion über den Wert oder Unwert der Dinge leicht vermeiden, denn einen wirklichen Wert kann eine Sache nur im Vergleich zu anderen haben, so wie das Licht nur im Vergleich zum Dunkel hell sein kann.

Während diese Eigenart meines Vaters im nur ästhetischen Bereich eine harmlose Marotte blieb, nahm sie, vor allem auf politischem Gebiet, gern groteske Formen an. So war es zum Beispiel zur Zeit der Abstimmung über die Einführung des Schweizer Frauenstimmrechts ganz im Sinne meines Vaters gesprochen, daß zwar alle Länder der Welt außer der Schweiz das Frauenstimmrecht kennten, daß die Schweiz deswegen aber noch lange nicht als rückständig zu betrachten sei, weil das Stimmrecht in anderen Ländern mit dem der Schweiz eben gar nicht zu vergleichen sei, so daß man daraus auch nicht folgern könne, daß das Frauenstimmrecht für die Schweiz gut sei. Auch meine arme Mutter machte sich diese Lehre bereitwillig zu eigen und wurde eine radikale Gegnerin des Frauenstimmrechts. Selbst als das Frauenstimmrecht tatsächlich eingeführt wurde, beharrte meine Mutter auf ihrer Meinung und betonte immer wieder, wie zuwider ihr dieses ungewollte Recht und wie sehr sie immer noch dagegen sei.

Daß es unstatthaft war, die russische mit der spanischen Justiz zu vergleichen, leuchtete in meinem Elternhause ein, denn die Russen waren ja Kommunisten, und darum war es böse, wenn sie ihre Landsleute umbrachten; die spanische Regierung aber war ja gegen die Kommunisten, und darum war es nicht böse, wenn sie ihre Landsleute verfolgte. Und außerdem war der Terror für die Spanier eigentlich ein Glück, denn so hatten sie doch »Ruhe und Ordnung«. (Der feine Vergleich zur Sowjetunion, die wohl der Staat ist, in dem am meisten »Ruhe und Ordnung« herrscht, wurde nicht gezogen.) Aber auch ein Vergleich zwischen spanischen Konzentrationslagern und deutschen der Nazizeit war nicht möglich; daraus, daß Hitlers Faschismus schlecht war, ließ sich noch lange nicht schließen, daß Francos Faschismus auch schlecht sei, denn diese beiden Dinge waren eben »gar nicht zu vergleichen«.

Es schien, als ob die Dinge der Welt an und für sich unvergleichbar seien. Die nicht mit anderen verglichenen Dinge sind aber immer an sich wertlos und stehen einsam und unverstanden in einem kalten irrealen Raum. Sie ermuntern weder zu Kritik noch zu Beifall; sie engagieren nicht, sie wirken nicht; sie sind eben unvergleichbar.

Dies war auch mein Bild von der Welt. Es gab keine Konflikte, und es konnte auch keine geben, denn die Dinge der Welt glitten in einem System der vollkommenen Beziehungslosigkeit reibungslos aneinander vorbei. Und offenbar war diese Reibungslosigkeit etwas Positives: denn wo keine Reibung ist, da ist Harmonie, und wo Harmonie ist, da ist alles in Ordnung. Daß ich nicht über dieser reibungslosen Welt stand, sondern selbst so ein Ding im kalten irrealen Raum war, wußte ich natürlich nicht. Im Gegenteil kam mir auch diese Unfähigkeit, verschiedene Dinge miteinander zu vergleichen, ebenso wie die Erkenntnis des »Schwierigen« als der Ausdruck eines höheren geistigen Niveaus vor. Ich merkte, daß man gescheit war, wenn man nicht verglich. Offensichtlich war ich zu der Zeit noch nicht etymologisch gebildet und wußte noch nicht, daß das Wort »intelligent« auf »inter-legere« zurückgeht und genau das Gegenteil dessen bedeutet, was sich mir als der Inbegriff aller Gescheitheit herauszubilden begann.

Alles aber, was nicht »schwierig« oder »unvergleichbar« und auf diese Weise totzuschlagen war, wurde bei uns zuhause gewöhnlich auf »morgen« verschoben, dieses Lieblingsdatum aller Schwachen, denen es Trost verheißt, daß »morgen« im allgemeinen »niemals« bedeutet. Wie viele Formeln gab es aber nicht, um unter dem Deckwort »morgen« nein zu sagen!

Das ist ein sehr interessantes Problem; ich werde es mir gerne in den nächsten Tagen überlegen.

Ihr Angebot fesselt uns sehr; wir werden uns morgen oder übermorgen gerne damit beschäftigen.

In meinem Elternhaus galt also die Devise: Nur nichts überstürzen! Dieses Nicht-Überstürzen bestand aber normalerweise darin, daß die Dinge überhaupt nie in Angriff genommen wurden.

Wie oft war ich nicht staunender Zeuge der immer wieder gleichen Szene, daß meinen Eltern ein Vorschlag oder ein Angebot unterbreitet wurde, bei dem ich genau wußte, daß es ihnen von vornherein nicht in den Kram paßte, zu dem sie sich aber aus Höflichkeit nicht getrauten, nein zu sagen, und für das sie darum immer mit der allergrößten Zuvorkommenheit und dem Versprechen dankten, sie würden es sich »gerne« überlegen. Und gründlich natürlich. Jede Entscheidung mußte »gründlich« durchdacht werden, je gründlicher, desto länger, so daß aus dem »lange« jedesmal ein »allzulang« und ein »überhaupt nicht mehr« werden konnte. Auch hiervor hatte ich Ehrfurcht zu empfinden gelernt; auch hier verehrte ich die würdige Skepsis meiner Eltern, die ewige Angst, man könne am Ende doch nicht das »Richtige« treffen, als eine Überlegenheit, die mehr darstellte als die primitive Fähigkeit, auch einmal ganz »ungründlich« ja und nein sagen zu können. Das Wort »spontan« gehörte nicht zu unserem Vokabular.

Ich bin mir dessen bewußt, daß ich hier ein philosophisches Thema anschneide, das natürlich über den engen Raum meiner persönlichen Erinnerungen hinausgeht. Für den Philosophen ist es freilich möglich, daß der wahre Intellektuelle der ist, der sich immer alles unter Berücksichtigung aller seiner Aspekte überlegt und sich demzufolge nie entscheidet und nie handelt; das mag für den rein philosophischen Bereich wohl zutreffen. Ebenso wahr aber scheint mir zu sein, daß der im Leben versagt, der immer nur überlegt und vor lauter Gescheitheit überhaupt nie handelt. Wer sich immer nur alles »gründlich« überlegt und sich jeder Stellungsnahme enthält, dessen Überlegungen sind zuletzt wertlos und fallen wie ein Kartenhaus in sich zusammen. Aber wie hätte ich das als Junge merken können, der ich selbst in einem Kartenhaus lebte?

Nun wird man hier freilich einwenden, gar so meinungslos, wie ich es oben beschrieben habe, könne es selbst in meinem Elternhaus nicht zugegangen sein, und jemand müsse doch den Ton angegeben haben. Ja, freilich hat jemand den Ton angegeben, der Vater natürlich; denn daß der Vater die Meinung bestimmt, das ist eben das »Richtige«. Mein Vater war es gewöhnlich, der sagte, wie die Dinge waren, und wir pflichteten ihm bei, denn er mußte es ja besser wissen als wir. Dieser Richtlinie folgte meine Mutter unbedingt. Sie vermied jede direkte Aussage, um nicht Gefahr zu laufen, eventuell nicht mit der Meinung meines Vaters übereinzustimmen; hatte er sein Votum einmal abgegeben, so konnte sie getrost und ohne Risiko ja dazu sagen. Sollte dieses System des Einverständnisses einmal nicht reibungslos funktionieren, so war meine arme Mutter bereit, die nötigen Korrekturen vorzunehmen.

Wenn wir hier als Beispiel den Termin für eine bestimmte zu erledigende Sache annehmen wollen, so konnte es meiner Mutter unvorsichtigerweise passieren, daß sie als Stichtag etwa den Dienstag vorschlug. Zog dann mein Vater aber den Freitag vor (der meiner Mutter, ohne daß er es gewußt hätte, gar nicht gelegen kam), so war es meiner Mutter ein leichtes, sich plötzlich einfallen zu lassen, daß ihr der Freitag eigentlich noch viel, viel besser passe als der Dienstag, daß er dem Dienstag in jeder Hinsicht vorzuziehen sei und daß im Grunde genommen der Dienstag gar nicht in Frage kommen könne. Das eigentlich Lächerliche an diesem ganzen Vorgang ist, daß in den meisten Fällen für meine Eltern ein dritter Wochentag, zum Beispiel der Mittwoch, ganz problemlos gewesen wäre, so daß sich ohne unnötige Opfer mit der Wahl des Mittwochs ein sinnvoller Kompromiß hätte finden lassen können. Die Verleugnung ihrer Gefühle und der Verzicht meiner Mutter waren ganz sinnlos gewesen. Sie hatte die »Harmonie« schonen wollen, hatte diese Schonung aber auf eine ganz unnütze und verlogene Art geübt. Meine Eltern waren in einem solchen Fall nicht eigentlich »einverstanden« gewesen; sie hatten es nur vermieden, über die Dinge zu diskutieren. Wenn ich heute an all die vielen ähnlichen nutzlosen Opfer zurückdenke, die in meiner Familie um der Harmonie willen gebracht worden sind, so kann ich nur zum Schluß kommen, daß es nicht Werke der Großzügigkeit gewesen sind, sondern Werke der Feigheit.

Soweit ich mich erinnern kann, haben meine Eltern, die dreißig Jahre lang miteinander verheiratet gewesen sind, nur einmal miteinander gestritten. Die ungewohnte Situation des elterlichen Uneinsseins war zwar sehr schmerzlich für das ganze Haus, aber was den eigentlichen Streit betraf, so wurde am Ende doch nichts daraus: Meine Eltern verstanden nicht zu streiten, und so brachen sie das Experiment, nachdem sie einen Tag lang schweigend voreinander verharrt hatten, unverrichteter Dinge wieder ab. Das Experiment wurde auch nicht mehr wiederholt, da meine Eltern gemerkt hatten, daß ihnen die Fähigkeiten dazu mangelten.

Eine überaus merkwürdige Szene kommt mir in diesem Zusammenhang in den Sinn, die ich stellvertretend für hundert andere erzählen will. Eine gebildete Tante war bei uns zuhause eingeladen und berichtete von einer Bilderausstellung des Malers Hans Erni. Dieser Maler war meinen Eltern verdächtig, weil sie argwöhnten, daß er ein Kommunist sei; darum schon konnten seine Bilder nicht eigentlich schön sein. Die Tante aber meinte, die Ausstellung sei herrlich gewesen. Meine Mutter, die gerade mit Teeeinschenken beschäftigt gewesen war, hatte sich ein bißchen verhört und statt »herrlich« »gräßlich« verstanden, was sie auch eher hatte erwarten dürfen, da Erni ja Kommunist war. So beeilte sie sich, sich einverstanden zu erklären und ihrerseits zu betonen, wie gräßlich sie Erni fände. Natürlich beharrte die mißverstandene Tante jetzt erst recht auf ihrer Meinung und auf ihrem »herrlich«, so daß meine Mutter das Wort jetzt richtig verstand, in ihrer Meinung unverzüglich umschwenkte und Erni ebenfalls als »herrlich« betrachtete.

Ganz allgemein war bei meiner Mutter eine große Vorliebe für das Wort »oder« zu bemerken. Sie stellte etwas fest und fuhr dann fort: Oder es ist etwas anderes. Meine arme Mutter pflegte zu sagen: Ich fahre am nächsten Freitag um halb elf Uhr nach Zürich; oder ich bleibe zuhause. Heute abend gibt es Spaghetti zum Essen; oder es gibt Wurstsalat.

Man muß sich fragen: Wo bleibt da die Wirklichkeit? Ich gehe fort; oder ich bleibe zuhause. Ich bin anwesend; oder ich bin gerade abwesend. Die Erde ist rund; oder sie ist dreieckig. Wenn man zuviel »oder« sagt, verlieren die Worte jedes Gewicht und jeden Sinn; die Sprache zerfällt in eine amorphe Masse von bedeutungslosen Partikeln; nichts ist mehr fest, und alles wird unwirklich.

Es ist mir heute unmöglich, meine Reaktionen auf meine Umwelt chronologisch einzuordnen. Als Kind und Junge muß ich sicher auf der Seite meiner Eltern und besonders auf der Seite meiner armen Mutter gestanden und mit ihr gehofft haben, daß sich jede drohende Meinungsverschiedenheit auf die sanfteste und konfliktloseste Weise einrenken lassen möge; mit der Zeit begannen mich die Verlogenheiten dieser ewigen Harmonie zu stören. Ich kann nicht mehr sagen, wann das war; die ersten Anzeichen davon mögen noch in meiner Kindheit liegen, aber das ganze Ausmaß der Krankheit meiner Welt wurde mir erst spät, furchtbar spät bewußt. Einerseits stieß ich mich an den verlogenen Ausreden meiner Mutter, andererseits war ich selbst schon viel zu sehr auf Harmonie versessen und verlogen und feig, um mich selbst in eine Konfliktsituation zu wagen und mich eingehender darum zu kümmern, warum ich mich an etwas stieß. Ich betrachtete die Handlungsweise meiner Mutter als eine ein bißchen lächerliche Schwäche, als eine liebenswürdige Marotte, die man eher belächeln als tadeln muß. Den Begriff der »liebenswürdigen Marotte« hatte ich in einem Buch gelesen und mir sogleich zu eigen gemacht. Ich fühlte, daß ich ihn gut brauchen konnte, um in meinem Weltbild alles auszuleimen, was sich vielleicht einmal als nicht ganz dicht erweisen könnte. Ich begann sogar zu ahnen, daß ich Fehler hatte und daß meine ganze Welt verfehlt und schadhaft war, aber ich scheute vor dem kompromittierenden Wort »Fehler« zurück und wollte mich durchaus nur an die »liebenswürdigen Marotten« halten; natürlich deshalb, weil im Wort »Fehler« unausgesprochen schon der Aufruf zum Erkennen und Sich-Stellen und Wiedergutmachen steckt, während die Marotte, und ganz besonders die »liebenswürdige«, viel eher etwas war, das man hegen und pflegen, vielleicht ein bißchen belächeln, auf jeden Fall aber kultivieren mußte.

II

Wenn man das bis jetzt Geschriebene überblickt, so könnte leicht der Eindruck entstehen, als gehe es mir ausschließlich darum, böswillig die Schwächen meiner armen Eltern aufzuzählen, um sie dann als die Bösen hinzustellen, die mich verdorben hätten und denen demzufolge jetzt mein ganzes Unglück zuzuschreiben sei. Ich glaube aber vielmehr, daß dieser Bericht darüber hinausgeht, bloß meinen Eltern die Schuld für das anzukreiden, was ich selbst hätte besser wissen und tun müssen. Ich kann meine Eltern heute weniger als die »Schuldigen« denn als Mit-Opfer derselben verfehlten Situation ansehen. Sie waren nicht die Erfinder dieser schlechten Lebensweise; sie waren vielmehr – wie ich selbst – die von diesem kritiklos akzeptierten schlechten Leben Betrogenen. Man könnte nun an diesem Punkt meiner Erinnerungen den großen Moment erwarten, in dem ich aus dieser Scheinwelt meines Elternhauses erwacht und mir gesagt hätte: Halt! Das kann doch nicht so weitergehen.

Dieser Moment kam aber nicht. Und daß dieser Moment nicht kam und eigentlich auch gar nicht kommen konnte, das eben war das Verhängnis. Das Schlimme waren nicht die einzelnen kleineren oder größeren Schwächen meiner Eltern; denn daß niemand vollkommen ist, daß auch keine Erziehung zu vollkommenen Ergebnissen kommen kann, daß wohl alle Eltern ihren Kindern im Verlauf der Erziehung auch einmal etwas antun werden, worunter die Kinder später leiden müssen, und daß die Kinder selbst ja auch keine vollkommenen Geschöpfe sind, gehört nur mit zur selbstverständlichen Erkenntnis, daß die Welt eben nicht vollkommen ist. Das Schlimme waren nicht meine Eltern, denn meine Eltern waren nicht schlimm; ich kann ihnen gegenüber heute nichts anderes mehr empfinden als Mitleid. Das Schlimme war der Umstand, daß die Welt, in der ich aufwuchs, keine unvollkommene

Welt sein *durfte,* und daß ihre Harmonie und Vollkommenheit obligatorisch waren. Ich *durfte* es nicht merken, daß die Welt nicht vollkommen war; das Hauptziel meiner Erziehung war sicher darin zu suchen, daß es eben den Moment unmöglich zu machen trachtete, in dem ich mir gesagt hätte: Halt!, denn ich war dazu erzogen worden, es *nicht* zu merken. Und mit Erfolg. Meine Erziehung kann tatsächlich als durchaus gelungen bezeichnet werden, denn ich habe auch wirklich dreißig Jahre lang nichts »gemerkt«. Ich bin dazu erzogen worden, immer ja zu sagen, und ich habe »gebraucht, was ich gelernt hatte«, und habe auch immer überall ja gesagt. Das Experiment meiner Erziehung war gelungen. Leider.

Worin dieser Bericht aber über das nur Individuelle hinausgeht, ist die Tatsache, daß mein Fall – oder besser gesagt: unser Fall – eben kein Einzelfall ist und von allem anderen losgelöst betrachtet werden kann. Wieweit meine Eltern die Schuld trugen und wieweit sie ihrerseits nur die Opfer einer noch viel größeren Schuld waren, kann ich nur ahnen. Nach allem, was ich von meinen Eltern weiß, hatten sie ihrerseits zu ihren Eltern kein gutes Verhältnis, ganz sicher kein »harmonisches«. Vielleicht war es eben diese Harmonie, die sie in ihrer eigenen Kindheit vermissen mußten, die sie zu ihrer »harmonischen« Lebenshaltung gedrängt hatte. Vielleicht wollten sie auf harmonische Weise all das wieder gutmachen, was sie glaubten, daß ihnen an Unharmonischem von ihren eigenen Eltern widerfahren sei. Ihre Haltung mag als bewußte Reaktion auf die Haltung ihrer Eltern aufzufassen sein; eine Haltung, die nun in mir wiederum eine aggressive Gegenhaltung herbeiruft. Man kann natürlich die ganze Geschichte der Generationen als eine ewige Abfolge derselben Situation verstehen, in der es die Eltern mit ihren Kindern immer »nur gut meinen«, die Kinder aber vollkommen falsch erziehen, so daß die Kinder dann damit reagieren, ins andere Extrem verfallen, alles wieder gut machen wollen und es ihrerseits mit ihren Kindern »nur gut meinen«, so daß derselbe *circulus vitiosus* bis in alle Unendlichkeit weitergeht. Oder mit anderen Worten ausgedrückt: Wie man es macht, ist es falsch. Wenn man diese Linie weiter verfolgte, so würde man sehr bald zur Erkenntnis kommen, Erziehungsfragen seien eben »schwierig«, worauf man das ganze Problem als ohnehin unlösbar *ad acta* legen könnte.

Um nun aber nicht in diesen Fehler zu verfallen und nur das ohnehin »Schwierige« an der ganzen Sache zu betrachten, so möchte ich behaupten, daß meine Erziehung an einem echten Übel krankte, und die Fehler meiner Eltern nicht einfach auf die Gegenfehler meiner Großeltern zurückzuführen waren. Ich glaube nämlich nicht, daß wir zuhause einfach in einem skurrilen und irrealen Glashaus saßen, das beim ersten besten Windstoß ohnehin umfallen mußte, sondern daß, was ich oben in verschiedenen Beispielen als mein Elternhaus beschrieben habe, einen ganz repräsentativen Fall darstellt, und daß eine ganze Menge anderer Elternhäuser auch nicht viel anders ausgesehen haben mögen. Es mag leicht sein, daß bei mir zuhause die Dinge noch ein bißchen krasser und übertriebener waren als anderswo, aber grundsätzlich verschieden von anderen bürgerlichen Häusern waren sie wohl nicht. Nun ließe sich einwenden, daß das zwar für mich persönlich sehr bedauerlich sei, daß mir aber eigentlich nur gerade das für meinen individuellen Fall besondere Zuviel von mißglückter Erziehung geschadet habe; daß wohl die Erziehung aller meiner Zeitgenossen ebenso mißglückt sei wie die meine, ohne daß diese Leidensgenossen aber einen besonderen Schaden davongetragen hätten. Oder etwas einfacher ausgedrückt: Jede Erziehung ist schlecht; das spielt aber gar keine Rolle, denn die meisten Kinder geraten dennoch. Wenn ausnahmsweise einmal eines nicht geraten sollte, so hat es eben Pech gehabt und ist nur als Extremfall anzusehen oder eben als Ausnahme, die die Regel bestätigt.

An diese Ausnahme glaube ich nun aber eben nicht. Die extremen Auswirkungen, die dem Schaden bei mir später entwachsen sind, mögen eine Ausnahme darstellen, denn schließlich bekommt nicht jeder, der falsch erzogen ist, Krebs davon. Ich möchte es lieber so ausdrücken, daß die Schäden, die durch eine falsche Erziehung hervorgerufen worden sind, so groß werden können, daß sie in ihren extremsten Formen (wie dies nun bei mir der Fall zu sein scheint) sich auch als neurotisch bedingte Krankheiten, zum Beispiel Krebs, manifestieren können. Ob ich diese Krankheit überleben werde, weiß ich heute nicht. Falls ich daran sterben sollte, wird man von mir sagen können, daß ich zu Tode erzogen worden bin.

Andererseits kann man aber auch annehmen, daß ich eben Glück gehabt habe: dadurch, daß ich zu Krebse erzogen worden bin, habe ich jetzt auch eine Chance bekommen, auf das Übel zu reagieren, und bin wohl besser dran als viele tausend andere, bei denen es nicht so überwältigend schlimm gewesen ist und die heute darum krebslos in traditioneller Frustration ebenso glücklos verblöden können; die nur ein bißchen weniger schlimm dran sind als ich, aber eben gerade um dieses Bißchens wegen viel weniger Chancen haben, dem Übel entgegenzutreten. Jeder reiche Zürcher hat schließlich einen Herzinfarkt und ein Magengeschwür; bloß fällt ihm nichts Gescheites ein dazu. Darauf, daß im Staate Dänemark (und auch in anderen europäischen Staaten) etwas faul ist, kommt man offenbar erst, wenn die Krankheit noch ärger ist.

Worin ich aber den Fehler in meiner Erziehung am deutlichsten zu sehen glaube, in der fiktiven und dogmatischen Konstruktion einer vollkommenen und heilen Welt, in dieser Hinsicht gleicht die Welt meiner Jugend ganz allgemein der Welt aller, die, wie ich, nicht nur an der rechten, sondern auch an der »richtigen« Seite des Zürichsees aufgewachsen sind, an der sogenannten »Goldküste«, in der bürgerlichen Gesellschaft von Zürich, der Schweiz, Europas oder, wenn man will, des sogenannten freien Westens. Ich will aus diesem Bericht nun aber keine politische Abhandlung machen, wozu ich weder die notwendigen Kenntnisse noch Lust habe, sondern mich wieder ganz auf meine persönlichen Erinnerungen beschränken, wenn auch im Bewußtsein, daß dieser mein persönlicher Fall nicht nur ein Einzelfall ist, sondern vermutlich ein repräsentativer und allgemeiner, der für viele andere stehen könnte. Und darum vielleicht auch ein politischer.

Nachdem ich nun dem Glauben Ausdruck gegeben habe, daß wir bei uns zuhause gar keinen so außerordentlichen Fall darstellten, mich bis jetzt aber fast ausschließlich auf die Beschreibung meiner Familie etwa beim Gespräch um den gedeckten Mittagstisch herum beschränkt habe, will ich nun versuchen, auch die unheimliche Außenwelt auf uns zukommen zu lassen.

Wenn ich mich heute daran zu erinnern versuche, wie denn die anderen Menschen waren, die es ja außerhalb meines Elternhauses auch noch gab, so möchte ich sagen: sie waren lächerlich und respektabel. Selten erreichten sie das Extrem der totalen Lächerlichkeit, eher noch das der totalen Respektabilität; meistens aber besaßen sie beide Eigenschaften nebeneinander; Eigenschaften, die sich nur scheinbar ausschließen.

Respektabel waren natürlich alle diejenigen, die eine respektgebietende Stellung innehatten wie Lehrer, Ärzte, Pfarrer, Direktoren, Doktoren, Professoren, Militärs und eigentlich alle reichen Leute. Ich glaube, daß auch für uns der Satz galt: Wer reich ist, ist auch gut. Natürlich wurde das Wort »gut« vermieden und statt dessen das landesübliche »recht« verwendet: »Rechte« Leute waren reiche Leute. Auch »reich« sagten wir nicht; man sagte, jemand »habe Geld«. Die Leute waren auch nicht »geizig«, sondern »behäbig«. Die Armen waren nicht »arm«, sondern »einfach«. Die Dinge – vor allem ihre Eigentümer – waren nicht »teuer«, sondern »nicht billig«. Denn schließlich spricht man nicht vom Geld; man hat es.

Eine wichtige Gattung von Respektspersonen verdient hier besondere Beachtung: die Politiker. Grundsätzlich waren auch sie respektabel, aber es wurde ihnen eine Auflage gemacht: sie mußten rechts stehen. Je weiter rechts sie standen, desto besser und also respektabler waren sie; je weiter sie sich nach links bewegten, desto schlechter wurden sie. Der Maßstab für alle politischen Bewertungen waren die bösen Kommunisten: je antikommunistischer, desto besser, je stärker der Verdacht, etwas mit dem Kommunismus zu tun zu haben, desto schlechter. Das politische Weltbild bei uns zuhause war also klar: es gab das Gute und das Böse, und die Trennungslinie dazwischen war unmißverständlich. Die Schweiz, das wußte ich, war »gut«, denn hier gab es keine Kommunisten oder doch nur sehr wenige. Und auch diese Wenigen waren alle ganz weit weg von uns, nämlich in dem Kanton, der am weitesten von meinem Elternhaus entfernt lag, in Genf, worunter man sich vermutlich ein politisches Sündenbabel vorzustellen hatte.

Als Kind waren mir alle politischen Zusammenhänge natürlich ganz und gar unklar; ich erinnere mich aber noch daran, wie unwillkommen meinen Eltern später mein zaghaftes politisches Bewußtwerden als Student war. Es wurde einmal am Familientisch das Schicksal eines Bekannten beklagt, dem die bösen Linken wegen seiner Nazivergangenheit (die in der Schweiz natürlich nicht Nazi-, sondern nur Front-Vergangenheit hieß) Steine in den Weg seiner Karriere gelegt hätten. Als ich darauf das Beispiel eines Mittelschullehrers anführte, der als Sozialist nicht in eine politisch konservativ empfindende Schule gewählt werden konnte, erntete ich Entrüstung und Unwillen, denn diese beiden Dinge »konnte man doch gar nicht vergleichen«. Dabei versteht sich von selbst, daß solche politischen Kühnheiten bei mir nicht die Regel waren, sondern daß ich im allgemeinen auch noch als Student im politischen Bereich ein treues Kind meines Elternhauses war und brav alles Rechte »gut« und alles Linke »schlecht« fand. Ich war eben, was man »vernünftig« nannte.

In diesem Sinne wurde ich denn erzogen, in allen Außenstehenden Respektspersonen zu sehen. Ich sage »Außenstehende«, weil ich schon als Kind fühlte, daß es Leute waren, die nicht zu uns gehörten. Man mußte sie respektvoll behandeln, eine gewisse diskrete Freundlichkeit war nicht ausgeschlossen, aber das Wichtigste im Umgang mit ihnen war: Distanz. Höflichkeit unbedingt ja, Herzlichkeit unbedingt nein – das war die Parole. Die anderen waren immer eher potentielle Feinde als potentielle Freunde. Wenn der Herr Doktor oder Herr Direktor oder Herr Pfarrer kam, so konnte man sich auf diesen Besuch nicht freuen; man mußte vielmehr eines Störenfrieds gewärtig sein, dessen unliebsames Eindringen man mit möglichst viel Höflichkeit, Zuvorkommenheit und Takt so wenig unangenehm wie nur möglich zu gestalten trachtete. Zum Zeichen der besonderen und schmerzlichen Umstände mußte bei uns zuhause alles ein bißchen anders sein als gewöhnlich: die Zimmer mußten ein bißchen peinlicher aufgeräumt sein, ein bißchen mehr so, wie es uns eigentlich nicht gefiel, denn eben daß uns die Umstellung nicht gefiel, unterstrich ihr Höflichkeitszeremoniell. Meine Eltern bewegten sich anders als gewöhnlich, sie sprachen anders als gewöhnlich, sie sagten andere Dinge und vertraten sogar andere Meinungen als gewöhnlich, und vor allem sprachen sie in Gegenwart solcher Respektspersonen ganz anders mit meinem Bruder und mit mir als sonst. Sogar der Umgangston zwischen Eltern und Kindern mußte angesichts solcher Respektspersonen anders, gezwungener und unnatürlicher sein. Jeder mußte eine Rolle spielen, und damit auch mein Bruder und ich eine Rolle spielten, sprachen die Eltern mit uns, als ob wir ganz andere Kinder wären.

Als Kind empfand ich dieses Zeremoniell bloß als unangenehm und war froh, wenn das Theater wieder zu Ende war und der Störenfried das Haus verlassen hatte. Heute sehe ich ein, daß gerade dieses Unangenehme seinen besonderen Sinn hatte: Offenbar sollte sowohl dem respektablen Besucher als auch der ganzen Familie der Eindruck vermittelt werden, daß der Eindringling störte, daß er ein Fremder war und mit uns nichts zu schaffen hatte. Und da dieser Eindruck nicht durch Grobheit oder Ungezogenheiten vermittelt werden sollte, mußte das Abschreckungsmanöver eben durch übertriebene Höflichkeit bewerkstelligt werden. Das Fremde war eben das durchaus Unwillkommene; sobald ein solcher Fremder das Haus verlassen hatte, war die Welt wieder in Ordnung, und wir waren wieder unter uns. Ich stand sehr stark unter diesem Eindruck; ich wußte, daß die beiden Begriffe »Besuch« und »unwillkommen« eigentlich synonym waren, und ich wußte, »Besuch ist, wenn man heuchelt«.

Neben diesen Respektspersonen, die schon durch ihren Beruf, ihren Reichtum oder andere Vorzüge Respekt einflößten, gab es aber noch eine Menge anderer Respektspersonen, bei denen die Dinge gerade umgekehrt lagen. Es handelte sich dabei um Leute, die auf irgend eine Art Untergebene waren, seien es Handwerker oder Beamte oder wer immer eine beliebige Dienstleistung zu vollbringen hatte. Sie alle wurden bei uns zuhause mit einem ostentativen und übertriebenen Respekt angesprochen. Auch in diesem Fall war es offenbar wieder ganz und gar unmöglich, den Menschen natürlich entgegenzutreten; es waren wiederum Fremde, die man sich durch Unnatürlichkeit vom Leibe zu schaffen trachtete. Was an dieser Art von Respekt falsch war, war seine Übertreibung. Meine Mutter drückte ihr Lob und ihren Dank für ihr geleistete kleine Dienste in solch überschwenglichen Tönen aus, daß die Lobes- und Dankesbezeugung hohl klang, gar nicht mehr ernst genommen werden konnte und sich im Irrealen verflüchtigte. Meine arme Mutter pflegte dem Briefträger etwa zu sagen, es sei »herrlich«, »großartig«, »wunderbar«, daß er die Zeitung gebracht habe, und wollte nicht einsehen, daß es schließlich der Beruf des Briefträgers war, die Zeitung zu bringen; man konnte sich dafür bedanken, daß er uns die Zeitung gebracht hatte, aber »wunderbar« war es nicht.

Oft sprach meine Mutter auch mit Untergebenen so, als ob sie Idioten wären. Sie drückte sich überdeutlich aus und sprach langsamer als gewöhnlich, damit diese Unglücklichen auch ja den Sinn ihrer Worte verstehen könnten, und sie merkte nicht, daß diese »Unglücklichen« gar keine Unglücklichen waren und vor allem nicht so schwer von Begriff, daß sie der normalen Redeweise meiner Mutter nicht hätten folgen können. Eine unfreiwillige Komik ergab sich immer dann, wenn diese scheinbar »einfachen Leute« gescheiter waren als meine Mutter und ihr, während sie sich bemühte, ihre Rede in eine halbe Infantilsprache zu übersetzen, von Dingen berichteten, die sie nicht kannte und nicht verstand. Die Untergebenen, die sogenannten »einfachen Leute«, waren eben auch Fremde, die einer anderen Welt angehörten als wir, aber sie waren nicht nur anders als wir; sie waren auch weniger, niedriger, geringer. Und wenn sie auch nie mit Geringschätzung behandelt wurden, sondern immer mit dem extremen Gegenteil von Geringschätzung, nämlich mit einer übertriebenen und falschen Hochachtung, so war für mich in diesem hohlen und gespielten Respekt die Geringschätzung nur noch viel deutlicher hörbar, als wenn sie unverschleiert ausgesprochen worden wäre.

Es scheint, als ob unser heiles Zuhause ununterbrochen von lauter feindlich gesinnten Andersartigen umgeben gewesen sei, die man sich nur nach den Regeln der höflichsten und seelenlosesten Diplomatie vom Leibe halten konnte. Aber freilich hatten meine armen Eltern nicht nur imaginäre Feinde, sondern auch Freunde, von denen ich nur hoffen kann, daß sie nicht ganz so imaginär gewesen sein mögen. Hoffen will ich vor allem für meine Eltern, daß sie sich den Umgang mit ihren Freunden nicht auch schon von Anfang an so verdorben haben, wie es mir in späteren Jahren oft der Fall zu sein schien. Als Kind hatte ich natürlich noch keine klare Vorstellung von den Freunden meiner Eltern. Wenn meine Eltern Besuch hatten, so waren mein Bruder und ich natürlich nicht mit dabei. Bevor wir zu Bett gingen, mußten wir aber bei den Gästen vorbeidefilieren, ihnen die Hand geben, sie begrüßen und ihnen mitteilen, wie alt wir waren, daß wir gerne in die Schule gingen und in welcher Klasse wir waren. Zur Belohnung für diese Auskünfte teilten uns die anderen dann mit, daß wir jetzt, mit zehn Jahren, schon viel größer seien als das letzte Mal, als sie uns im Alter von neun Jahren gesehen hatten. Das haßte ich natürlich. Einen bestimmten Eindruck vom Freundeskreis meiner Eltern bekam ich erst, als ich größer war und bei den Einladungen meiner Eltern auch dabei sein durfte.

Dabei will ich berücksichtigen, daß ich diesen Freundeskreis meist in derselben Situation erlebte – wohl der denkbar ungünstigsten –, nämlich bei Einladungen. Leider bei Einladungen, muß ich sagen, denn bei dieser Form des Zusammenseins gibt es eben immer Gastgeber und Gäste, zwei Rollen, mit denen sich meine Eltern bis zur Unkenntlichkeit zu identifizieren wußten. Meine Eltern waren eigentlich gute Gastgeber, aber sie waren miserable Gäste. Als Gastgeber pflegten sie sich diskret und unauffällig um das Wohl der Gäste zu kümmern und brauchten vor lauter Kümmern gar nichts mehr zu sagen, was über das bloß Gastgeberische und formelhaft Zuvorkommende hinausgegangen wäre. Perfekte Höflichkeit ist ja sicher bei einem Gastgeber wohl am Platze, und wenn nur die Gäste sich gut unterhielten, so brauchte es gar nicht aufzufallen, daß die Freundlichkeit meiner Eltern im anonym Gastgeberischen schon ihr Genüge fand, und daß meine Eltern inmitten des Geschehens im Grunde genommen ganz abseits standen und nur ihre Rollen spielten.

Dieses Spiel funktionierte aber nicht mehr, sobald sie selbst Gäste waren. Als Gäste hatten sie sich viel weniger in einer rituellen Rolle wie der des Gastgebers zu bewegen und waren deshalb viel unmittelbarer am festlichen Geschehen mitbeteiligt – oder hätten es vielmehr sein sollen. Sie mußten sich nun um so mehr in die Rolle des pausenlos dankbaren Gastes hineinstilisieren und immer wieder alles Gebotene auf die überschwenglichste Weise loben und ihren Dank dafür abstatten. Sehr oft mag es dabei so herausgekommen sein, daß sie nach außen alles strahlend als »herrlich« bezeichneten, sich innerlich aber eher unbehaglich fühlten und eigentlich lieber wieder heimgegangen waren. Daß sie sich aber nicht frei geben konnten, hing damit zusammen, daß sie den Gastgeber auf diese Weise ehren und respektieren wollten. Ich möchte sagen, sie huldigten den Penaten des Gastgebers dadurch, daß sie sich auch als Gäste zeremoniell höflich benahmen und es vermieden, auf welche Weise auch immer unangenehm aufzufallen. So zogen sie es eben vor, überhaupt nicht aufzufallen, manierlich und ein bißchen unbehaglich dazusitzen und nichts zur allgemeinen Unterhaltung beizusteuern. Sie machten untereinander auch kein Hehl daraus, daß sie nicht gerne eingeladen wurden und eigentlich nur widerwillig zu jeder Einladung gingen. Nach außen freilich wurde von diesem Widerwillen nichts spürbar.

Ein besonderer Trick war es, eine Einladung, wenn man gar nicht mehr umhin kam, sie mit geheuchelter Begeisterung anzunehmen, sofort in eine Gegeneinladung zu verwandeln und vorzuschlagen, ob man nicht viel eher die andern zu sich einladen dürfe, etwa unter Verwendung des ominösen Wortes »oder«: Wir kommen wirklich sehr, sehr gerne zu euch, oder . . . kommt doch lieber ihr zu uns! Sehr oft kam es also vor, daß meine Eltern aus purer Trägheit, und weil es sie ganz einfach verdroß, in ein anderes Haus zu Besuch zu gehen, nicht locker ließen, bis sie die Einladenden zu Eingeladenen gemacht hatten. Diese Haltung wurde von anderen Leuten meist als Großzügigkeit gepriesen; ich wußte aber, daß es nur Bequemlichkeit war. Ein anderer Aspekt dieser Höflichkeit besteht – ganz allgemein und nicht nur bei meiner Familie – sicher darin, daß man damit vermeiden kann, jemals jemandem dankbar sein zu müssen. Wer nie etwas annimmt, muß auch nie jemandem Dank sagen und kann sich damit der verpflichtenden Situation entziehen, einmal jemandem etwas schuldig zu bleiben. Diese Art von Höflichkeit ist nichts anderes als Egoismus. Ich habe schon immer die Meinung vertreten, daß – zumindest in unserer überfütterten Gesellschaft, in der man materielle Not nicht kennt – Geben viel, viel weniger selig ist als Nehmen. Denn geben kann jeder, der Millionär ist (und an der Goldküste gibt es nur Millionäre), aber etwas dankbar annehmen und nicht gleich am nächsten Tag schon ein Gegengeschenk vom selben Wert zurückschicken, das können zwischen Zürich und Rapperswil nicht viele Leute. Ein Umstand, der nicht für unsere Gesellschaft spricht. Gar nicht. (Aber zum Glück gibt es nicht nur die Goldküste, sondern auch die Chinesen und die Neger, und die sind, gottlob, in der Überzahl.)

Daß bei den Einladungen meiner Eltern die übliche Umkehrung aller Werte geübt wurde, versteht sich von selbst. Alles was sie selbst als Gastgeber anboten, mußte zuerst gering gemacht werden; von allem mußte man sagen, daß es zu schlecht, zu gewöhnlich, zu einfach oder zumindest zu wenig sei. Hingegen war alles, was meinen Eltern in einem fremden Haus angeboten wurde, von vornherein großartig, unvergleichlich und auf jeden Fall besser als bei ihnen zuhause. Der wirkliche Wert einer Sache war dabei natürlich belanglos; die Rolle des Gastgebers oder des Gastes bestimmte, was absolut lobenswert und was absolut tadelnswert war. Wie immer hatten die Dinge keinen wirklichen Wert; sie hatten nur den Formeln der unpersönlichen Höflichkeit zu genügen. Ein peinliches Detail muß ich hier stellvertretend anführen.

Meine arme Mutter lehnte, wenn sie zu Gast geladen war (aus

echter Vorliebe oder aus falscher Bescheidenheit), oft einen angebotenen Cognac oder Whisky ab und bat statt dessen nur schlicht um ein Glas Wasser. Weil dieses Wasser nun aber vom Gastgeber ausgeschenkt war, fühlte sie sich dazu verpflichtet, zu beteuern, daß das Wasser »herrlich« sei. Daß Passugger [Mineralwasser] eigentlich überall genau gleich schmeckt, ob es nun aus dem eigenen oder einem fremden Kühlschrank kommt, spielte dabei keine Rolle. Es ging nicht um die wirkliche Sache; es ging darum, daß sie als Gast alles »herrlich« finden mußte. Vermutlich hätte der Gastgeber meine arme Mutter bei lebendigem Leibe skalpieren können, und sie hätte sich immer noch bemüßigt gefühlt, den Skalpierungsakt »herrlich« zu finden, weil er ja eben im Haus des Gastgebers stattfand. Das von ihr gespendete »herrlich« war wertlos, die Wahrheit war belanglos, nur die Höflichkeit zählte.

In späteren Jahren, als ich schon nicht mehr bei meinen Eltern wohnte, nahm ihre Abneigung, andere Leute zu besuchen, ziemlich makabre Formen an: sie gingen eigentlich nur noch zu Begräbnissen. War vielleicht auch oft noch die Rede davon gewesen, einen lieben Freund oder Bekannten zu besuchen, so wurde der Besuch aus Faulheit und Unentschlossenheit so lange aufgeschoben, bis der Betreffende gestorben war. War er aber einmal tot, dann gingen meine Eltern hin, denn dann war es eine Sache der Manieren. Zu Beerdigungen zu gehen, das gehörte sich eben, das war das »Richtige«; daß der solcherart mit einem Besuch Geehrte eigentlich mehr davon gehabt hätte, wenn man ihn zu Lebzeiten besucht haben würde, war dabei Nebensache.

Nach allen diesen respektablen Personen, seien es nun öffentliche Funktionäre oder Gäste oder sogenannte »einfache Leute«, will ich nun aber auf die noch viel wichtigere Gruppe der Lächerlichen zu sprechen kommen, auf all die Leute, die ein bißchen anders waren als wir zuhause und darum auch ein bißchen lächerlich. Ich muß hier gleich vorwegnehmen, daß ich den Begriff »lächerlich« nur nachträglich in diesem Bericht verwende; niemand hätte es in meinem Elternhause gewagt, das Wort »lächerlich« auch nur in den geheimsten Gedanken mit anderen Leuten in Verbindung zu bringen. Es handelte sich, wenn man die anderen lächerlich fand, um einen ganz unbewußten Prozeß; oder anders ausgedrückt: wir taten es, aber wir wußten es nicht. Ich habe oben geschrieben, die Menschen seien lächerlich gewesen, weil sie anders waren als wir.

Sie waren eben nicht ganz so »richtig« wie wir. Aber das konnte man ja auch nicht von jedermann verlangen, daß er ganz genau so »richtig« sein sollte wie wir, denn das wäre wohl von den anderen zu viel verlangt gewesen. Es war ganz gut so, daß sie nicht ganz so »richtig« waren, es lag in den Gesetzen der Natur begründet, daß immer nur ein paar Aristokraten das ganz »Richtige« erreichen konnten und die anderen weiter unten stehen bleiben mußten. Diese Unteren waren deswegen noch nicht als schlecht zu bezeichnen; sie waren rechte, brave Leute, sie bemühten sich redlich innerhalb ihres ein bißchen zu engen Horizontes; sie verdienten in keiner Hinsicht Tadel – sie waren nur eben nicht ganz so »richtig«.

Ich begann zu begreifen, daß die Unvollkommenheit der anderen eher sympathisch als abstoßend war, sie war amüsant, sie war eben lächerlich. Ich merkte, daß fast alle anderen Menschen ununterbrochen gerade das taten, was wir so durchaus zu vermeiden suchten: sie gaben sich Blößen, und diese Blößen amüsierten uns. Die anderen Menschen taten beständig Dinge, die ein bißchen lächerlich waren, sie sagten immer Dinge, die ein bißchen lächerlich waren, und sie benahmen sich ganz allgemein auf eine Art und Weise, die ein bißchen lächerlich war. Es waren Menschen, die nicht gemerkt hatten, daß alles »schwierig« war, und die ganz plump über Dinge redeten, die ihnen gar nicht zustanden, eben weil diese Dinge viel zu »schwierig« waren; Menschen, die die Dinge miteinander verglichen, weil sie nicht wußten, daß man die Dinge gar nicht miteinander vergleichen konnte; Menschen, die über alles und jedes ganz primitiv eine eigene Meinung hatten und diese Meinung auch frei äußerten. Ich fühlte, wie amüsant es war, wenn die anderen ihre Meinung zum besten gaben, eine Meinung, die ja vielleicht ganz irrig sein konnte und höchstwahrscheinlich sogar irrig war, während ich von mir wußte, daß ich schon viel zu vornehm und geistig zu differenziert war, um überhaupt eine eigene Meinung zu haben. Es gab also Leute, die das Risiko auf sich nahmen, sich bloßzustellen; und das war lächerlich. Die Welt der nicht ganz »Richtigen« war unser Theater, und wir waren die Zuschauer, denn wir taten ja nichts, wir sahen immer bloß zu.

Die ich hier als die »anderen« bezeichne, das war im Grunde genommen jedermann. Jedermann war anders, niemand war wie wir; oder wenn man das korrekter ausdrückt: es war natürlich nur

unser uneingestandener Dünkel, der uns die Menschheit als die
»anderen« erscheinen ließ; in Wirklichkeit waren immer wir die
»anderen« und standen immer wir abseits. Ich will hier noch einmal darauf hinweisen, daß man sich diesen ständigen Zwiespalt
zwischen uns als Zuschauern und den anderen als Schauspielern
nicht fein und nicht unmerklich genug vorstellen kann. Ich glaube
nicht, daß sich meine Eltern dieses Zwiespaltes bewußt waren; auf
keinen Fall aber hätten sie ihn in Worte zu fassen vermocht, selbst
wenn sie etwas Dementsprechendes geahnt haben sollten. Denn
der wichtigsten Sache waren sie sich vollkommen unbewußt,
nämlich der, daß sie die anderen Menschen als lächerlich empfanden. Lächerlich wäre das letzte Wort gewesen, mit dem sie ihre Beziehung zur Umwelt charakterisiert hätten, waren ihre menschlichen Beziehungen doch geprägt durch einen vollkommen
humorlosen hieratischen Respekt und durch eine eisig höfliche
Ablehnung des Nächsten. Meine Eltern hätten sich beide entrüstet
gewehrt gegen den Vorwurf, über ihre Mitmenschen zu lächeln.
Und dennoch taten sie es. Was war denn das eigentlich Lächerliche
in dieser Beziehung zwischen meinen Eltern und den anderen?

Ich will versuchen, die Lächerlichkeit zu erklären als den Abstand zwischen dem Vollkommenen und dem Unvollkommenen
oder, zynisch ausgedrückt, zwischen dem Negativen und dem Positiven: das Nichts ist immer vollkommen, das Etwas ist immer
mit Mängeln behaftet. Dem abgeklarten Buddha erscheint das Getriebe der Welt lächerlich, weil er selbst gar nichts mehr damit zu
tun hat. Dem Zyniker erscheinen die Gefühle des Mitmenschen
lächerlich, weil er selbst keine Gefühle mehr hat. Dem Nichtfuß-
baller erscheint es lächerlich, stundenlang hinter einem kleinen
Lederball herzulaufen; er fragt nicht danach, ob dieses Spiel vielleicht furchtbar lustig ist, sondern sieht nur den lächerlichen
Aspekt davon, daß erwachsene Männer wie kleine Jungen spielen.
Vermutlich macht sich immer der, der etwas tut, lächerlich vor
dem, der überhaupt nichts tut. Der Handelnde kann sich immer
eine Blöße geben; der Nichthandelnde geht dieses Risiko schon gar
nicht ein. Man könnte behaupten, daß das Lebende immer lächerlich sei, denn nur das Tote ist ganz und gar nicht lächerlich.

Ich glaube heute, daß es auch um uns so bestellt war: wir taten
nichts und sagten nichts und vertraten nichts und hatten keine
Meinung und verbrachten daher unsere Zeit damit, uns über die

Leute zu amüsieren, die lächerlicherweise etwas taten oder sagten oder meinten. Diese Clowns in unserem Salon waren sogar sehr notwendig für unser Leben; denn da wir uns nie lächerlich machten, waren wir auf andere Leute angewiesen, die das für uns taten und uns auf diese Art unterhielten. Darum fanden wir die Clowns sympathisch, weil sie uns zum Lachen brachten, was wir selbst nicht konnten. Daß wir um Lächerlichkeiten in unserer Umgebung nicht verlegen zu sein brauchten, versteht sich von selbst, denn je mehr man selbst ein Porzellanladen ist, desto sicherer erscheint einem jeder Außenstehende als ein Elefant darin. So war das von uns als lächerlich Empfundene auch nur das spezifisch *für uns* Lächerliche – für jeden anderen Menschen wäre es vollkommen normal gewesen. Ich denke hier etwa an einen unserer Nachbarn, der immer eine Menge phantastischer Autos besaß und auch mit großem Genuß benutzte; das war ein bißchen lächerlich, das war ein bißchen neureich, denn mein Vater war viel reicher als der besagte Nachbar, besaß kein Auto und konnte überhaupt nicht Auto fahren; das war distinguierter. Derselbe Nachbar besaß auch Modellflugzeuge, die er in der halben Schweiz herumfliegen lassen konnte; das war ein bißchen lächerlich, denn das war doch eigentlich eine kindische Spielerei. Mein Vater spielte an seinen freien Tagen nur Patience (er konnte zwar nur eine einzige, und nicht einmal eine sehr spannende); das war freilich distinguierter.

Ich will mit diesem Beispiel sagen, daß die Vorlieben dieses Nachbarn gar nichts Lächerliches an sich hatten; nur für uns, die wir überhaupt keine Vorlieben hatten und uns im Glanze sonnten, »darüber« zu stehen, waren sie lächerlich. Je weniger du tust, desto weniger lächerlich bist du. Dieser Wahrspruch galt bei uns zuhause und hat viel dazu beigetragen, mich vornehm und unglücklich zu machen. Diese allgemeine Passivität läßt sich gut an einem Beispiel darstellen: Meine armen Eltern waren als Passivmitglieder in sämtlichen Vereinen, in denen ein Mensch überhaupt nur sein kann, denn nicht in diesen Vereinen zu sein »hätte sich bei den Leuten im Dorf vielleicht schlecht gemacht«. Nur selber aktiv sein, selber im Turnverein turnen oder im Gesangsverein singen oder im Kegelclub kegeln, das taten sie nicht. Meine arme Mutter war aus lauter Gewohnheit sogar im Frauenverein, obwohl sie den Frauenverein haßte, weil er für das Frauenstimmrecht eintrat.

Wohlwollend waren wir dem Leben gegenüber eingestellt, sogar sehr wohlwollend; wir standen ihm mit demselben Wohlwollen gegenüber, wie man im Zoo einem Nashorn oder einer Giraffe mit Wohlwollen gegenübersteht. Es genügt eigentlich zu sagen, daß wir dem Leben gegenüberstanden; nur im Leben *drin* stehen, das wollten wir nicht. Das Leben gefiel uns auch, aber wir faßten es nicht als unseren Beruf auf, sondern als ein Schauspiel, dem wir beiwohnten. Wir hatten die Leute, die Straße und den Rummelplatz gerne, aber immer nur als Zuschauer. Darum hätte man uns auch nicht nachsagen können, daß wir menschenfeindlich seien, denn wir gingen tatsächlich zu den Menschen; aber wir gingen so zu den Menschen, wie man auch ins Kino gehen kann. Die Straße vor allem gefiel meinen Eltern, besonders die südliche Straße, etwa in Italien oder Spanien; da konnte man so schön sehen, wie das Leben darauf vorbeiströmte. Aber das war es eben: Das Leben strömte *vorbei*. Ich selbst habe jahrelang nicht gemerkt, daß die Straße interessant ist; ich wußte nur, daß sie pittoresk war und daß man da auffallende Typen sehen konnte. Der Gedanke kam mir nicht, daß ich auf der Straße ja auch so ein Typ war. Häufig habe ich mir das Bühnenbild der Straße angeschaut mit all den Menschen, die auf der Straße ihr Ziel verfolgten. Nur ich hatte kein anderes Ziel, als zuzuschauen, wie andere Menschen ihren Zielen nachgingen. Bei einer Kirchweih fragten mich einmal Freunde, was mir denn am besten gefalle; ich antwortete mit Selbstverständlichkeit, am liebsten sähe ich den Leuten zu. Ich mußte mich ein bißchen dazu zwingen, mich mit guter Miene von ihnen von Belustigung zu Belustigung führen zu lassen, denn der Gedanke war mir neu, daß die Belustigungen nicht nur für die anderen da sein könnten, sondern auch für mich.

Auf der Straße konnte ich interessante Typen sehen; aber es waren nicht Typen, mit denen ich gerne hätte Kontakt aufnehmen wollen. Es war wie ein Film, der an mir vorbeiflimmerte und aufhörte, sobald ich meinen Zuschauerplatz verließ. Auf der Straße gingen Frauen vorbei, die »sehr elegant« waren oder die »gut aussahen«, aber daß sie da vorbeigingen und »sehr elegant« waren, weil sie auch für mich hätten begehrenswert erscheinen können, auf den Gedanken kam ich nicht. Das ist wohl auch die Quintessenz dieser Welt, in die ich hineingeboren bin und die auch die meine werden sollte: Das Leben ist sehr gut, aber nicht wir sind das Leben; das Leben sind die anderen.

Meine damalige Auffassung der Straße als meines Privatspektakels hatte eine furchtbare Folge für mich. Da ich die Menschen auf der Straße nur musterte, und zwar eher kritisch und von oben herab als mit Sympathie musterte, nahm ich automatisch an, daß sie ebenso mit mir verfuhren. Jedesmal wenn mir jemand nachblickte, war es für mich selbstverständlich, daß er mir mit Kritik und Tadel nachblickte und daß er an mir etwas auszusetzen hatte. Da ich aber jeden Blick so interpretierte, begann ich zu fürchten, daß man an mir tatsächlich eine Menge auszusetzen haben müsse. Ich fürchtete, daß meine Kleider schmutzig oder in Unordnung geraten seien oder daß ich, ohne es zu merken, ein öffentliches Ärgernis mit mir herumtrüge. Als Junge drückte ich diesen Zustand sehr treffend so aus, daß ich mich fühlte, als ob ich »eine tote Krähe am Hals hätte«. Es schien, als sähe jedermann, wie diese tote Krähe von meinem Hals herabbaumelte, und als sei nur ich mir dieser skandalösen Tatsache nicht bewußt. Am schlimmsten war es mir, wenn mir Mädchen nachsahen, denn da ich nie auf den Gedanken gekommen war, den Mädchen bewundernde Blicke nachzusenden, sondern auch bei Frauen immer nur nach dem Lächerlichen Ausschau hielt, mußte ich annehmen, daß sie mit mir dasselbe taten. Ich war wohl weder ein sonderlich hübscher noch ein sonderlich häßlicher Junge, so daß mir die Mädchen wohl auch manchmal sympathische Blicke nachgeworfen haben müssen; aber auch die guten Blicke konnte ich immer nur als Ausdruck der Kritik und des Mißfallens auffassen. Jedes Lächeln schien mir spöttisch und abschätzig zu sein; daß ich nicht zurücklächelte, versteht sich von selbst.

Wenn ich nun oben das Leben mit dem Kino verglichen und gesagt habe, daß wir uns das Leben wie einen Film ansahen, der uns nicht persönlich berührte, so will ich gleich noch hinzufügen, daß wir uns selbst im Kino nie persönlich betreffen ließen. Meine Eltern gingen manchmal ganz gerne ins Kino; alle Filme aber teilten sie grundsätzlich in zwei Kategorien ein: es gab die »morosen« und die »loufoc«. Damit hatte es aber folgende Bewandtnis: ein Film war »moros«, wenn darin traurige, hoffnungslose oder unharmonische Aspekte des Lebens gezeigt wurden. Diese Filme gefielen meinen Eltern nicht; sie fanden, diese Art von Filmen sollte man lieber gar nicht zeigen, denn »so sei das Leben nämlich gar nicht«. Sie gingen von der Voraussetzung aus, daß das Leben gar nicht so schwarz sein könne wie in einem solchen »morosen« Film, und daß der Film deshalb eigentlich unrealistisch und unnötig pessimistisch sei. Es war kein Verdienst des Autors, nur das Böse und das Schwarze und das Traurige zu zeigen.

Die anderen Filme waren »loufoc« [närrisch], d. h. sie waren komisch, aber auf eine ebenso unrealistische Art, wie die »morosen« tragisch waren. Auch so, wie es in den »loufoc«-Filmen dargestellt wurde, »war das Leben nämlich gar nicht«. Beide Arten zeichneten sich also dadurch aus, daß sie etwas vollkommen Unrealistisches und Unmögliches darstellten, womit man sich also auch nicht identifizieren konnte oder mußte. Eine Unterabteilung der »morosen« Filme waren die »russischen«. Auch dies war nicht realistisch, denn darin wurde ununterbrochen von Seelenproblemen gesprochen, und »so war das Leben erst recht nicht«. Da meine Eltern nicht gewohnt waren, über seelische Nöte zu reden, mußten ihnen Darstellungen von Menschen, die nichts anderes taten als dies, fremd oder sogar unmöglich vorkommen. Die »Russen«, dieses exotische und in unseren Breitengraden völlig unvorstellbare Volk, sprachen vielleicht über die Seele, aber in unserer Welt war ein solches Thema nicht denkbar.

Erst sehr viel später sollte mir auffallen, wie wenig unrealistisch die von meinen Eltern als »moros«, »loufoc« oder »russisch« empfundenen Filme waren. Alle stellten – natürlich mit der in der entsprechenden Produktion gerade gewählten Maske oder Stilform – immer wieder dieselben Urprobleme der Menschen dar, die man unter dem Sammelnamen »Leben« versteht. Die Erlebnisse der Kinofiguren waren zwar meist theatralisch überhöht, aber all das Komische oder Tragische oder eben »Russische«, das ihnen zustieß, war im letzten Grunde gar nicht absurd und konnte jedermann auf ganz ähnliche Art zustoßen. Nur uns sollte es nicht zustoßen können; nur für uns war das eben Nichts-als-Kino. Liebe, Haß, Leidenschaft, Gewalt, Wahnsinn, Laster, Mord und Totschlag, aber auch Lächerlichkeit, peinliche Situationen, Gaunerei, Übertölpelung eines Dümmeren. Unverschämtheit, Verführung, Charme, Schwäche, Fehltritte, Boheme, Untugend, alles war für uns nur Kino; im Leben gab es das für uns alles nicht. Vielleicht waren die »Russen« so – aber wir nicht. Es spielte eigentlich keine Rolle mehr, ob wir uns einen Film im Kino anschauten oder die Menschen um uns herum. Der Effekt war derselbe: Das Geschaute war in gar keinem Fall ein Spiegelbild unseres Selbst. Wir sahen das Leben an, wie wenn es ein Film gewesen wäre; aber nicht einmal im Kino wollten wir annehmen, daß der Film vom Leben handelte.

III

Nachdem ich versucht habe, ein paar charakteristische Momente aus der Welt meiner Kindheit und frühen Jugend zu beschreiben, will ich mich nun ein wenig mit meiner Schulzeit beschäftigen. Ich lasse dabei die Primarschuljahre aus, die ich in K. verbrachte und die ganz im Banne meines Elternhauses standen, und will gleich auf meine Mittelschulzeit zu sprechen kommen. Diese brachte schon insofern etwas Neues, als ich nun nach Zürich in die Schule fuhr und somit auch rein geographisch meinen Horizont ein bißchen erweiterte. Daß ich das Gymnasium besuchen würde, hatte von vornherein festgestanden. Bevor ich auf die Aufnahmeprüfungen ins Gymnasium vorbereitet wurde, hatte man mir gesagt, daß ich intelligent sei und ins Gymnasium gehöre. Wie üblich hatte ich nichts dagegen einzuwenden gehabt.

Bei der Einweihungsfeier für die neu eintretenden Schüler sagte der Rektor, nachdem er uns das Gymnasium in seinen Grundzügen vorgestellt hatte, das Beste an der Mittelschule aber sei, daß wir hier unsere treuesten Freunde kennenlernen würden und den Grundstein zu mancher lebenslangen Freundschaft legen könnten. Ich hatte, während der Rektor diese Worte sprach, keine Ahnung davon, wieweit ich schon darauf vorbereitet war, daß diese Prophezeiung sich eben *nicht* erfüllen sollte. Auf die Frage, ob meine Schulzeit denn eine glückliche Zeit gewesen sei, muß ich wieder antworten, daß sie auf jeden Fall keine bewußt unglückliche Zeit gewesen ist, oder daß auch auf dieser Zeit der schlimme Abglanz einer verräterischen und falschen Zufriedenheit gelegen hat.

Ich war also kein typisch unglücklicher Schüler; ich war auch kein schlechter Schüler. Ich war vor allem furchtbar brav und muß noch viel furchtbarer langweilig gewesen sein. Wenn ich heute an meine eigenen Schüler denke und einen Vergleich zwischen ihnen und mir als Schüler anstelle, dann kann ich nur vermuten, daß ich ein Schüler von einer das Kriminelle streifenden Langweiligkeit gewesen sein muß. Auch kein besonders interessierter. Ich lernte in beinahe allen Fächern ziemlich fleißig, aber nicht, weil mich, was ich lernte, besonders gefesselt hätte, sondern weil ich besonders brav war. Ich brachte also immer recht gute Zeugnisse heim, und daß ich im Betragen immer die besten Qualifikationen erhielt, versteht sich von selbst. Da ich auch nie dumme Streiche verübte, brauchte man mich auch nie zu bestrafen. Es ist daher leicht möglich, daß ich, ohne es zu wollen und aus lauter Einfalt, ein Musterschüler war. Ich konnte mich also durchaus in der Meinung bestärken lassen, daß ich intelligent sei, denn es wird ja fälschlicherweise allgemein angenommen, daß gute Schüler und intelligente Leute dasselbe seien.

Es ergab sich, daß ich in der Schule nie irgendwelche Schwierigkeiten hatte, wie sie im Leben der meisten Schüler einmal auftauchen. Ich hatte keinen Streit mit meinen Lehrern; ich schätzte sie, fürchtete sie manchmal ein bißchen und fand sie oft ein bißchen lächerlich; zu einer offenen Konfrontation kam es aber nie. Sicher müssen auch sie mich geschätzt haben: Ich war ein ruhiger, höflicher, problemloser und dazu noch leidlich guter Schüler – es bestand kein Grund für sie, mich nicht zu schätzen.

Nur in einem Fach wollte es aber durchaus nicht klappen: im Turnen natürlich. Denn im Turnen ging es eben um etwas anderes als in den wissenschaftlichen Fächern: um Kraft, Mut und körperlichen Einsatz, und diese Dinge kannte ich alle nicht. Der Körper an sich war mir schon fremd, und ich wußte nichts damit anzufangen. Ich war sehr bewandert in der Welt des zweifelhaften »Höheren«, aber vor der geahnten Brutalität und Primitivität der körperlichen Welt hatte ich Angst. Ich bewegte mich nicht gerne, ich empfand mich als häßlich und ich schämte mich meines Körpers. Der Körper war eben immer einfach da, es gab für ihn keine Ausflüchte in die Welt des »Schwierigen« und Lebensabgewandten. Diese von mir als störend empfundene mangelnde Erdverbundenheit meines Körpers äußerte sich in einer übertriebenen Schamhaftigkeit. Ich vermied nicht nur jede körperliche Berührung, ich vermied sogar die Wörter, die sich auf den Körper und auf seine Schamhaftigkeit bezogen. Nicht nur wirklich unappetitliche Ausdrücke brachte ich nicht über meine Lippen; ich empfand etwas Unappetitliches und Schamhaftes schon bei den harmlosesten körperlichen Gegebenheiten. Selbst Wörter wie »Brust«, »nackt«, »Scham« fiel es mir schwer auszusprechen; in meiner von zuhause übernommenen viktorianischen Zimperlichkeit vermied ich es sogar, von »Bein« und von »Hosen« zu sprechen. Selbst das Wort »Körper« war tabu; selbst das Wort für den Inbegriff dessen, wovor mir graute, durfte nicht ausgesprochen werden. Die größte Scham aber empfand ich vor meiner eigenen Nacktheit. Schon das war ein Grund dafür, daß mir das Turnen so sehr verhaßt war; denn in der Gymnastik, die ja eben die »nackte Kunst« ist, trat die Blöße in ihrer eigentlichsten Form hervor, die ich ja um jeden Preis zu vermeiden suchte. Hier mußte ich mich im wahrsten Sinne des Wortes entblößen und meinen für mich häßlichen Körper zur Schau stellen. Natürlich getraute ich mich nach den Turnstunden auch nicht zu duschen, weil ich mich meiner Nacktheit zu sehr schämte. Es kam im Verlauf meiner Schuljahre zu dieser ersten Scham allmählich noch eine zweite hinzu: ich wurde mir bewußt, daß sich meine Kameraden offensichtlich nicht schämten und ein viel natürlicheres Verhältnis zu ihrem Körper hatten als ich, und ich merkte, daß sie weiter gekommen waren als ich, daß ich zurückgeblieben und in dieser Hinsicht nicht so viel wert war wie sie.

Wie alle schamhaften Menschen schämte ich mich natürlich auch entsetzlich darüber, daß ich immer schamrot wurde und somit meine intimste Verfassung für jedermann sichtbar und deutlich zu Tage trat. Aufgrund der Angst, rot zu werden, provozierte ich diese Röte dann erst recht, und immer, wenn ich in einem Gespräch oder in einer Schulstunde ein Thema auf mich zukommen sah, das mich erröten lassen würde, führte ich einen verzweifelten Kampf mit dem Taschentuch, um mir imaginären Schweiß abzuwischen oder Niesanfälle zu simulieren. Nachdem ich in dieser Hinsicht einmal hypersensibilisiert war, ereigneten sich diese für mich qualvollen Zwischenfälle natürlich immer häufiger, und ich begann in vielen Fällen rot zu werden, in denen es selbst für meine Schamhaftigkeit noch nicht nötig gewesen wäre. Ich selbst sah natürlich tunlichst von allen heiklen Themen ab, so daß ich über ein weiteres Gebiet verfügte, über das ich nicht reden mochte, und das für mich tatsächlich »schwierig« war. Ich habe schon auf meinen gereinigten Wortschatz hingewiesen, der mir noch bis weit in meine Studienjahre hinein viel Verdruß bereiten sollte, wenn ich mir etwa Hosen oder gar Unterhosen kaufen mußte und im Laden das anstößige Wort kaum über die Lippen brachte. Fluchen konnte ich überhaupt nicht, und ich habe es eigentlich auch erst vor wenigen Jahren gelernt.

Noch mehr Ängste und Schrecken als nur die der Scham barg aber der Körper: Auch vor dem Schmerz hatte ich Angst. Die Verkörperung des Schmerzes war natürlich seit langer Zeit der Arzt, der über ein großes Arsenal von spitzigen und schmerzhaften Instrumenten verfügte und mich stechen oder schneiden oder sonst verletzen konnte. Die häufigste Gefahr, die mich bedrohte, war die der Injektion, und ich fürchtete sie am meisten. Das spitzige Instrument des Arztes durfte meine Haut nicht durchbohren, es durfte nicht in mich eindringen. So wie ich mich in allem vor der Außenwelt und dem Leben abgeschirmt hatte und nichts hereinließ, so durfte es auch nicht geschehen, daß die Haut, die mich ebenfalls vor der Außenwelt beschützte, angetastet wurde. Die Haut ist wohl das körperliche Symbol für den Schutz alles verletzlichen Inneren vor dem feindlichen Äußeren. Deshalb konnte ich es auch nicht ertragen, daß meine kostbare Haut geritzt wurde.

Noch größere Angst aber als vor dem Schmerz hatte ich vor dem Blut. Ich konnte es nicht sehen, ich konnte nicht davon reden hören, ich konnte es einfach nicht ertragen. Es wurde mir immer schlecht dabei: der Schweiß brach mir aus, Panik bemächtigte sich meiner, die Sinne versagten ihren Dienst, und es wurde mir schwarz vor Augen; ich mußte fort, ich mußte hinaus an die frische Luft, ich mußte weg davon, wo das Blut oder die Rede vom Blut oder der Gedanke an das Blut war. Dem Blut als dem Inbegriff des Lebens und des körperlichen Daseins war ich nicht gewachsen. Das Blut verkörperte all das, was ich nicht wissen wollte, was ich zu vermeiden trachtete, was ich aus meiner problemlosen und artifiziell harmonischen Welt ausgestoßen und verdrängt hatte. Das Blut konnte ich nicht als Zuschauer von außen betrachten; es war in mir selbst, fürchterlich und angsteinflößend; es lebte in mir, und ich lebte aus ihm, das Blut war ich selbst. Das Blut war die Wahrheit, und angesichts der Wahrheit versank ich im Nichts. So verletzlich war ich und so große Angst hatte ich vor der Verletzlichkeit, denn ich war nicht darauf vorbereitet, verletzlich zu sein, sondern nur darauf, immer unangetastet und rein und heil zu bleiben.

Alle diese Schwächen hätten mir leicht den Spott meiner Kameraden eintragen können; sie aber reagierten meist sehr gutmütig auf meine Unzulänglichkeiten. Wenn ich wirklich einmal verspottet wurde, so geschah es ohne Bosheit und Geringschätzung. Ich kann sagen, daß ich in meiner Schulklasse eigentlich akzeptiert war, auch wenn ich allgemein als Außenseiter und Schwächling galt, als ein Mitschüler, mit dem man zwar nicht viel anzufangen wußte, der aber auch nicht sonderlich mißfiel. Die Dinge lagen klar: ich war kein Spielverderber für die Unternehmungen meiner Kameraden, aber es ergab sich auch von selbst, daß ich nicht daran teilnahm. Ich wurde nicht davon ausgeschlossen, ich war einfach nicht dabei. Ich kam mit allen gut aus und hatte keine Feindschaften, aber besondere Freunde hatte ich auch nicht. Ich war eine etwas blasse Erscheinung, die niemanden zu besonderer Mißgunst oder zu besonderer Sympathie nötigte. Ich genoß einen Anflug von Respekt als eher guter denn schlechter Schüler; und daß ich im Turnen so phänomenal schlechte Leistungen zeigte, galt allgemein als Kuriosum. Dafür, daß ich nicht Fußball spielen konnte noch wollte, wurde ich nicht verlacht: es war einfach so, ich war auch da einfach nicht dabei.

In einer bestimmten Hinsicht brachte mir mein Außenseitertum sogar Vorteile. Es wurde klar, daß ich mit dem »Höheren« zu tun hatte. Dieses »Höhere« manifestierte sich zunächst natürlich nur darin, daß ich langweiliger war als die anderen; anderseits muß es mir aber auch ein gewisses distinguiertes Air gegeben haben. Die Tatsache, daß ich nie fluchte, daß ich mich von allem Gemeinen und Unreinen fernhielt und mich in allen Lebenslagen übertrieben guter Manieren befliß, wurde von den anderen Schülern nicht nur als lächerlich empfunden, sondern auch als originell. Wenn sie mich auch nicht meiner einzelnen Eigenschaften wegen schätzen konnten, so schätzten sie doch die befremdliche Kombination all dieser Eigenschaften, daß ich anders als alle anderen war und eben etwas Besonderes darstellte. Etwas nicht unbedingt sympathisches Besonderes, sondern eher etwas rätselhaftes Besonderes, aus dem kein Mensch klug werden konnte. Ich war anders, ich war seltsam, ich war unergründlich, man konnte nichts anfangen mit mir, ich war wie aus einer ganz anderen Welt, und all diese Kuriositäten ließen mich meinen Mitschülern weniger als einen verächtlichen Typ erscheinen denn als ein rares Biest, ein Ungeheuer, bei dem man nicht recht ersehen konnte, was der Kopf und was die Füße waren, von dem man aber wußte, daß es vollkommen harmlos war und nicht beißen konnte.

Ich kann heute nicht mehr zeitlich festlegen, wann ich zum ersten Mal der Zwiespältigkeit meiner Situation gewahr wurde, aber zweifellos hatte dieser Zwiespalt schon sehr lange in mir gesteckt, zuerst unbewußt, dann ganz langsam mir bewußt werdend. Einerseits hatte ich nämlich eben das »Höhere« für mich gepachtet, andererseits aber war ich noch ganz in der Welt des Minderen gefangen. Wie ich schon beschrieben habe, las ich nur »gute« Bücher und hörte ich nur »gute« Musik, und »gut« bedeutete damals natürlich klassisch. Ich war literarisch interessiert, ich bewegte mich in denselben gebildeten Räumen wie die Erwachsenen und konnte ein bißchen auf meine Kameraden herabsehen, die sich »nur« für Sport interessierten, für Radiobastelei, für Filmstars, für Schlager, für Jazz. Bezeichnenderweise glaubte ich damals, daß alle Musik, die nicht klassisch war, aus Schlagern und Jazz bestand, die beide »schlecht« waren. Ich hatte zwar keine Ahnung davon, was Jazz war, aber davon, daß man ihn als etwas Schlechtes verdammen mußte, war ich überzeugt; und wenn ich von Erwachsenen darüber befragt wurde, konnte ich stolz antworten, daß ich Jazz nicht schätzte.

Ich habe festgestellt, daß die Menschen meist viel stolzer sind auf die Dinge, die sie nicht wissen und die sie gar nicht wissen wollen, als auf die Dinge, die sie wissen: Davon will ich gar nichts hören; damit will ich gar nichts zu tun haben; das gibt es in unserem Hause nicht – das ist der typische Spruch eines Biedermannes. Den meisten Menschen bedeutet es mehr, keine Laster zu haben, als gewisse konkrete Tugenden zu haben.

Ich als Schüler also war stolz darauf, mich für so viele interessante Dinge nicht zu interessieren und schon ganz wie ein Erwachsener zu sein. Ich war stolz darauf, daß ich nicht an den Spielautomaten und nicht beim Tischfußball spielte; daß ich nicht in das bei den Schülern populäre *Café Maroc* ging, um dort mein Taschengeld bei bescheidenen Schlemmereien zu verprassen; daß ich nicht wissen wollte, wer Elvis Presley war und die berühmten goldenen sechziger Jahre nicht bewußt miterlebte. Daß Elvis Presley für die Weltgeschichte etwa hundertmal bedeutender werden sollte als der ewige Goethe, dessen Produkte ich las und gebührend klassisch fand, wußte damals wohl noch niemand. Das Ausschlaggebende für mich war einfach, daß ich bei jenen Ereignissen auch wieder einmal nicht dabei war, während meine Kameraden eben dabei waren. Ich führte also nur das aus, was ich schon von meinen Eltern gelernt hatte: sich von allem ausschließen und stolz darauf sein.

Diese Scheinerhabenheit wurde aber seit längerer Zeit immer wieder bedroht vom Bewußtsein, daß ich eben nicht nur über allen Dingen stand, sondern auch darunter, daß ich eben, im Vergleich zu meinen Mitschülern, zurückzubleiben begann oder schon zurückgeblieben war. Meine übergroße Schüchternheit und Ängstlichkeit hatte ich lange Zeit damit erklären können, daß ich eben, wo nicht der Kleinste, so doch der Jüngste und Unerfahrenste von allen sei, der nach einigen wenigen Jahren nachgeholt haben würde, was ihm noch fehlte. Ich wußte, daß ich noch sehr jung und unwissend war, und stellte mir vor, wie die Dinge dann sein würden, wenn ich erst einmal »darüber hinaus« wäre und mich gleich frei wie die anderen bewegen könnte. Das Gefühl, »über etwas hinaus« zu müssen, setzt schon den Eindruck voraus, daß man eben in etwas gefangen sei, aus dem man sich befreien muß, und das mehr oder weniger klare Bewußtsein, unfrei zu sein. Zunächst erwartete ich diese Befreiung also einfach von der Zeit, die mich automatisch befreien müßte, sobald ich den Kinderschuhen entwachsen sein würde. Allmählich wurde mir aber klar, daß es nicht nur meine wenigen Jahre waren, die mich zurückhielten, sondern daß noch viel mehr Dinge auch »weniger« waren. Meine Kameraden konnten eine Menge Dinge, die ich nicht konnte. Sie vermochten mit den Lehrern zu diskutieren, wo ich mich von den Lehrern nur belehren lassen konnte. Sie konnten spontan Sympathie oder Antipathie Lehrern, Mitschülern oder anderen Leuten gegenüber äußern, wogegen ich nichts mehr zu sagen vermochte als mein ewiges »ich könnte es nicht ermessen«. Ein paarmal war es vorgekommen, daß ich einzelne Lehrer, einfach weil ich sie als Respektspersonen betrachtete, als »nett« bezeichnet hatte und damit bei meinen Kameraden auf flammende Ablehnung gestoßen war. Sie fanden die betreffenden Lehrer nicht »nett«, sondern hassenswert, falsch, gemein, dumm, böse. Selbst wenn ich diese Lehrer auf meine Art zu verteidigen suchte und sie als »doch nicht so schlimm« herauszureden versuchte, blieb doch der Stachel der Erkenntnis zurück, daß ich gar nicht fähig gewesen war zu merken, daß die Lehrer hassenswert oder falsch oder dumm oder böse waren. Ich begann zu ahnen, daß mir die Fähigkeiten dazu fehlten, jemanden als dumm oder böse zu erkennen; oder mit anderen Worten: ich wurde mir langsam bewußt, daß jedermann um Gut und Böse wußte, daß ich aber im Gegensatz zu allen anderen nicht wußte, was gut und was böse, sondern nur, was »schwierig« war.

Vom Geld zum Beispiel hatte ich keine Ahnung. Ich ahnte, daß mein Vater reich war, obwohl meine Eltern nicht gern davon sprachen und sich auch von den anderen reichen Leuten zu distanzieren pflegten. Viele reiche Bekannte meiner Eltern stellten ihren Reichtum zur Schau; aber das waren »eingebildete Protzen«. Wir waren natürlich auch reich, aber auf eine viel schamhaftere Weise; auch unser Reichtum war pudibund. Bei uns zuhause galt in finanziellen Belangen das typisch schweizerische *understatement*: Man besitzt, aber man zeigt es nicht; man ist nicht prunkvoll, sondern solid; alles sieht nach gar nichts aus, kostet aber eine Menge Geld; man speist nicht Kaviar aus goldenen Tellern, sondern löffelt seine Suppe aus Tellern, die aussehen, als seien sie im ABM [Schweizer Warenhauskette] gekauft, die aber jeder mindestens tausend Franken wert sind. Alle Dinge, die mir gehörten, waren preislos. Ich wußte, daß man bei einem Geschenk nie wissen durfte, was es gekostet hatte; und nachdem ich alle meine Besitztümer als Geschenk erhalten hatte, wußte ich auch nie, was mein Besitz wert war. Meine Kameraden wollten immer von allen meinen Sachen wissen, was sie gekostet hatten, aber ich wußte es nie. Ich pflegte immer zu antworten, es sei eben ein Geschenk, und ich könne den Preis nicht wissen. Wiederum erschien es mir einerseits als das »Höhere«, von nichts den Preis zu wissen; andererseits wurde mir klar, daß meine Kameraden über Dinge Bescheid wußten, bei denen ich mir wieder sagen mußte, daß ich eben noch nicht so weit sei wie die anderen. Immer mehr mußte ich mich gegen die unangenehme Erkenntnis abschirmen, daß sie die Wissenden waren und ich der Unwissende.

In einer Sache fiel mir dieser Kampf besonders schwer. Viele meiner Kameraden hatten Freundinnen; ich hatte natürlich keine. Daß es natürlich sein sollte, daß ich keine hatte, ließ sich wieder damit erklären, daß ich auch in dieser Hinsicht noch nicht so weit war wie die anderen. Ich stellte mir vor, daß ich mit der Zeit auch eine haben würde. Es sollte nun ein sehr lange während Prozeß beginnen, bei dem sich beständig die beiden Auffassungen feindlich gegenüberstanden, ob ich nun einfach *noch* keine Freundin hatte oder ob ich *wirklich* keine Freundin hatte. So lange es nur immer anging, versuchte ich mich an die erste Hypothese anzuklammern, daß ich eben noch nicht so weit gediehen sei, eine haben zu können. Aber dieser Standpunkt fiel mir immer schwerer. Ich mußte erleben, daß es längst nicht mehr nur meine Klassenkameraden und Gleichaltrigen waren, die im Gegensatz zu mir Freundinnen hatten, sondern daß schon viel jüngere und kleinere und mit jedem Jahr noch jüngere Schüler unseres Gymnasiums in dieser Hinsicht bereits erfolgreich waren, daß die Zeit zwar unaufhörlich voranschritt, daß ich dessenungeachtet aber immer noch zurückgeblieben war. Der Zeitpunkt war längst erreicht, an dem schon alle ihre Freundin hatten, an dem ich schon längst auch eine hätte haben sollen; und auf einmal hieß es nicht mehr »noch nicht«, sondern »schon längst«. Es wurde mir klar, daß dieses Ereignis nun nicht mehr als eine möglicherweise in der Zukunft sich abspielende Sache anzusehen war, sondern daß es sich schon längst hätte ereignen sollen. Es lag nun keine nebulose mögliche Erfüllung in der Zukunft mehr vor mir, sondern eine Vergangenheit lag hinter mir, in der ich versagt hatte. Das erste Mal in meinem Leben wurde ich gewahr, daß eine Schuld auf mir lag, die Schuld, versäumt zu haben, was ich hätte tun sollen. Nur ganz langsam kristallisierte sich für mich heraus, daß ich auch in diesem Punkte anders war; ich hatte nicht »noch« keine Freundin, ich hatte einfach keine. Der Zwiespalt zwischen mir und den anderen wurde immer größer.

Ein Prüfstein für diese Entwicklung war der Tanzkurs. Wie jedermann bekannt war, hatten viele Jungen eine Tanzkursfreundin. Offenbar war der Tanzkurs der Ort, an dem es Freundinnen gab. Solange ich noch nicht im Tanzkurs war, hatte ich eine bequeme Erklärung für mich: ich war eben noch gar nie am Ort gewesen, an dem es Freundinnen gab; ich war vollkommen unschuldig an der Sache, ich hatte bloß noch keine Gelegenheit dazu gehabt. Aber ewig sollte auch dieses latente Vergnügen nicht für mich dauern, denn schließlich kam auch ich in den Tanzkurs. Dort stellte ich bald fest, daß es Jungen gab, die mit Mädchen etwas anzufangen wußten, und daß ich mit ihnen gar nichts anfangen konnte und immer nur gehemmt und verlegen auf meinem Stühlchen saß. Wiederum gehörten die anderen zu den Wissenden und ich zu den Unwissenden. Ich brachte unsäglich gute Manieren mit in den Tanzkurs, aber kein Gefühl für Rhythmus und keinen Schwung, und ich war ein miserabler Tänzer. Ich war fein, aber ich war fad. Ich wußte den Mädchen nichts zu sagen, und ich wußte mit ihnen nicht umzugehen, aber ich wurde zum stummen Zeugen dafür, wie aus den zunächst anonymen Mädchen des Tanzkurses allmählich die Tanzkursfreundinnen meiner Kollegen wurden. So wurde also auch der bisher nur als Zukunftsvision empfundene Tanzkurs jetzt Wirklichkeit. Es war jetzt soweit, der Tanzkurs fand jetzt statt, ich hätte meinen Mann jetzt stellen müssen; aber ich war nicht soweit, ich fand nicht statt, ich stellte meinen Mann nicht. Die Wirklichkeit war jetzt da, aber ich versagte vor ihr. Irgendwie muß ich es schon zu der Zeit gespürt haben: es war nicht der Tanzkurs, der nicht stimmte, *ich* war es, der in allem nicht stimmte. Aber ich vermochte damals noch alles zu vertuschen und ging bald darauf in einen anderen Tanzkurs, in der illusorischen Hoffnung, daß *der* dann viel besser sein würde und daß der mir dann bringen sollte, was ich haben wollte. Ich hatte den Mut nicht, mir einzugestehen, daß alles an mir lag, wenn ich versagte; daß nicht der Tanzkurs oder irgend eine andere Institution schuld daran war, daß ich ins Hintertreffen geriet; sondern daß die Schuld allein bei mir zu suchen war. Ich spürte diese Wahrheit vielleicht, aber an der Fähigkeit, mir diese Wahrheit auch bewußtzumachen, gebrach es mir.

Mit der Zeit gewöhnte ich mich auch daran ein bißchen: so wie die anderen eine Menge wußten, wovon ich keine Ahnung hatte, so hatten die anderen eben auch Freundinnen, von denen ich auch keine Ahnung hatte. Ich wußte es damals noch nicht, aber ich stand zu dem Zeitpunkt schon unmittelbar vor der Schwelle des Furchtbaren, das auf mich zukommen sollte.

IV

Diese letzten Betrachtungen führen mich zurück zu einem Thema, das ich bis jetzt noch nicht im Ganzen beschrieben habe. Ich habe schon erwähnt, daß in meinem Elternhause eigentlich alle Gesprächsthemen tabu waren, die etwas Interessantes an sich hatten.

Zwei vor allem will ich in diesem Zusammenhang hervorheben: die Religion und die Sexualität. Es ist freilich nichts Besonderes, wenn in der Welt eines Kindes diese Themen tabu sind; ich kann mir denken, daß dies sogar das Gewöhnliche ist. Aber das große Leid, das für die Betroffenen daraus hervorgehen kann, ist nie etwas Gewöhnliches, sondern jedesmal wieder etwas Furchtbares. In Chile werden heutzutage viele Tausende von Menschen zu Tode gefoltert. Aber der Umstand, daß es Tausende sind, macht die Sache noch lange nicht zu etwas Gewöhnlichem. Die Sexualerziehung – oder besser gesagt: Antisexualerziehung –, die ich erfahren habe, ist auch nichts Besonderes; tausend anderen ist es auch nicht besser gegangen. Ich denke mir, daß die anderen Tausend deswegen nicht weniger Unglück erfahren haben als ich; bloß haben sie keine Memoiren geschrieben. Nicht jeder, der keine Memoiren schreibt, ist glücklich.

Wie gesagt, alle Themen von Belang wurden bei uns zuhause nicht diskutiert. Die religiöse Erziehung, die ich erfahren habe, kann wohl ihresgleichen nicht finden. Meine Eltern waren zutiefst areligiös. Aber lieber hätten sie sich die Zunge abgebissen, als das zu gestehen. Sie selbst waren durchaus nicht für die christliche Religion, aber die christliche Religion galt bei uns zuhause als etwas durchaus Gutes. Ich meine damit, daß wir bei uns zuhause alle wußten, daß niemand christlich fühlte, daß aber kein Zweifel an der christlichen Kirche und an ihren Institutionen geduldet werden konnte. Oder um dasselbe als einen etwas fragwürdigen kategorischen Imperativ zu verwandeln: wir hatten dagegen zu sein, mußten es aber trotzdem gut finden. In meinem Elternhaus habe ich die Bekanntschaft Gottes und seines eigenartigen Sohnes (eigentlich eher Stiefsohnes) Jesus nicht gemacht; diese beiden unwürdigen Gestalten wurden mir erst in der Schule vorgeführt. Und bald wurde ich mir einer merkwürdigen Tatsache bewußt: ich durfte zu meinen Eltern nicht von Gott sprechen, denn das konnten sie auf den Tod nicht leiden. Mehr noch: vor allem mein Vater wurde geradezu ergrimmt dabei, er wollte das durchaus nicht haben und dulden, die Situation wurde untragbar, Unheil lag in der Luft, und jede weitere Erörterung des Themas verbot sich von selbst. Ich ahnte, daß Gott etwas sehr Zwiespältiges war, das man eigentlich positiv hätte bewerten sollen – sprach man doch auch vom sogenannten »lieben« Gott –, von dem meine Eltern aber auch nicht leiden mochten, daß man es kritisierte oder gar lächerlich machte, bei dessen Erwähnung mein Vater aber doch unangenehm zu werden drohte, und das also bei uns zuhause nicht gerne gesehen war. Vielleicht habe ich es mir in meinem kindlichen Hirn so zurechtgelegt, daß auch Gott einer unserer Clowns war, der für uns eine Art Theater spielte, bei dem wir die Zuschauer waren. Für alle anderen war Gott nämlich offenbar ganz gut; vermutlich war es nur aus Höflichkeit und aus Feingefühl gegenüber den Dummen, daß wir nicht gegen Gott waren. Heute fällt es mir leichter, den Glauben meiner Eltern zu erfassen, und ich würde ihn so definieren: Gott ist schlecht, denn man muß sich mit ihm befassen; aber die Kirche ist gut, denn sie ist etwas Respektables.

Meine Eltern gingen natürlich nie in die Kirche, obwohl es grundsätzlich gut war, in die Kirche zu gehen. Vermutlich war es für die anderen gut, in die Kirche zu gehen. Vielleicht war es sogar ein bißchen lächerlich, in die Kirche zu gehen, nur durfte man das nicht zugeben. Meine Eltern erlaubten es mir nicht, mich über das Kirchliche lustig zu machen, obwohl ich ahnte, daß sie sich insgeheim selbst darüber lustig machten. Man könnte es vielleicht so ausdrücken: Wenn eine Einzelperson in die Kirche ging, dann war das lächerlich, denn eine solche Einzelperson war ja immer einer unserer Clowns; aber daß man grundsätzlich in die Kirche ging, das war gut, denn die Kirche war an und für sich gut. Meine Eltern unterstützten also, daß man grundsätzlich in die Kirche ging; sie wollten sich aber nicht lächerlich machen und als Einzelpersonen selbst in die Kirche gehen.

Sie gingen aber natürlich doch in die Kirche. Sie hatten ja all ihre vielen Toten, bei deren Beerdigung sie in die Kirche zu gehen pflegten. Wenn meine Eltern aber einmal in die Kirche gingen, dann: Oho! Dann gehörte es zum guten Ton, nach allen Regeln des *comme il faut* dorthin zu gehen, und dann wallten meine Eltern in die Kirche, daß Gott erbarm. Wenn sie nämlich einmal in der Kirche steckten, dann war ihnen nichts mehr schlecht genug: sie lobten die Kirche, ihre Architektur, ihren Blumenschmuck, den Pfarrer, die Predigt, das Orgelspiel, den Gesang, die Stimmung und was man nur immer loben kann, wenn es einem in Gottes Namen ums Loben zu tun ist. Die Kirche gefiel ihnen, denn sie war gut. Nur eines schien meinem Vater nicht zu gefallen: wenn er sich mit den anderen zum Gebet erheben mußte, bekam er immer einen ganz grimmigen Kopf vor Zorn darüber, daß er wie die anderen aufstehen und so tun mußte, als betete er. Nach der kirchlichen Handlung aber war er immer wieder guter Dinge und des Lobes voll; er beteuerte, daß der Pfarrer sehr schön gesprochen und sich sehr erlesen ausgedrückt und eine perfekte bühnendeutsche Aussprache gehabt habe. Es fiel mir nur auf, daß mein Vater immer die Form der Predigt lobte: ob er auch mit dem Inhalt der Predigt einverstanden war, darüber wurde nicht gesprochen. Ich kann mich erinnern, daß ich nach einer solchen Trauerfeier gedacht hatte, daß der Pfarrer eigentlich sehr dumm gesprochen habe. Meines armen Vaters Kommentar zum Gebotenen aber war, daß der Pfarrer sehr schön gesprochen habe. (Man könnte hier sogar einen feinen Kompromiß schließen, denn es ist ohne weiteres möglich, daß der Pfarrer sowohl sehr schön als auch sehr dumm gesprochen hat.) Ich kann es mir heute so erklären, daß mein Vater nur für die Form der Kirche war, aber nicht für deren Bedeutung. Für die Form der Kirche zu sein, das gehörte zum guten Ton; für deren Bedeutung zu sein, das war lächerlich.

Ich habe schon darüber geschrieben, daß meine Eltern zu sämtlichen Beerdigungen irgendwelcher obskuren Verwandten oder Bekannten gingen, die sie zu Lebzeiten nie besucht hatten, denn so gehörte es sich. Festlichkeiten waren ihnen zwar prinzipiell zuwider, aber gegen Trauerfeierlichkeiten hatten sie nichts. Wenn meine armen Eltern auch alles unternahmen, um sich vor irgendwelchen geselligen Anlässen mit Lebenden zu drücken, so ließen sie sich kein Opfer zu groß sein, um den Toten die sogenannte letzte Ehre zu erweisen. Diese Haltung war wohl typisch für unsere familiäre Welt: je toter, desto lieber.

Ein anderer Aspekt der verschrobenen Kirchlichkeit meines armen Vaters wurde mir erst später bewußt. Mein Vater war eigentlich Architekt, übte seinen Beruf aber nicht aus, sondern arbeitete im Unternehmen seines Schwiegervaters. Häuser gebaut hatte er nie, sondern sich immer mit Denkmalspflege beschäftigt, und zwar vor allem mit Kirchen. So kam es dazu, daß mein Vater fast alle Kirchen in der Schweiz kannte und sich auch lebhaft dafür interessierte. Das Zwiespältige an diesem Interesse war für mich nur immer, daß doch alle diese Kirchen mit Gott zu tun hatten, den er doch nicht leiden mochte. Als er mir einmal in einer Kirche die Konstruktion des Mittelschiffes und des Querschiffes zeigte, wurde mir bewußt, daß die Kirchen eben deshalb ein Längs- und ein Querschiff haben, weil sie an die Form des Kreuzes erinnern sollen. Das Kreuz aber war das Symbol, das mein Vater haßte. Ich begann mich zu fragen, wie es mein Vater in all seinen Kirchen nur hatte aushalten können, die doch bewußt auf das angelegt waren, was ihm feind war. Ich glaube, daß er auch als Architekt nur die Form der Kirche zu schätzen wußte, von der Bedeutung dieser Form aber nichts wissen wollte.

Sein Interesse für Kirchen kam mir ein bißchen unheimlich vor, ebenso wie sein Wohlgefallen an schönen Predigten. So wie alle Pfarrer immer »schön« und sogar »großartig« gesprochen hatten, vom Inhalt dessen, was sie gesagt hatten, aber vollständig abstrahiert wurde, so waren auch die Kirchen »schön« und »großartig«, standen dabei aber völlig im luftleeren Raum. Denn es hatte doch auch seine Bedeutung, daß es Kirchen gab; sie erfüllten doch einen Zweck; sie waren doch ein Zeugnis Gottes, von dem mein Vater nichts wissen wollte. Aber um diese ganze religiöse Bedeutung der Kirchen schien sich mein Vater nicht zu kümmern; es war, als gäbe es sie nicht für ihn. Er fühlte sich wohl in den Kirchen, in diesen hohlen, sinnentleerten, feindlichen Räumen, die keine andere Botschaft für ihn ausstrahlten als nur immer die eine, daß sie auf eine abstrakte und unmenschliche Art »großartig« waren.

Auch diese Kirchen scheinen mir heute ein Symbol für alles Leblose und Abgestorbene zu sein; sie waren ebenso tot wie fast alles bei uns zuhause.

Ich habe also keine im eigentlichen Sinn christliche Erziehung gehabt – aber ebenso wenig eine antichristliche oder zumindest religionskritische. Oder um ein bekanntes Bibelwort zu aktualisieren: Wer nicht offen *gegen* Jesus auftritt, der ist in seinem Herzen immer noch *für* ihn. Stimmenthaltung gilt in diesem Punkt nicht. Wer *nichts* sagt, der hat das Christentum noch nicht überwunden, sondern der ist immer noch ein Christ. Meine Eltern hofften, ich würde auch unchristlich werden, aber sie hatten nicht den Mut, diesen Wunsch laut werden zu lassen. In mancher Hinsicht aber bin ich in einem Sinne erzogen worden, der, wenn auch nicht bewußt christlich, so doch seiner innersten Natur nach christlich zu nennen ist. Ich meine hier die geläufigsten christlichen Tugenden wie Enthaltsamkeit, Entsagung, Sanftmut, Dulden und vor allem das unmißverständliche Nein zu fast allen Aspekten des Lebens.

Oder mit anderen Worten: das Leben nicht zu genießen, sondern klaglos zu ertragen; nicht sündig zu sein, sondern frustriert. Dies führt natürlich unmittelbar zum zweiten großen unaussprechlichen Thema meiner Kindheit und Jugend, zur Sexualität. Und in dieser Hinsicht kann ich meine Erziehung sicher als echt christlich ansehen, denn daß die Sexualität der Pfuhl alles Bösen war, das stand bei uns natürlich außer Zweifel. Ich weiß, daß ich nicht der einzige bin, der eine zweifelhafte Sexualerziehung erfahren hat, und daß ich hier nichts Neues berichte. Aber um so mehr will ich dieses Thema zur Sprache bringen, weil es den Anschein hat, daß es eben immer noch nicht genug zur Sprache gebracht worden ist. Es sind wohl auch heute noch alle bürgerlichen Familien sexualfeindlich gestimmt, aber auch daraus kann man noch nicht folgern, daß dies ein belangloser Fall sei, bloß weil es ein häufiger Fall ist. Bei uns zuhause war die Haltung meiner Eltern der Sexualität gegenüber natürlich der Inbegriff und die Krönung ihrer grundsätzlichen Haltung dem Leben gegenüber: Nein. Oder wenn es unbedingt sein mußte – Ja, aber nur für die anderen; nicht für uns.

Wenn man sich einmal zu fragen beginnt, warum es denn so selbstverständlich sein soll, daß die Sexualität in bürgerlichen und christlichen Kreisen der Inbegriff alles Bösen sei, so ist die Antwort nicht leicht zu geben. Es steht mir hier auch nicht an, diese zweitausend Jahre alte Frage zu beantworten. Ein paar Punkte, die zu einer Antwort führen könnten, leuchten mir aber sehr ein, wenn ich mir die allgemeine Atmosphäre meines Elternhauses vergegenwärtige. Ein bürgerlicher Aspekt des Problems ist sicher das Bewußtsein der Tradition. Was schon immer gegolten hat, das soll auch weiterhin gelten, sei es nun gut oder böse; oder, bürgerlich ausgedrückt, wenn etwas schon lange gegolten hat, so kann es auch nicht böse und muß deshalb wohl gut sein. (Ich erlaube mir, in diesem Zusammenhang auf unsere schweizerische Armee hinzuweisen.) Wenn schon die Großeltern und Urgroßeltern es für richtig befunden haben, die Sexualität als etwas Ungehöriges zu betrachten, so wollen es auch die traditionsverbundenen jüngeren Generationen nicht anders halten, auch wenn sie sich dabei nicht eben viel überlegen, denn wenn ein Urenkel denselben Fehler begeht wie sein Urgroßvater, hält er diesen Fehler wegen seines ehrwürdigen Alters meist schon ohne weiteres für eine Tugend.

Ich denke mir, daß dies auch bei meinen Eltern ein bißchen der Fall gewesen sein muß: Sie fühlten sich nicht zu den Revolutionären berufen, die von der Sexualität plötzlich eine andere Auffassung hätten haben sollen als alle die Generationen vor ihnen. Der andere, grundsätzlich christliche Aspekt leuchtet durchaus auch ein: Wenn man, nach christlicher Manier, sein Heil gern im sogenannten »Höheren« und Geistigen findet, dann hat man auch gern ein Gegengewicht, das dann das Niedrige symbolisieren soll, und wenn man dieses Niedrige als einen Gegensatz zum Geistigen, also als das Körperliche auffassen will, dann findet man dieses Körperlich-Niedrige wohl am ehesten in der Sexualität und in der körperlichen Liebe. (Die Erkenntnis, daß die Sexualität ebenso geistig wie körperlich ist und daß überhaupt Körper und Geist nicht als ein Gegensatzpaar aufzufassen sind, sondern als eine Einheit, ist, wie ich befürchte, an der christlichen Lehre und ihrer einfältigen Hartnäckigkeit vorbeigegangen.) Wer partout das Höhere will, der findet am Ende ganz sicher auch etwas, was er als das Niedrige betrachten kann, und um etwas zu verhimmeln, muß man eben auch immer etwas verteufeln.

Nun, das »Höhere« war ja auch bei uns zuhause ein gern gesehener Gast. Und ein sehr bequemer Gast, denn mit dem »Höheren« kann man eigentlich mühelos anstellen, was man nur immer will. Man kann auch bei sich zuhause Pantoffeln anhaben und auf dem Sofa sitzen und dabei »höher« sein; dazu bedarf es gar nicht so vieler Anstrengungen. Sich im sogenannten Sumpf des Lebens herumzutreiben oder sich gar mit der Sünde zu befassen, ist immer viel anstrengender; man muß zumindest etwas dafür tun. Ich glaube überhaupt, daß die sogenannte Tugend nur dann etwas taugt, wenn sie unter Tränen erkämpft wird; solange die Tugend nur aus dem Weg des geringsten Widerstandes besteht, ist sie des Teufels. Und so kann auch das vielberufene »Höhere« einen Weg des geringsten Widerstandes darstellen. Das bedeutet auf erotischem Gebiet: Die bürgerliche Ehe und Treue kann sehr wohl einfach die bequemste aller Lösungen sein; Skandalgeschichten sind beträchtlich viel mühsamer und unbequemer. So kann man sicher auch die Sexualität als etwas bezeichnen, das zunächst einmal unbequem ist, weil es Probleme schafft und herausfordert. Wenn jemand es aber lieber bequem als unbequem hat, dann wird er allem Problematischen von vornherein ablehnend gegenüberstehen.

Wir kommen hier zur Fabel vom Fuchs und den Trauben: Wem etwas zu mühsam zu erreichen ist, der sagt gerne, daß er es eigentlich gar nicht haben möchte. Auf etwas zu verzichten ist meist sehr einfach; etwas zu wollen ist häufig sehr mühsam. Oder wie es einer meiner Freunde ausgedrückt hat: Natürlich ist und war Sex immer Sünde, denn um das Verbotene braucht man sich nicht zu bemühen.

Ein anderer Aspekt des Problems ist aber der, daß die Sexualität im Wesen des Menschen immer das Eigentlichste und Vitalste und Energiegeladenste darstellt; sie geht immer aufs Ganze. Mit all diesen Dingen war es aber bei uns zuhause sehr schlecht bestellt. Das Eigentliche war uns zutiefst verhaßt; wir wollten nie zum Kern einer Sache dringen, sondern lieber immer alles »schwierig« finden. Wir wollten nie selbst etwas tun; wir wollten lieber über das lächeln, was die anderen Menschen taten. Wir wollten nicht unsere Energien aneinander messen, sondern wir wollten harmonisch sein und alle Streitigkeiten zugunsten eines glücksähnlichen rosaroten Nichts neutralisieren. Vor allem aber wollten wir nie »das Ganze«: das Ganze, das waren immer die anderen; wir waren extra. Aber noch mehr war uns zuwider: Sex hat notwendigerweise immer mit dem schamhaften Körper zu tun, dem Körper, von dem die anderen, die Niederen, fanden, daß er gar nicht schamhaft sei, sondern begehrenswert; wir fanden das natürlich nicht. Man kann auch nicht um die Erkenntnis herumkommen, daß sich die Sexualität notwendigerweise in jeder Hinsicht eine Blöße gibt. Gerade das aber wollten wir um keinen Preis. Unser Motto war: Bloß nicht bloß!

Ich möchte uns mit Einsiedlerkrebsen vergleichen. Der Einsiedlerkrebs ist vorne hübsch gepanzert und stabil, aber sein Hinterleib ist nackt. Deshalb muß er seine verletzliche Blöße in leeren Schneckenhäusern bergen, wobei der bewehrte Vorderleib aus dem Schneckenhaus herausschaut. Wenn der Einsiedlerkrebs aber wächst, wird ihm mit der Zeit sein gemietetes Gehäuse zu eng, und er muß notgedrungen in ein größeres umziehen. Welche Qualen muß nicht solch ein Einsiedlerkrebs ausstehen, wenn er sich mit seinem allen Fressern preisgegebenen nackten Hinterleib zu einem neuen Haus vorwagen muß! Wie furchtbar muß die Zeitspanne für ihn sein, wenn er sein altes schützendes Haus bereits auf Nimmerwiedersehen verlassen hat und noch nicht wissen kann, wo er eine neue, seinen jetzigen Körpermaßen entsprechende Behausung findet! Ich denke mir, solche Einsiedlerkrebse waren wir auch. Vorne waren wir recht bekömmlich gepanzert, aber hinten drohte die Blöße. Nur waren wir keine sehr tapferen Einsiedlerkrebse und zogen es vor, unter Qualen im zu engen Haus zu verkümmern. Der Oberkörper verursachte keine Probleme; der Unterleib aber sollte lieber in ungesunder Einengung verkümmern, als daß seine Blöße zu seinem Heil der gefahrvollen Öffentlichkeit preisgegeben werden durfte. Es leuchtet ein, daß man diesen Krebs als Einsiedler bezeichnet, denn die Unentblößtheit ist asozial.

Oder mit den Worten, wie sie jedes bürgerlich erzogene Kind kennt: Über Sex spricht man nicht. In der Mathematik der Frustration lautet dieses Exempel so: »Über die Sexualität spricht man nicht: also gibt es sie nicht« ist gleichviel wie »Die Sexualität gibt es nicht: also spricht man nicht darüber«. Es war also bei uns zuhause wie bei jedermann in entsprechenden Kreisen: wir sprachen nicht über die Sexualität; das Wort war aus unserem Vokabular gestrichen.

Damit kann ich sogleich zu einem anderen schönen Thema schreiten, zum Oh und Ach jeder Erziehung, dessen Bezeichnung an sich schon ein Greuel ist: Aufklärung. Wieso man den Kindern die ganze Welt *er*klären kann, ohne daß sie Schaden nehmen an ihrer Seele; daß man sie aber über Zeugung und Geburt *auf*-klären muß und dabei noch furchterliche Angst aussteht, daß sie tatsächlich an ihrer Seele Schaden nehmen, ist für mich ein Rätsel, das ich bis auf den heutigen Tag nicht zu lösen vermocht habe. Als Kind wußte ich, daß die Kommunisten böse, die Antikommunisten aber gut sind; ich war in solch theologischen Spitzfindigkeiten bewandert wie der, daß die Religion und ihre Kirche gut waren, obwohl Gott schlecht war; aber was ein Mann und was eine Frau war, das wußte ich nicht, denn ich war eben nicht »aufgeklärt« worden. Bei der Entdeckung der Welt des Geschlechtlichen war ich ganz auf meine eigene Inspiration angewiesen und zeitigte dabei auch ganz schöne Resultate. Ich wußte, daß die kleinen Kinder geboren werden, weil ein Mann und eine Frau »zusammen gewesen« sind, und daß die kleinen Kinder »aus der Mutter« kommen. Ich stellte mir das so vor, daß der Mann eine männliche und eine Frau eine weibliche Ausdünstung haben, und daß, wenn ein Mann eine Frau berührt, der Schweiß des Mannes durch die Haut der Frau in sie eindringt und im Körper der Frau dann ein Kind entsteht. Da dieses Kind aber »herauskommen« mußte und da ich gehört hatte, daß der Nabel »die Mitte der Welt« war, so leuchtete es ein, daß die kleinen Kinder den Mutterleib durch die Öffnung des Nabels verließen. Später wußte ich auch, daß es uneheliche Kinder gab, bei denen es »passiert« sei. Das bedeutete natürlich nichts anderes, als daß der Mann die Frau unachtsamerweise angefaßt hatte, vielleicht bei einer Gelegenheit, als er stark schwitzte, so daß »trotz aller Vorsicht« ein bißchen vom Schweiß des Mannes in die Frau eindringen konnte – zum Beispiel am Handgelenk –, so daß es dann »passierte«.

Diese Erkenntnisse blieben aber mein Geheimnis, denn ich wußte, daß es nicht gut war, von solchen Dingen zu reden. Einmal war ich bei meiner Lektüre auf das Wort »keusch« gestoßen und hatte mir dessen Sinn nicht zu erklären vermocht. Als ich meine Mutter danach fragte, geriet sie in die größte Unbehaglichkeit von der Welt. Ich begriff nicht recht, ob sie bloß nicht wußte, was »keusch« bedeutete, oder ob sie es mir nicht sagen konnte oder wollte. Klar war nur, daß es ihr höchst unliebsam war, sich in die durch mich geschaffene Situation verstrickt zu sehen, mir erklären zu müssen, was »keusch« war. Es war, wie wenn man zu meinem Vater von Gott redete: Das war etwas sehr, sehr Schlechtes, das viel besser unterblieben wäre, ein Thema, das man nicht hätte erwähnen sollen, und bei dem jedermann aufatmete, wenn es fallengelassen worden war. Leider rettete ich die peinliche Situation in meiner Unschuld, indem ich selbst einen Erklärungsvorschlag machte. Nach den Zusammenhängen, in denen das Wort »keusch« gestanden hatte, mochte es so viel wie »anständig« bedeuten; und diese Vermutung äußerte ich meiner Mutter gegenüber. Sogleich wich der Ausdruck der Beklommenheit von ihrem Gesicht, erleichtert sagte sie: Ja, ja, ja, genau das bedeutet es, und das störende Element war wieder weg. Später, als ich dann wußte, was »keusch« war, wurde mir auch klar, daß es kein Gesprächsthema war. Es gehörte zu den »schwierigen« Dingen.

Offensichtlich war die Sexualität nicht harmonisch, sondern zählte zu all dem Unaussprechlichen, das aus dem Horizöntchen unserer innerfamiliären Harmonie ausgeklammert werden mußte. So sah ich denn alles Sexuelle als etwas durchaus Feindliches an, das schlimm war und vor dem ich mich fürchtete. Natürlich errötete ich auch immer, sobald ein Gespräch auf sexuelle Inhalte zusteuerte, und auch davor hatte ich Angst, denn ich schämte mich ja wegen meiner Errötungen. Als ich dann wirklich hinter das Geheimnis der Zeugung gekommen war und sich meine Hirngespinste vom schweißbedeckten Handgelenk verflüchtigt hatten, empfand ich den Zeugungsakt als etwas sehr Schreckliches und Abstoßendes und hatte das Gefühl, daß ich selbst zu so etwas Schlimmem wohl nie fähig sein würde. Auch als ich meinen anfänglichen Schrecken überwunden hatte, blieb mir doch immer noch die übertriebene Schamhaftigkeit, und selbst in den höchsten Klassen des Gymnasiums litt ich Qualen unter meiner unwillkommenen Schamröte, wenn ich während des Unterrichts als einziger Schüler bei Aussagen rot wurde, die alle meine Kameraden mit der größten Gelassenheit hinnehmen konnten.

Die Schule war denn auch der Ort, an dem das schmutzige Werk der sexuellen Aufklärung vor sich gehen sollte (wie es meine – und wohl nicht nur meine – Eltern so inständig gehofft hatten, um nicht selbst in die unangenehme Lage kommen zu müssen), wenn auch reichlich spät. Es handelte sich vor allem um einen medizinischen Vortrag mit dem Zweck, die schon ziemlich großen Schüler vom Geschlechtsverkehr wegzugraulen. Der Schularzt ließ eine Menge schematischer Darstellungen der menschlichen Geschlechtsteile an die Wand projizieren, zur Krönung aber die riesengroße und schauerlich kolorierte Abbildung der weiblichen Geschlechtsorgane, und sprach mit bewegter Stimme: Ach ja, Buben, so schrecklich sieht das Weib in Wirklichkeit aus; da will sicher keiner von euch rein, nicht wahr? Hierauf folgten Photographien von Syphilitikern in verschiedenen Stadien der Verwesung; denn offenbar war dies das Resultat der Liebe. Zum Schluß kam der Arzt noch auf eine Besonderheit zu sprechen. In Amerika, so hätten gewisse Statistiken ergeben, sollten sich anscheinend viele Jungen geschlechtlich selbst befriedigen; dies sei aber eigentlich bloß als ein Kuriosum zu betrachten, denn laut Statistik sei es ein verschwindend kleiner Prozentsatz von Jungen, die onanierten, so daß man hier nicht eigentlich von einem repräsentativen Problem sprechen könne (und außerdem war es ja bloß in Amerika so). Damit waren wir aufgeklärt.

Der Vortrag hatte mein Weltbild nicht wesentlich verändert, sondern nur die alte Erkenntnis bestätigt, daß die Sexualität nicht gut, sondern böse war. Die beiden Wörter »gut« und »böse« werden dabei natürlich meist nicht gern gebraucht. Niemand getraut sich heutzutage noch, wie ein mittelalterlicher Mönch die Sexualität als den Inbegriff alles Bösen hinzustellen. Ganz im Gegenteil gibt man sich als »aufgeklärt« und räumt bereitwilligst ein, daß die Sexualität »sogar sehr wichtig« sei und »eine enorme Rolle« spiele, daß es »ohne sie gar nicht gehe« und daß sie sogar »lebensnotwendig und arterhaltend« sei; kurz, man gibt zu, daß es »diese Seite des Lebens eben auch gebe«, daß man sich also von der Auffassung distanziert habe, daß die Sexualität der Teufel in Person sei. Niemand würde aber öffentlich verkünden, daß die Sexualität das Beste ist, was es gibt.

Der Hippie-Slogan »Make love, not war« klingt in bürgerlichen Ohren heutzutage noch obszön. Es bestreitet zwar niemand, daß der Krieg eigentlich etwas Negatives, wenn auch – leider – Notwendiges ist; warum er eigentlich so unbedingt notwendig ist, weiß man allerdings meist nicht. Ebenso wenig mag man klar ausdrücken, daß die Liebe etwas Schlechtes sei. Aber so weit zu gehen, daß man geradeheraus sagt, daß die Liebe nicht nur gut, sondern sogar noch besser als der Krieg ist, das ist eine Wahrheit, der die bürgerliche Gesellschaft noch nicht gewachsen ist; das klingt immer noch obszön. Man ist schließlich kein Liebender, sondern Soldat; und schon gar als Schweizer! Als typisches Beispiel für diese Haltung kann man das Abbild der Welt im Kino erwähnen: Sexfilme werden auch heute noch verboten oder zumindest verfemt und zensiert; aber ein Film über Krieg, Mord und Gewalt braucht keine Zensur zu fürchten.

Es versteht sich von selbst, daß meine Eltern auch in dieser Hinsicht keine Revolutionäre waren und auch hier die öffentliche Meinung zu der ihren machten. Sicher stellt die Sexualerziehung, die ich von meinen Eltern bekommen – oder besser: nicht bekommen – habe, in bürgerlichen Kreisen keine Ausnahme dar. Daß meine Eltern mit dem allgemeinen sexuellen Tabu sehr einverstanden sein mußten, leuchtet aber ein, denn ein Tabu besteht ja daraus, daß man nicht davon spricht, und gerade von etwas nicht sprechen, das taten meine Eltern ja so gerne. Dabei möchte ich aber die Einstellung gegenüber der Sexualität, die meine Eltern vor meinem Bruder und mir einnahmen, in zwei Epochen einteilen: während der ersten Epoche gab es Sex nicht, während der zweiten war er lächerlich. Ich meine damit, daß das Thema überhaupt nicht erwähnt wurde, so lange wir Kinder waren und sich die Eltern darum drückten, uns aufzuklären; daß das Thema aber, sobald die Eltern hoffen konnten, daß irgend jemand anderer ihnen die unangenehme Aufgabe der Aufklärung abgenommen hatte, dem Bereich all jener Dinge zugeordnet wurde, die die »anderen« machten, jene anderen, die uns amüsierten und für uns immer ein bißchen lächerlich waren. Ich kann nicht behaupten, daß diese Entwicklung sehr glücklich war, für mich war sie auf jeden Fall ausgesprochen unglücklich. Zuerst hatte ich ein Kind sein sollen, das von der Sexualität überhaupt nichts wissen durfte; und sobald man annehmen konnte, daß ich etwas darüber wußte, sollte ich bereits vollkommen darüber stehen und eigentlich einen alten Mann darstellen, der längst schon nichts mehr davon wissen mag. Die Sexualität war nun auf einmal viel weniger schlecht als eben lächerlich oder langweilig. Mein Vater wunderte sich oft darüber, daß sich die Leute so sehr für Sexfilme oder für Sexzeitschriften interessieren konnten, wo die Sexualität doch etwas so Langweiliges war. Er wäre nie auf den Gedanken verfallen, solche Literatur oder Filme zu verbieten, denn er konnte gar nicht einsehen, daß dies überhaupt jemanden zu fesseln vermochte. Das heißt, es gab schon Leute, die sich dafür interessierten: die anderen eben. Die anderen begingen ja ohnehin jeden möglichen Unsinn, so daß es nicht wundernehmen konnte, wenn sie zusätzlich zu allen ihren Torheiten auch noch sexuell waren.

Ich schreibe hier immer, daß »wir« etwas taten oder nicht taten. Mit diesem Plural will ich aussagen, daß ich eben in allen Stücken meinen Eltern und ihrem Beispiel folgte, so wie ich von ihnen geprägt worden war. Grundsätzlich, schien mir, hatten sie recht. In verschiedenen Einzelheiten mochte ich einmal anderer Meinung sein, aber ihre Handlungen oder Gedanken tatsächlich in Frage stellen, das tat ich nicht. Ich fühlte mich in der Atmosphäre meines Elternhauses gut aufgehoben und war mit meinen Eltern grundsätzlich einig, denn ich war wie sie. Ich hatte also auch mit meinen Eltern keine Probleme, sondern ich fühlte mich mit ihnen harmonisch verbunden. Daß ich mich aber so mustergültig verhielt und in nichts dem Willen meiner Eltern zu mißfallen suchte, war nur der Ausdruck der allgemeinen Korrektheit, die in unserem Hause galt. Das allerkorrekteste Verhalten in allen Lebenslagen, auch wenn unser Verhalten übertrieben korrekt war, schien uns der beste Schutz zu sein. Schutz wovor? – könnte man fragen. Wir hätten es wohl kaum in Worten auszudrücken vermocht, aber ich glaube heute, daß wir Schutz vor der ganzen Welt nötig hatten. Kein Makel durfte uns anhaften; in allen Belangen mußten wir rein und fleckenlos sein. Die Tadellosigkeit schien uns der beste Weg oder Ausweg zu sein, um möglichst ungeschoren durch das durchaus nicht makellose Getriebe der Welt hindurchzukommen. So wie man sagt, daß sich besudelt, wer Pech anrührt, so konnte man von uns sagen, daß wir, um uns nicht zu besudeln, überhaupt nichts anrührten; oder: weil wir nicht hobelten, flogen auch keine Späne. So war denn auch ich immer äußerst korrekt und in jeder Hinsicht immer rein. Das drückte sich bei mir nicht zuletzt in einem etwas übertriebenen Reinlichkeitsfimmel aus. So wie ich immer in allem bis zum Äußersten korrekt war, so war ich auch immer im höchsten Maße rein und sauber. Kein Stäubchen durfte ich auf mir dulden; kein Härchen durfte an mir gekrümmt sein.

Ich blieb also rein, besudelte mich nie, rührte nichts an und hatte mit nichts und mit niemandem Kontakt. Ich hatte keine Freunde, und ich hatte keine Liebschaften. Ich war zum Kontakt mit Mädchen überhaupt nicht fähig; aber ebenso unfähig war ich, über meine Kontaktschwierigkeiten zu sprechen. Zudem ergab sich hier ein weiteres Problem. Von einem gewissen Alter an nimmt man von Jungen selbstverständlich an, daß sie eine Freundin haben, und so wurde ich denn von anderen Leuten oft wohlwollend gefragt, ob ich denn auch eine Freundin hätte. Da ich wußte, daß man auf diese Frage mit ja antworten mußte, wenn man sich nicht lächerlich machen wollte, log ich in diesem Fall immer hartnäckig und bejahte die Frage. Um mich gegen eventuelle Fangfragen abzusichern, dachte ich dabei jeweils an ein Mädchen, mit dem ich ein paarmal im Theater gewesen war (das aber natürlich nicht meine Freundin war), um bei weiteren Erkundigungen über meine imaginäre Freundin Auszüge aus den Personalien dieses Mädchens gleich als Antwort bei der Hand zu haben, so daß nicht ein eventuelles Zögern beim Beantworten der Frage meine Lüge entlarven könnte. So verhielt ich mich auf meine Weise korrekt, indem ich dem Frager genau die Antwort vermittelte, die er hatte hören wollen.

Meine Scheu vor Mädchen war aber nur der ausgeprägteste

Ausdruck meiner allgemeinen Menschenscheu. Auch andere Leute vermochte ich nicht anzusprechen und konnte mich nur dann dazu überwinden, wenn es unbedingt notwendig war. Lieber sagte ich gar nichts zu jemandem, den ich nicht oder nur flüchtig kannte; und oft, auch wenn ich darauf gebrannt hätte, das Wort (vielleicht nur in der allerbelanglosesten Sache der Welt) an jemanden zu richten, hielt mich meine Scheu davon ab, und ich zog es vor zu schweigen.

Diese Scheu bezog sich sogar schon auf das bloße Grüßen. Die Familie meiner Mutter lebte schon seit ich weiß nicht wie vielen Generationen in K., so daß jedermann meine Familie und natürlich auch mich kannte. Alle diese Leute begrüßten mich auf der Straße, weil sie wohl wußten, wer ich war. Für mich waren dies aber lauter Unbekannte, von denen ich nichts wußte, außer daß ich ihre Namen hätte wissen sollen. Von meinen Eltern war ich natürlich strengstens ermahnt worden, alle diese Leute mit Namen zu grüßen, wie es sich eben gehörte. Ich führte nun einen beständigen Kampf mit diesen Namen, die ich immer wieder vergaß und verwechselte, so daß ich nie genau wußte, welcher von diesen unzähligen Grußpflichtigen gerade Herr Müller oder Herr Meier war. Das Bewußtsein, daß ich nicht nur die Namen hätte wissen sollen, sondern auch, wer der Betreffende sonst noch war (weil er ja von mir auch wußte, wer ich war), verstärkten nur noch mein Unbehagen angesichts eines solchen mutmaßlichen Herrn Meier, von dem ich zu aller Schande noch nicht einmal wußte, ob er der »reizende Herr aus dem Eckhaus« oder »höchst sympathische Handwerksmeister von der Seestraße« war. Meine Verwirrung war oft so groß, daß ich sogar bei Personen, bei denen ich sicher war, daß sie tatsächlich Müller hießen, zu zweifeln begann, ob sie nicht vielleicht doch ganz anders hießen, und sie dann meist zwar mit ihrem korrekten Namen begrüßte, dabei aber Qualen ausstand beim Gedanken, einen ganz falschen Namen auszusprechen. Oft verschluckte ich auch den Namen oder verunstaltete ihn zu einer sinnlosen Lautmasse, und manchmal ließ ich den Namen aus Angst vor einem möglichen Fehler sogar aus, selbst wenn ich ihn eigentlich wußte.

Ich mußte mir immer sagen, daß die Leute das Allerschlimmste von mir denken würden, wenn ich nicht einmal ihre Namen wüßte, wo sie doch meinen immer ohne Fehler zu sagen vermochten. Wie unbegründet meine Ängste gewesen waren, wurde mir erst viele Jahre später als Lehrer bewußt. Es ist klar, daß alle zwanzig Schüler einer Klasse von der ersten Schulstunde an den Namen ihres neuen Lehrers wissen, daß der Lehrer aber nicht schon nach der ersten Schulstunde die Namen von zwanzig neuen Schülern wissen kann. Ebenso leuchtet es mir heute ein, daß jedermann im Dorfe, der schon meine Großmutter und meine Mutter seit unzähligen Jahren kannte, auch wissen mußte, wer der Enkel und Sohn dieser Frauen war, daß es für mich aber ungleich schwieriger war, die Namen aller Personen zu wissen, die meine Familie kannten. Diese Erkenntnis war mir damals aber noch nicht aufgegangen, und so hatte ich mir denn angewöhnt, alle Leute, vor allem die alten, mit ausgesuchter Herzlichkeit zu begrüßen, weil ich immer fürchtete, daß es vielleicht Freunde meiner Großmutter sein könnten, die sicher beleidigt wären, wenn ich grußlos an ihnen vorüberginge. Wie man sieht, ging es bei diesen Begrüßungen nie um den menschlichen Kontakt, denn diese begrüßten Personen waren ja für mich lauter Unbekannte, sondern nur um die korrekten Manieren. War der Feind einmal korrekt begrüßt, so war die Gefahr abgewandt, und der andere konnte nichts Nachteiliges mehr über mich denken. Mein Kontakt mit der Bevölkerung von K. beschränkte sich also auf ein eher qualvolles Grüßen; daran, daß ich auch einmal mit jemandem etwas gesprochen hätte, kann ich mich nicht erinnern.

Es leuchtet ein, daß die Freundin, die ich mir vorstellte, ein bloßes Wunschbild bleiben mußte; denn wie hätte ich es auch nur über mich bringen sollen, ein Mädchen anzusprechen oder sie gar zu fragen, ob sie meine Freundin sein wolle? Die Freundin fehlte mir natürlich nicht, weil ich mich noch zu den »kleinen« Schülern zu zählen versuchte. Es war ja auch nicht die zufällige Bekanntschaft mit einem Mädchen aus dem oben erwähnten Tanzkurs, die sich nicht ergeben hatte, sondern es war viel, viel mehr, was mir mangelte. Denn hinter dem oberflächlichen Bild jener imaginären Freundin verbarg sich, wenn ich mir dessen auch noch nicht richtig bewußt war, das Bild der Frau, der Sexualität, der Liebe, des Lebens überhaupt. (Ich will mich hier nicht in eine Diskussion darüber einlassen, ob man Liebe oder Sexualität sagen soll; wie schon Freud bemerkt hat, daß, falls sich jemand daran stoßen sollte, daß er immer den Begriff »Sexualität« verwende, er dann eben statt dessen den Begriff »Liebe« brauchen werde, so will ich die beiden Begriffe so verwenden, daß das eine auch das andere bedeutet und der Unterschied zwischen den beiden Wörtern ein rein stilistischer ist.) Die Sexualität aber gehörte nicht in meine Welt, denn die Sexualität verkörpert das Leben; ich aber war in einem Haus aufgewachsen, wo das Leben nicht gern gesehen war, denn bei uns zuhause war man lieber korrekt als lebendig. Das ganze Leben aber ist Sexualität, geht es doch im Lieben, Begehren und in der Auseinandersetzung mit dem anderen auf. Der ganze Prozeß des Lebens ist dem Akt der sexuellen Vereinigung gleichzusetzen: alles Leben drängt unaufhörlich nach Vermischung, Durchdringung und Vereinigung, und jedes Trennen, Auseinanderhalten, Abspalten und Auseinandergehen ist immer wieder der Tod. Wer sich vereinigt, lebt, wer sich fernhält, stirbt. Eben das aber war das Motto, unter das mein Elternhaus gestellt war: Halte dich fern und stirb! Die Logik dieses Spruches, dieses Gebotes muß überzeugen, denn nichts kann weniger durch Inkorrektheit auffallen als etwas Totes.

Man könnte es so ausdrücken: Ich war zu korrekt, um der Liebe fähig sein zu können; ich war eigentlich nicht einmal Ich, ich war bloß korrekt; denn wo auch immer sich mein wirkliches Ich in der Welt der Höflichkeit und der Formeln hätte bemerkbar machen wollen, wäre es sogleich störend aufgefallen. Ich hatte bloß die Funktion, mich in harmonischen Einklang mit dem zu bringen, wovon ich glaubte, daß es die Welt sei. Ich war nicht Ich als ein Individuum mit klarer Abgrenzung gegenüber der es umgebenden Welt; ich war bloß eine konformistische Partikel dieser mich umgebenden Welt. Ich war nicht einmal ein nützliches, sondern bloß ein manierliches Mitglied der menschlichen Gesellschaft.

Meine romantischen Vorstellungen von der Liebe beschränkten sich auf Szenen von Liebe auf den ersten Blick, wie ich sie etwa im Kino gesehen hatte. Ich stellte mir vor, daß auch ich (wenn ich dann zu einem ungewissen Zeitpunkt einmal »groß« genug sein sollte) ein Mädchen kennenlernen würde, bei dem ich auf den ersten Blick fühlen müßte, daß sie die einzig Wahre sei (selbstverständlich würde das Mädchen in genau demselben Augenblick genau dasselbe fühlen). Auf diesem Wege müßten natürlicherweise alle beschwerlichen Bemühungen um diese ideale Person wegfallen; es gäbe gar keine Probleme um sie und mit ihr, und ich würde sogleich in vollkommener Harmonie mit ihr zusammenfinden. Ich müßte sie nicht begrüßen und nicht ansprechen, ich müßte nicht erröten und mich dazu überwinden, sie zu fragen, ob sie meine Freundin werden wolle; es wäre alles von Anbeginn an klar, problemlos und harmonisch. Sie wäre ebenso leblos und langweilig wie ich und gäbe genau wie ich alles darum, daß keiner von uns beiden durch den anderen verletzt oder auch nur angetastet würde. Arme Frau.

Sicher war ich nicht der einzige, der solche Vorstellungen hegte; daß gerade ich mit Vorliebe solche Vorstellungen hegen mußte, liegt auf der Hand bei dem Weltbild, das leider das meine war. Die Frau, wie ich sie mir vorstellte, war nur ein weiteres Requisit meiner infantilen Welt. Eine Persönlichkeit hatte sie nicht, und daß sie eine hätte haben sollen, konnte ich mir auch nicht gut wünschen, denn ich hatte ja selbst keine. So stellte ich mir vordergründig die Liebe vor und malte mir aus, daß sie eben »etwas sehr Schönes« sei; aber unbewußt und in meinem Inneren fürchtete und haßte ich die Liebe, denn sie bestand aus allem, was mir notwendigerweise nicht passen konnte und mir feind war.

All diese Gedankengänge paßten nicht schlecht zum allgemeinen Tenor meiner Mittelschulzeit. Ich ging zwar in Zürich in die Schule, ich verbrachte zwar einen großen Teil meines Arbeitstages außerhalb meines Elternhauses, aber im Innersten hatte ich in der Schule nichts gelernt. Ich war – vor allem im seelischen Bereich – immer noch voll und ganz zu Hause. Ich absolvierte meine Schulstunden und fuhr dann mit dem Zug nach K. in mein Elternhaus zurück, wo ich fühlte, daß ich daheim war und hingehörte. Ich ließ mich zwar in Latein und Mathematik und modernen Sprachen bilden, aber diese Studien erweiterten meinen Horizont nicht; es waren leidige Aufgaben, denen ich mich zu unterziehen hatte, weil es sich offenbar so schickte. Es war korrekt, sich diesen Aufgaben zu unterziehen, also tat ich es. Außerdem wollte mein Vater, daß ich mich diesen Aufgaben unterzog, und ich wußte, daß er keine Rebellion gegen diesen Beschluß geduldet hätte. Es fiel mir aber auch leicht, mich dem Willen meines Vaters zu fügen, denn ich hatte ja keinen eigenen Willen. Das Gymnasium fiel mir oft beschwerlich, aber das tat nichts zur Sache, denn ich konnte mir nicht vorstellen, was ich getan hätte, wenn ich nicht mehr ins Gymnasium gegangen wäre.

Ich war nun also ein ziemlich guter, wenn auch ziemlich uninteressierter Schüler, ich hatte die besten Manieren von der Welt und gab in der Schule nie Anlaß zu Verstimmung oder Tadel; nur im Turnen war ich von einer fast unvorstellbaren Schwäche. Meine Kameraden haßten mich nicht und quälten mich nicht, aber ich hatte keine Freunde. Ich ging in mehrere Tanzkurse, um auch den Umgang mit Frauen zu lernen, aber ich konnte das Tanzen durchaus nicht erlernen, und den Umgang mit Frauen noch viel weniger. Ich war gescheit, aber ich konnte nichts. Ich war nach außen von einer fast widerwärtigen Normalität, aber ich war alles andere als ein gesunder normaler junger Mann. Ich war in der Öffentlichkeit abgestempelt als einer, der es mit dem »Höheren« zu tun hat, aber innerlich ahnte ich, daß ich weit zurückgeblieben war und mich eigentlich zu den ganz kleinen Schülern aus der ersten Klasse zählen mußte. Ich hatte überhaupt keine Probleme und ahnte, daß das auch besser so war, weil ich mich noch nicht damit hätte auseinandersetzen können, wenn ich welche gehabt hätte. Kurz: Ich erfüllte alle Voraussetzungen, um ein sehr unglücklicher Mensch zu werden.

Gesagt, getan. Ich wurde krank. Ich wußte damals noch nicht, daß es sich um eine Krankheit handelte, und ich kannte auch ihren Namen noch nicht. Es ist eine der populärsten Krankheiten unserer Zeit; man nennt sie Depression. Ich würde heute schätzen, daß sie etwa in meinem siebzehnten oder achtzehnten Lebensjahr begann. Seitdem hat sie mich nicht mehr verlassen. Heute bin ich zweiunddreißig Jahre alt, und wenn ich mir die Mühe machen will, die Dauer meines Leidens auszurechnen, so komme ich auf fünfzehn Jahre. Ich will nun nicht sagen, daß das Leiden diese ganzen fünfzehn Jahre lang ständig gleich heftig gewesen sei. Manchmal verstärkte es sich, und manchmal flaute es auch wieder ab. Es gab Zeitpunkte, wo das Leiden so stark in den Hintergrund trat, daß ich mich beinahe wie ein normaler Mensch bewegen konnte; ein oder zwei Mal schien das Leiden so sehr zurückgegangen zu sein, daß ich zu hoffen begann, ich hätte es überwunden. Aber abgesehen von diesen Flauten muß ich hier feststellen, daß mich die Depression diese ganze Zeit hindurch ununterbrochen begleitet hat. Ich will hier keine neue Beschreibung des Phänomens liefern, denn es ist genugsam beschrieben worden, und jedermann weiß, was Depression ist: Alles ist grau und kalt und leer. Nichts macht einem Freude, und alles Schmerzliche wird übertrieben schmerzlich empfunden. Man hat keine Hoffnung mehr und sieht nicht mehr über die unglückliche und sinnlose Gegenwart hinaus. Alle sogenannten fröhlichen Dinge machen nicht froh; in Gesellschaft ist man noch mehr allein als sonst; alle Belustigungen lassen einen kalt; die Ferien bringen keine Abwechslung, sondern sind viel schwerer zu ertragen als die Nicht-Ferien; alle Pläne, die man schmiedet, um aus der Depression herauszukommen, läßt man wieder fallen, »weil es ja doch nichts nützt«. Die beiden hervorstechenden Eigenschaften der Depression sind Hoffnungslosigkeit und Einsamkeit.

Die Depression ereilte mich also etwa ein Jahr vor dem Abschluß meiner Mittelschulzeit. Ihre beiden ersten Höhepunkte hatte sie während meiner letzten Schulferien, die ich in England verbrachte, und zur Zeit meiner Maturität. In den Ferien hätte ich mich amüsieren sollen und konnte es nicht und empfand zum ersten Mal den Schmerz, einmal von allen Plackereien des Alltags (in meinem Fall der Schule) erlöst zu sein, um mich in der Freizeit, in der alles nur darauf wartete, von mir genossen zu werden, noch viel mehr mit mir selbst zu quälen als in der Schule. Der zweite Tiefpunkt war die Matura, wo jedermann meinen guten Abschluß feierte und mich von nun an als einen Erwachsenen betrachtete, während ich mir sagen mußte, daß ich in der Schule außer meinen Vokabeln und Formeln nichts gelernt hatte und nicht weniger kindisch war als sieben Jahre zuvor, als ich die Schule zum ersten Mal betreten hatte.

V

Die Welt stand grau und feindlich vor mir, und ich hatte mich nun der Aufgabe zu unterziehen, in das lustige Studentenleben einzutreten. Daß ich studieren würde, war von vornherein keine Frage gewesen. Ein Studium anzufangen war mir auch das liebste, denn ich wußte ja nicht, was für einen Beruf ich ergreifen sollte; wenn ich also einmal studierte, konnte ich die lästige Frage der Berufswahl noch viele Jahre lang hinausschieben. Nachdem ich nur in den sprachlichen Fächern gut war, lag es auf der Hand, daß ich ein

Sprachstudium beginnen würde. Die Wahl innerhalb dieser Disziplin hatte ich selbst zu treffen, traf sie aber nicht eigentlich selbst; denn die beiden einzigen meiner Mitschüler, die auch Sprachen studieren wollten, hatten sich für Germanistik entschieden, so daß ich, weil ich selbst nichts Besseres wußte, ihrem Beispiel folgte und mich auch für Germanistik entschied. Auf diese Weise wurde ich, weil es nichts anderes für mich gab und weil mir nichts Gescheiteres einfiel, als mich dem Beispiel meiner Kollegen anzuschließen, Student.

Ich war ein sehr schmucker Student. Ich trug immer eine schwarze Hose, ein weißes Hemd, ein dunkelblaues Jackett und eine schwarze Krawatte. Das sah sehr distinguiert aus und wirkte wie eine elegante Uniform. Ich wußte aber bereits, daß diese Kleidung, die zu einem jungen Mann paßte wie eine Faust aufs Auge, nichts anderes zu bedeuten hatte als den Ausdruck meiner Depression, die mich drängte, auch nach außen mit meinen Trauerfarben zu demonstrieren.

Natürlich war ich auch kein revolutionärer Student. Ich konnte herzlich über die bösen Linken und ihre verschrobenen Ideen lachen, denn die Idee, daß ich ja die Freiheit gehabt hätte, auch eine politische Wahl zu treffen und mich nach Prüfung des Problems eventuell auch zu den Linken zu zählen, kam mir nicht. Selbstverständlich hatte ich überhaupt keine politische Wahl getroffen, sondern mich ganz automatisch zu den Braven geschart, die in diesem Falle nun eben die Rechten waren. Ich hatte die Argumente der Linken nicht studiert und verworfen, sondern ich wußte von vornherein, daß die Linken lächerliche Existenzen waren, die sich in ihren Ansichten ohnehin irrten. Es stand für mich fest, daß die Linken nicht recht haben konnten, und so mußte ich mich, wenn ich recht haben wollte, eben zu den Rechten zählen. Dieser vermeintliche Entschluß, der in Wirklichkeit natürlich nur das Ausbleiben eines Entschlusses war, machte auch meinen Eltern große Freude; denn einmal mehr konnten sie sehen, daß ihr Sohn »vernünftig« war und den rechten Pfad gewählt hatte.

Es bestand dazu auch eine starke Parallele in bezug auf alles, was meine Beziehungen zu Frauen an der Universität betraf: ich hatte keine Skandalgeschichten, keine Liebschaften, keine Affären und keine unehelichen Kinder. Auch das war lobenswert. Ich hatte keine Probleme mit Frauen, war also auch in dieser Hinsicht ein guter und problemloser Student und ersparte meinen Eltern viel Kummer und Sorgen damit, daß ich keine Liebeshändel hatte, die nun einmal nicht in unsere harmonische Welt hineingepaßt hätten. Mit anderen Worten: Alles klappte wieder einmal.

Natürlich klappte es gar nicht. Ich war depressiv und befand mich in einem sich immer mehr ausweitenden Konflikt zwischen Innen und Außen. Ich schien überhaupt keine Probleme zu haben und mußte es immer schwieriger finden, diese scheinbare Problemlosigkeit so überzeugend wie nur möglich in mein Weltbild einzubauen. Ich wollte eben auch vor mir selbst als ein unproblematischer Typ dastehen und verwandte alle möglichen Täuschungsmanöver darauf, mich vor mir selbst als diese Idealfigur erscheinen zu lassen. Einer meiner Hauptstützpunkte war allerdings weggefallen. Während meiner Mittelschulzeit hatte ich immer mein *image* als literaturbeflissener Sonderling pflegen können: Alle anderen spielten Fußball, nur ich las gebildete Bücher. Das war eine Besonderheit gewesen, die eindeutig mit dem »Höheren« zu tun gehabt hatte. An der Universität aber studierten alle meine Kollegen auch Literatur, und Fußball spielten die Studenten nur ab und zu in ihrer Freizeit. Dieser scheinbar positive Aspekt fiel nun also weg, und ich war noch viel mehr als während der letzten Mittelschuljahre einfach einer unter vielen anderen gleichen jungen Männern, bei dem es nach außen durchaus keinen Grund mehr gab, warum ihm das fehlen sollte, was in der Person einer Freundin hätte konkrete Form annehmen müssen. Der Begriff »Freundin« hatte an der Universität nun freilich noch ganz andere Dimensionen angenommen. Die Studenten, von denen ich nun plötzlich auch einer war, gingen mit ihren Freundinnen ja nicht mehr nur ins Kino, sondern diese Frauen waren ihre Geliebten. Ich war nun alt genug und befand mich in der richtigen Gesellschaft und hatte auch die Gelegenheit dazu, auch selbst eine Frau zu haben. Nichts stand dem mehr im Wege – außer ich selbst natürlich.

Es geschah nun etwas Ähnliches, wie es mir schon einmal passiert war. So wie meine Eltern von mir erwartet hatten, daß ich, lange Zeit ein ganz unwissendes und asexuelles Kind, nach der sogenannten Aufklärung aber sofort ein ganz abgeklärter und »vernünftiger«, d. h. auch asexueller Mann sein sollte; so wie ich also zuerst noch keine sexuellen Probleme haben sollte, weil ich noch gar nichts von der Sexualität wußte, und unmittelbar darauf keine sexuellen Probleme mehr haben sollte, weil ich die Sexualität bereits »überwunden« hatte; so wie die Sexualität also etwas war, womit man grundsätzlich keine Probleme hatte; so übersprang ich an der Universität wieder einmal von drei Entwicklungsstufen die wichtigste mittlere. Im Gymnasium hatte ich mich innerlich noch zu den kleinen Jungen gerechnet, die noch gar keine sexuellen Probleme haben durften; an der Universität geschah nun das Umgekehrte. Denn auch hier gab es nicht nur attraktive junge Frauen und feurige junge Männer, sondern eine Menge vertrockneter alter Jungfern und ausgedörrter alter Junggesellen, die irgend eine verschrobene Wissenschaft studierten und in abgeschabten grauen Gewändern herumschlurften. Die hatten aber keine Geliebten. Wenn ich also vor mir selbst in irgend ein gültiges Schema hineinpassen wollte, so mußte ich mich eben zur Schar dieser professoralen Vogelscheuchen rechnen, die alle unfruchtbar und akademisch belesen waren. Früher war ich zu »klein« gewesen, um ich selbst zu sein; jetzt war ich zu »alt«, um ich selbst zu sein. Nur so alt, wie ich gerade war, konnte ich nicht sein. Wiederum konnte ich mir das so zurechtlegen, daß ich ja ganz normal oder zumindest innerhalb des Rahmens des Normalen sei, weil es ja noch andere mir ähnliche Studenten an der Universität gab. Man kann wohl auch diesen Gedankengang als harmonisch oder als harmoniebeflissen bezeichnen: Ich wollte nicht der einzige sein, der im Gegensatz zu den anderen versagte, sondern ich wollte mir vorstellen können, daß es andere auch nicht anders hielten als ich, daß ich also kein Versager war, sondern ein ganz respektables Glied innerhalb einer Gruppe, in der eben alle so waren wie ich.

Dies wurde während des Studiums zu einem meiner Hauptprobleme. Im Innersten wußte ich, daß ich ein Versager war, aber ich wollte es mir nicht eingestehen. Ich wußte im Grunde genommen auch, daß ich deshalb ein Versager war, weil ich keine Frau hatte, denn »Frau« war eben das Symbol und der Brennpunkt von allem, was mir mangelte, aber ich vertuschte auch das vor mir und erfand eine Menge anderer Gründe dafür, warum ich die ganze Zeit schwer deprimiert war.

Ich gab mich immer heiter und gelassen, stand immer über allem und hatte mit nichts Probleme. Ich war ein lässiger Typ, und es fehlte mir nichts. Nichts konnte mich ärgern und nichts niederschlagen; ich hatte immer ein Lächeln auf den Lippen, denn ich wollte das Abbild eines Nicht-Frustrierten verkörpern. Je deprimierter ich im Grunde meines Herzens war, desto mehr lächelte ich nach außen. Je schwärzer innen, desto weißer außen. Mein gespaltenes Ich klaffte immer weiter auseinander. Meine ewige Komödie wurde mir immer mehr zur Gewohnheit, und die Gewohnheit machte mir meine euphemistische Maske so vertraut, daß ich sie immer mehr mit mir selbst gleichzustellen begann. Ich wollte ja so sein wie meine Maske, und darum glaubte ich auch gerne, daß ich tatsächlich so sei wie die von mir gespielte Rolle. Andere, leidgeprüfte Kollegen sagten mir manchmal, wie gut ich es hätte, daß ich mir immer meine Heiterkeit bewahren könne; und ich hörte es gern und glaubte es auch gerne. Meine Maske überzeugte nämlich. Die Leute glaubten, daß ich tatsächlich so sei, wie ich selbst glaubte, daß ich sei. Mein Spiel wurde von der Umwelt bestätigt, und ich konnte mir erlauben, die Falschheit zu haben und mir zu sagen, wenn ich einmal an meiner geheuchelten Heiterkeit zu zweifeln begann: Es scheint mir nur so, als ob ich deprimiert sei. Aber alle sagen ja, ich sei es nicht. Sie werden sich wohl nicht alle zusammen geirrt haben. Auf diese Weise wurden die anderen zu meinen Helfershelfern. Wenn je einmal meine Maske vor mir zusammenzubrechen drohte, so konnte ich mich auf die anderen berufen, die von meiner Maske immer noch getäuscht wurden. Ich glaube, ich habe den größten Teil meiner Energie darauf verwendet, das zerbröckelnde Gebäude meines scheinbaren Ich aufrechtzuerhalten. Ich wußte immer Ausflüchte, um mir zu beweisen, daß meine ewigen Depressionen »nichts anderes« waren als irgendwelche Belanglosigkeiten. Es mochte regnen und jemand dazu bemerken, daß ihn der Regen immer so deprimiere; und sofort konnte ich vor mir behaupten: Natürlich! Der Regen ist es, der auch mich so deprimiert. Manchmal war ich erkältet, manchmal hatte ich zu wenig und manchmal zu viel geschlafen, manchmal war ich mit dem linken Bein aufgestanden, manchmal war ich einfach schlecht gelaunt, und manchmal lag es an der schlechten Vorlesung, die ich gerade besucht hatte; manchmal hatte ich schlecht zu Mittag gegessen und manchmal hatte ich zu viel zu Mittag gegessen und war darum müde; kurz: ich fand immer eine passende Erklärung, um mir weiszumachen, daß alles im Grunde genommen »gar nichts« sei. Ich weiß heute, daß mich schlechtes Essen nicht stört; ich esse zwar gerne gut, aber wenn das Essen schlecht ist, bekümmert mich das nicht sonderlich. Ebenso bin ich nicht wetterabhängig. Ich ziehe zwar schönes Wetter vor, und von mir aus brauchte es überhaupt nie zu regnen; aber auch wochenlanges schlechtes Wetter schädigt mein Gemüt nicht. Ich glaube, daß ich darin eine glückliche Natur habe. Viele Menschen lassen sich vom Regenwetter deprimieren; ich nicht. Alle meine Ausflüchte, daß es »nur das Wetter« sei, waren immer gelogen gewesen. Meine Depression lag eben viel, viel tiefer, und da nützte alles schlechte Wetter der ganzen Welt nichts, um diese Tatsache zu entkräften.

Ich war durchaus ein Lügner und ein Heuchler, aber ich hatte Manieren, wie man sie auf dieser Hemisphäre so gut wohl nicht bald wiederfindet; nur waren diese meine wunderbaren Manieren auch die einzige Kunst, die ich gelernt hatte. Die Erziehung meiner Eltern war erfolgreich gewesen.

Wenn die Definition stimmt, daß ein Neurotiker ein Mensch ist, der nie in der Gegenwart leben, sondern sich nur immer in die Zukunft oder in die Vergangenheit zurückziehen kann, so hatte ich sicher schon in meinen ersten Studienjahren alle Voraussetzungen dafür erfüllt: einerseits betrachtete ich mich immer noch als den »Kleinen«, der eben zurückgeblieben und zu allem noch gar nicht fähig war; anderseits hoffte ich die ganze Zeit immer noch, daß eine ferne, zeitlich ganz unbestimmte Zukunft mir die Erfüllung alles dessen bringen würde, was mir die Gegenwart nicht zu erfüllen vermochte. Ich dachte mir, daß ich hier in Zürich, wo es doch immer regnete, »gar nicht richtig in Schuß kommen könne«, daß ich aber dann in den Sommerferien, in Spanien, wo immer die Sonne scheint, zu leben beginnen würde. Ich befand mich an der Universität in ständiger Frauengesellschaft und stellte mir vor, in denselben fabelhaften und nebulosen Ferien in Spanien würde ich dann sicher die ideale Frau kennenlernen. Ich war nicht fähig, einzusehen, daß nicht die Umstände an meinem Versagen schuld waren, sondern daß ich selbst der Versager war.

Ich war seelisch krank und wollte diese Tatsache nicht anerkennen und suchte deshalb nach möglichen Vorbildern; denn ich glaubte, sobald ich mich als einen typischen Fall erkannt haben würde, hätte ich die Gewißheit, daß ich auch so wie andere und deshalb auch normal sei. Dieser Gedankengang war natürlich falsch, denn das Typische ist alles andere als das Normale; es gibt auch typische Krankheitssymptome. Die Insassen einer Tuberkuloseheilanstalt sind auch nicht bei normaler Gesundheit, bloß weil sie alle dasselbe Leiden haben; sie sind vielmehr alle zusammen krank. Ich aber schaute nach ähnlichen Fällen aus, die mich entschuldigen könnten, und fand auch tatsächlich solche Fälle, nämlich in der Literatur. In den Büchern wurden ja immer und immer wieder Menschen dargestellt, mit denen ich mich identifizieren konnte. Was einer literarischen Figur (und höchstwahrscheinlich auch schon dem Autor und Erfinder eben dieser Figur) zugestoßen war, das konnte mir ja auch zustoßen; das war ja dann eine Regel und eine Norm.

Von allen Gestalten, seien es literarische Gestalten oder Literaten selbst, deren Schicksal daraus bestand, daß sie gerne eine Frau gehabt hätten, aber keine hatten, daß sie immer gerne im Leben gewesen wären und doch außerhalb des Lebens standen, war mir immer die Gestalt des Tonio Kröger am meisten aufgefallen; ja, man kann sagen, daß mich der Held dieser trübseligen Novelle von Thomas Mann seit meiner Mittelschulzeit ununterbrochen begleitet hatte. Auch diese Figur stand nicht richtig im Leben und war immer deprimiert; auch diese Figur hatte mit dem »Höheren« zu tun und mußte darum auf die »Wonnen der Gewöhnlichkeit« verzichten. Tonio Kröger war eben ein Künstler, und als solcher war es seine Aufgabe, das Leben nicht zu erleben, sondern nur zu beschreiben. Als Dichter hatte er den Überblick über das Leben; wenn er wie ein Gewöhnlicher mitten im Leben gestanden hätte, hätte er diesen Überblick verlieren müssen und sich der Fähigkeit des Beschreibens beraubt. So weit, so gut. Sehr früh schon aber hatte mich an der Existenz dieses Tonio Kröger allerhand gestört. Einerseits mußte Tonio Kröger anders sein als die Gewöhnlichen – denn das war sein Beruf –, andererseits aber *konnte* er gar nicht so sein wie die Gewöhnlichen – und das war sein Mangel. Einerseits ließ sich behaupten, er sei eben zum Künstler berufen gewesen, so daß er sich natürlicherweise aus dem Kreis der Gewöhnlichen abgesondert hatte; andererseits war der Verdacht nicht abzustreiten, daß er primär unfähig war, sich wie die anderen Menschen zu benehmen, so daß ihm eben nicht mehr viel anderes übrig blieb, als *nolens volens* Künstler zu werden, weil es bei ihm nicht für mehr reichte. Einerseits ließ Herr Mann seinen Tonio sagen, daß ihn seine Absonderung von den Gewöhnlichen zwar schmerze, daß er sie aber wohl oder übel als eine sekundäre Erscheinung in Kauf nehmen müsse, weil er eben zu etwas Höherem geboren sei; anderseits war ich davon überzeugt, daß Tonio Kröger eben *nur* ein Künstler war, und daß sein Künstlertum nicht als etwas Besseres, sondern als etwas Minderes anzusehen sei, mit dem Tonio Kröger sich eben abzufinden habe: das Primäre war eben das Nicht-wie-die-anderen-sein-Können, das Künstlertum folgte als sekundäre Nebenerscheinung dann ganz von selbst.

Ich bekam also eine erste Ahnung davon, daß die Kunst vielleicht nur als ein Symptom für mangelnde Vitalität anzusehen sei, und begann zu argwöhnen (ohne daß ich von Sigmund Freud schon viel anderes gehört hätte als den Namen), daß es mit Gedichten keine andere Bewandtnis haben könnte, als daß man automatisch beginnt, Verse zu schreiben, wenn man nur genügend frustriert ist. Das sah nun für mich nicht gut aus, denn auch ich ahnte, daß es mit meiner Vitalität nicht zum besten stand, und auch ich schrieb. Ich schrieb zwar meist keine Verse, aber ich hatte schon seit meiner frühesten Kindheit Theaterstücke für die Puppenbühne verfaßt und versuchte mich auch als Student noch an Kurzgeschichten. Jedermann beteuerte, daß ich Talent hätte; man hatte mich schon seit langem scherzhaft als Künstler bezeichnet; das *image* eines Künstlers hatte mir auch immer schon gefallen. Kurz, es war durchaus möglich, daß ich eben tatsächlich ein Künstler war. Zum ersten Mal sah ich während dieser ersten Studienjahre den Status eines Künstlers aber unter einem anderen Blickwinkel: der Künstler war vielleicht immer bloß der Nur-Künstler, der Ausgestoßene, Verworfene, und zum Beweis seiner Minderwertigkeit legte er der Öffentlichkeit sogar noch seine Produkte vor, so daß jeder sagen konnte: Oje, der ist in seinem Leben auch zu kurz gekommen und darum Künstler geworden.

Meine Produktionen begannen mich zum ersten Mal mit Abscheu zu erfüllen. Dabei spielte es für mich gar keine Rolle, ob mir die einzelnen Sachen gefielen oder nicht, ob sie nun künstlerisch wertvoll waren oder nicht. Ganz abgesehen von ihrem literarischen Wert schienen sie mir auszusagen: Ich habe alles das nur geschrieben, weil ich eben versagt habe und frustriert bin. Viele dieser Produkte, vor allem einzelne Theaterstücke, gefielen mir zwar gut, und ich sah ein, daß sie auch eine gewisse literarische Daseinsberechtigung hatten. Aber das alles verblaßte vor der Einsicht, daß alle meine Produktionen letzten Endes doch nur Produkte meiner Frustration und Eingeständnisse meiner Niederlage seien. Ich wollte mir vornehmen, lieber gar nichts mehr zu schreiben und meine Schande in ewiges Schweigen zu hüllen. Viele Male, immer und immer wieder, faßte ich den Entschluß, von Stund an nichts mehr zu schreiben und alle meine Schreibgelüste zu verdrängen; jedesmal wollte ich wieder reinen Tisch machen, und meist begleitete ich meinen Entschluß damit, daß ich alle meine Werke vernichtete, am liebsten verbrannte, damit mich das reinigende Feuer vom Makel der Kunst erlöse. Aber es wurde regelmäßig nichts aus meinen wiederholten Entschlüssen und *autos da fé*, denn die Lust zu schreiben ließ sich nicht verbrennen, und meist hatte ich schon kurze Zeit nach dem *auto da fé* wieder Inspirationen für etwas Neues, das ich gerne hätte aufschreiben mögen. Sehr bald begann die Produktion wieder von neuem, und ich fand mich damit ab, mich zum Schreiben gedrängt zu fühlen, weil es eben »so sein müsse«, bis sich derselbe Prozeß wiederholte und ich alles Geschriebene wieder zerstörte, weil mir seine Gegenwart unerträglich geworden war und ich es wieder verbrennen mußte, weil es »nicht sein durfte«. Je besser mir meine Werke gefielen, desto schmerzlicher wurde es für mich, sie wieder zu zerstören; aber bei jedem *auto da fé* überwog die Gewißheit, daß es nicht auf die Qualität des Werkes ankomme, sondern daß das Schreiben an sich etwas Schlechtes sei, der Ausdruck und die Bloßstellung und das Symbol meiner Minderwertigkeit als Nur-Künstler.

Es versteht sich von selbst, daß mir mein *image* als Künstler anderseits auch schmeichelte, und daß ich ein übriges tat, um es noch zu verstärken; aber dieses *image* blieb natürlich ganz im Oberflächlichen. So wie ich mich nach außen immer heiter und vergnügt gab, so gab ich mich auch gern ein bißchen als Künstler, wohl wissend, wie weit ich dabei gehen durfte. Ich wußte nämlich, daß es Künstlertypen gab, die auch ihr Leben als eine Kunst auffaßten und es als Bohemiens mit viel Energie zu genießen versuchten und oft auch vermochten. Daß ich kein solcher Künstler war, das war mir nur allzu schmerzlich bewußt. Für mich konnte das Künstlertum nur aus Melancholie, Depression und Frustration bestehen und war für mich eine Trauer und eine Schande. Das scheinbar unbeschwerte künstlerische Air, das ich mir zu geben suchte, gehörte nur zu meiner Maske.

An dieser ganzen Künstlerproblematik sind vor allem zwei Punkte wichtig. Zunächst konnte ich im »Höheren«, das die Kunst verkörpern soll, die Pflege jenes »Höheren« fortsetzen, die schon in meinem Elternhause gegolten hatte: Die anderen Leute sind die Gewöhnlichen, die außerhalb des Lebens stehenden kostbaren Einzelwesen sind die »Höheren«. Oder anders ausgedrückt: Wer normal ist, ist gewöhnlich; ein Neurotiker ist etwas Besonderes. Zudem vermochte mich meine fatalistische Vision vom Künstlertum auf eben die Position festzunageln, die ich eigentlich hatte verlassen wollen. Es war für mich eben schicksalhaft: Alle Künstler sind neurotisch. Ich bin heute zwar überzeugt davon, daß viele Künstler tatsächlich neurotisch sind; aber die Bäcker und Gärtner sind ja auch sehr oft neurotisch, und ein Bankangestellter und ein *business man* sind erst recht nichts Lustiges. Statt mich zur Einsicht zu bequemen, daß ein Künstler zwar neurotisch sein kann, es aber nicht unbedingt sein muß, zog ich es vor, mich von der Gewißheit niederschmettern zu lassen, daß alle Künstler eben notwendigerweise Neurotiker seien. Auch diese Überzeugung war für mich der Weg des geringsten Widerstandes. Wo alles von vornherein schicksalhaft und unmöglich zu ändern ist, braucht man auch gar keine Anstrengungen zu unternehmen. Meine Auffassung vom Künstlertum entsprach genau meinen anderen, von zuhause ererbten Vorstellungen: Die Welt ist eben so und so, und anders kann sie gar nicht sein. In einer Welt, die »eben so und so« ist, kann es gar keine Auflehnung geben; Revolution gibt es nur, wo die Welt auch anders sein könnte.

Ich will jetzt aber den weiteren Verlauf meiner Krankheit schematischer darzustellen versuchen, als er sich in Wirklichkeit abspielte. Ich meine damit, daß ich grundsätzlich zugunsten der allgemeinen Entwicklung auf die Beschreibung der vielen kleinen Auf und Ab verzichten will, die sich während mehr als zehn Jahren immer wieder ergaben; die vielen kleinen Rückfälle in der allgemeinen Besserung und die vielen scheinbaren Genesungen innerhalb des allgemeinen Zerfalls sollen hier also unerwähnt bleiben. Ebenso will ich hier nicht auf die beiden ersten Male zu sprechen kommen, wo ich während längerer Zeit in psychotherapeutischer Behandlung war, da beide Versuche bloße Ansätze zu meiner letzten und dritten Behandlung oder eigentlichen Psychotherapie darstellten.

Ich will dazu nur bemerken, daß es das erste Mal meine Eltern waren, die mich zum Psychotherapeuten schickten, weil sie wegen meiner depressiven Zustände besorgt waren und mir helfen wollten. Natürlich hatten sie mir mit ihrer ganzen Erziehung immer nur helfen und mir nur ihr Bestes mitgeben wollen. Daß sie mir aber nur ihr Schlechtestes mitgegeben hatten, konnten sie nicht wissen. Ich muß als sicher annehmen, daß sie, bevor sie mit dem Psychotherapeuten Kontakt aufnahmen, sich die traditionelle Frage gestellt hatten: Was haben wir denn falsch gemacht? –, daß sie aber nicht dahinter kommen konnten, daß eben das das Falsche war, was ihnen im Leben als der höchste Wert vorkommen mußte. Ob sie der Vermutung fähig waren, daß ihr Sohn nicht normal sein könnte, bezweifle ich. Es mußte ihnen als unfaßbar erscheinen, daß das Kind solcher normaler Eltern nicht normal sein könnte. Zur Erkenntnis, daß das Kind von so perfekten Eltern notwendigerweise anormal werden muß, bedarf es aber geradezu eines etwas kosmischen Humors; und einen solchen kosmischen Humor hatten sie nicht. Ich denke mir heute, sie glaubten, daß ich »Minderwertigkeitskomplexe« hätte, und daß mich der Psychiater davon kurieren würde, denn der Gedanke, daß ich in gewisser Hinsicht tatsächlich minderwertig war, wäre von ihnen zuviel verlangt gewesen. Was meine Eltern als »Komplexe«, als Wahnvorstellungen meinerseits auffaßten, war ja nicht meine Verkennung meines eigenen Wertes, sondern mein mehr oder weniger unterdrücktes Bewußtsein davon, wie es wirklich um mich stand. Der Zahnarzt kuriert ja auch nicht die Empfindung des Zahnwehs, sondern den kranken Zahn, womit das Zahnweh automatisch aufhört; und so soll der Psychiater wohl auch nicht den Minderwertigkeitskomplex heilen, sondern die Minderwertigkeit, damit die Komplexe überflüssig werden. Meine Depression entsprach dem Zahnweh, und die Funktion beider Dinge besteht darin, mittels des Schmerzes auf die Krankheit hinzuweisen. Mit der Auffassung aber, daß ihr geliebter und begabter und gescheiter Sohn krank, und zwar seelisch krank sein sollte, hätten sich meine Eltern nie zu befreunden vermocht. Es entsprach nicht ihrem Weltbild, einen anormalen Sohn zu haben. Auch ich vermochte mich ja nicht damit zu befreunden und wollte gerade vor mir selbst wahrhaben, daß ich unbedingt normal sei.

Dieser Meinung blieb ich treu, so daß meine beiden ersten Versuche einer Psychotherapie mir nicht helfen konnten und ich sie heute als eines der vielen Auf und Ab meiner Leidensgeschichte ansehen muß, die nichts Grundsätzliches an meiner Verfassung änderten.

Das Grundsätzliche meiner damaligen Entwicklung aber möchte ich so ausdrücken: Einerseits ging es mir immer besser, und anderseits ging es mir immer schlechter; und je besser es mir ging, desto mehr wurde das Schlechtergehen ins Unbewußte verdrängt, so daß die Depressionen immer unerklärlicher und unmotivierter wurden. Die eine der beiden Entwicklungen, nämlich die Wendung zum Besseren, belebte meine Maske mit immer neuen Impulsen, so daß es mir auch immer leichter fiel, meine Fassade intakt zu halten; die parallellaufende Entwicklung zum Schlechteren bewirkte aber, daß die Kluft zwischen meinem wahren Ich und meinem gespielten Ich immer größer und immer unüberbrückbarer wurde, so daß die schon immer gewaltige Schwierigkeit, etwas von meinem wahren Wesen zu erkennen zu geben, ins immer Unermeßlichere wuchs.

VI

Die ersten Jahre an der Universität hatten nur eine Verschlechterung gebracht. Im Gymnasium hatte ich mich noch mit allerlei Ausreden vom Leben fernhalten können und noch immer in der unmittelbaren Obhut meines Elternhauses gelebt. Ich hatte grundsätzlich zuhause gewohnt; zuhause geschah aber nichts, und deshalb konnte mir dort auch nichts passieren. An der Universität aber fielen alle äußeren Zwänge von mir ab. Ich brauchte mich nicht mehr meinen Lehrern zu fügen; ich verbrachte den Tag im allgemeinen an der Universität in Zürich und nahm meine Mahlzeiten in der Mensa ein. Das Haus meiner Eltern in K. wurde mehr und mehr zum Ort, an dem ich nur noch übernachtete; mein eigentliches Leben aber fand in Zürich statt. Diese an sich sehr schöne Freiheit brachte aber auch sehr schmerzliche Erkenntnisse für mich: ich wußte mit dieser Freiheit nämlich gar nicht so viel anzufangen. Auch das sogenannte lustige Studentenleben hatte seine Schattenseiten: Erstens wurde mir bewußt, wie überaus unlustig es zuhause war, und daß jeweils Samstag und Sonntag, die ich gewöhnlich in K. verbrachte, zu den unangenehmsten Tagen zu werden begannen; zweitens merkte ich, daß ich am Wochenende gar keine andere Wahl hatte, als nach Hause zu gehen, weil mir nichts anderes einfiel, das ich statt dessen hätte tun können; drittens mußte ich einsehen, daß auch der lustige Teil der Woche gar nicht immer so lustig war, und daß ich mich auch an der Universität sehr oft furchtbar langweilte und einsam fühlte. Die unangenehmste Tageszeit war in dieser Hinsicht immer der Abend. Wenn ich gerade keine Gesellschaft hatte und nicht wußte, was ich tun sollte, so wartete ich eben im Lichthof der Universität auf Gesellschaft und hatte die unangenehme Wahl zu treffen, ob ich lieber gleich mein Warten abbrechen, den Tag abschließen und trübselig nach Hause fahren oder noch länger sehnsüchtig ausharren und hoffen sollte, daß mich am Ende doch noch jemand aus meiner Einsamkeit erlöste. Sehr häufig kam dann, nachdem ich stundenlang gewartet hatte, doch noch jemand vorbei – aber bloß, um sich zu verabschieden. Dieser Jemand bemerkte dann etwa, so so, ich sei ja auch noch da, und verabschiedete sich dann mit der Mitteilung, er müsse jetzt gehen, weil er noch zu tun habe. Dabei fällt sogleich zweierlei auf: Es war immer ein »Jemand«, auf den ich wartete, und nie eine bestimmte Person. Denn bei einer bestimmten Person hätte ich vielleicht eine Abmachung treffen können und nicht ins Leere hinein warten müssen; oder ich hätte wissen müssen, daß diese betreffende Person jetzt nicht mehr vorbeikommen würde, weil sie an diesem Wochentag keine Vorlesungen hatte oder um diese Zeit nie in der Universität war oder am Abend ohnehin nie Zeit hatte. Dieser imaginäre Jemand war aber immer vollkommen frei und ungebunden (so wie ich selbst es war): Er hätte sich sehr wohl auch gerade langweilen und einsam fühlen und sich abends um sieben Uhr darüber freuen können, in der menschenleeren Universität noch einen Leidensgenossen zu finden. Meist kam dieser Jemand aber nicht mehr zum Vorschein; der Lichthof wurde immer verlassener und verlassener, bis ich am Schluß allein zurückblieb und aus dem Jemand ein Niemand geworden war. Dann war ich allein und ich mußte mich mit aller Kraft überwinden, für diesen Tag nichts mehr zu erhoffen und nach K. zu fahren.

Der zweite auffallende Punkt bei diesen fruchtlosen Wartereien bestand darin, daß all die Kollegen, die sich von mir verabschiedeten, immer etwas zu tun hatten. Sie wollten nicht etwa deshalb nicht bei mir bleiben, weil sie auch nichts zu tun gehabt hätten, sondern sie konnten nicht bei mir bleiben, weil sie eben etwas anderes vorhatten. Ich hatte gar nichts vor. Mein einziges Vorhaben war, so lange wie möglich nicht nach Hause gehen zu müssen und so lange wie möglich in der Universität zu verweilen. Ich war richtig niedergeschlagen darüber, daß die anderen immer etwas vorhatten, denn sobald sie ihren Plänen nachgingen, verließen sie die Universität und damit auch mich. Der trübseligste Tag war für mich immer der Freitag. Viele Studenten, die nur die Woche über in Zürich wohnten und am Wochenende heimfuhren, pflegten schon am Freitagnachmittag, nach der letzten Vorlesung, abzureisen, eben weil sie dann an der Universität nichts mehr zu suchen hatten, so daß die Entvölkerung am Freitagabend noch viel drastischer war als sonst. Ich fühlte mich dann noch verlassener als gewöhnlich und sah bereits das Wochenende auf mich zukommen, das mir nichts zu bieten haben würde.

Ich sagte schon, daß es mich deprimieren konnte, daß die anderen immer zu beschäftigt waren, um gemeinsam mit mir die Zeit totzuschlagen; aber es war noch mehr. Ich sah nun ein, daß diese Studenten, die sich immer ihrer Aktivität widmeten, interessanter waren und mehr wußten als ich. Am Gymnasium war ich der geheimnisvolle Nichtstuer gewesen; jetzt war ich auf einmal der arme Verlassene, wenn sich alle von mir verabschiedet hatten und ihren Beschäftigungen nachgingen. In einer Hinsicht nämlich hatte sich beim Übergang vom Gymnasium zur Universität nichts verändert: Ich kannte zwar viele Leute, ich hatte zwar eine Menge Kollegen, aber mehr waren sie nicht. Im Gymnasium hatte ich Mitschüler gehabt, mit denen ich soweit nicht schlecht ausgekommen war, aber keine Freunde. An der Universität hatte ich nun viele Kollegen und Bekannte; aber mehr als kennen tat ich sie nicht. Wir hatten alle denselben Beruf; wir besuchten häufig dieselben Vorlesungen und hatten natürlich immer wieder dieselben fachlichen Probleme mit Büchern und Prüfungen; ich hatte eine Menge Kontakt mit meinen Kollegen, aber wirkliche Freunde hatte ich nicht. Dafür gab es Gruppen. Diese Gruppen bestanden gewöhnlich aus Studenten, die sich, aus was für Gründen immer, regelmäßig zu treffen pflegten und zu denen sich jeder automatisch gesellte, wenn er gerade in dieselbe Gruppe gehörte. In einer solchen Gruppe brauchten nicht unbedingt die Freunde zu sitzen. Es konnte sich natürlich so ergeben, daß die Mitglieder einer solchen Gruppe Freunde wurden, aber das war keine Notwendigkeit. Es war vielmehr ein Kollektiv, in dem sich der einzelne bewegen konnte, ohne sich besonders daran zu binden. Es lag auf der Hand, daß ich natürlich zu denen gehörte, die sich in der Gruppe bewegten, ohne persönliche Bindungen zu unterhalten. Meine eigentliche Bindung galt immer dem Kollektiv, galt immer den Romanisten. Die Romanisten, das waren alle zusammen; das waren eben die Leute, auf die ich im Lichthof zu warten pflegte. Aber sie waren nicht meine Freunde. Ich liebte die Romanisten, aber ich liebte sie als Kollektiv. Wenn ich heute bedenke, wer denn eigentlich die Romanisten waren, so stellte ich fest, daß es die Summe von sehr vielen Jemanden war, von denen mir keiner persönlich besonders viel bedeutete. Die, auf die ich zu warten pflegte, waren immer solche Jemande aus dem großen Ganzen. Jeder dieser potentiellen Erwarteten war »ein Romanist«, also ein bloßer Vertreter des Kollektivs, und darum spielte es für mich eigentlich auch gar keine große Rolle, wer es denn am Ende war, der mir Gesellschaft leistete, denn ich mochte sie alle. Oder: Es war mir keiner so lieb, daß ich ihn mehr gemocht hätte als einen anderen.

Es ist mir später aufgefallen, daß ich, nachdem ich die Universität verlassen hatte, viele ehemalige Studienkollegen, die ich während des Studiums fast täglich gesehen hatte, auf einmal nicht mehr sah, nie mehr sah und auch nicht mehr zu sehen brauchte. Es war mir damals zur Gewohnheit geworden, sie täglich innerhalb einer Gruppe zu sehen und mich mit ihnen zu unterhalten; aber sobald der tägliche Kontakt aufgehört hatte, vermißte ich diesen Kontakt auch nicht mehr. Von einer Menge Leute, die ich als meine Hauptkollegen bezeichnen könnte, muß ich heute bekennen, daß sie mir eigentlich vollkommen gleichgültig gewesen sind; sie waren alle nur »ein Romanist«, sonst nichts. Hingegen sind viele meiner heutigen wirklichen Freunde tatsächlich einmal meine Studienkollegen gewesen, nur daß wir einander während des Studiums kaum gesehen haben, vielleicht, weil diese Freunde damals am geselligen studentischen Leben aus persönlichen Gründen nicht teilgenommen hatten, oder weil eine andere Organisation des Studiums einen häufigeren Kontakt an der Universität unmöglich gemacht hatte.

Das Germanistikstudium hatte ich nach ein paar Semestern zugunsten der Romanistik aufgegeben. Bei den Romanisten gefiel es mir; da war ich zuhause. In einem gewissen Sinn hatte ich damit ein neues Zuhause gefunden, die Universität war jetzt mein Heim. Allerdings war sie ein Heim, das sich in sehr vielen Punkten überhaupt nicht von meinem alten Heim bei meinen Eltern unterschied; ich hatte fast alles von der alten Heimat in die neue mit hinübergenommen. Ja, ich war an der Universität zuhause, aber ich lebte dort nicht anders, als ich es früher getan hatte. Sie war mein neues Haus und mein neuer Schutz geworden, das ich ebenso unwillig verließ, wie es bei meinen Eltern zuhause der Brauch gewesen war, die schützende Schale des intimen Heims zu verlassen. Ich verließ die Universität meist sogar im allerwörtlichsten Sinne nicht: ich besuchte dort meine Vorlesungen, las oder schrieb in den entsprechenden Räumen des Romanischen Seminars und verbrachte meine restliche Zeit mehr oder weniger untätig im schon beschriebenen Lichthof beim Kaffeetrinken. In meiner Freizeit verließ ich das Universitätsgebäude nicht, um in der Stadt etwas zu unternehmen; ich hatte nicht das Bedürfnis, endlich aus diesen ewig gleichen Mauern herauszukommen, sondern ich verharrte darin tätig oder untätig, meist aber untätig. In solchen Situationen unterschied sich die Universität in nichts mehr von meinem Elternhaus, in dem es mir jetzt nicht mehr gefiel: ich langweilte mich darin, ich wußte darin nichts zu tun, aber ich schreckte auch davor zurück, den langweiligen Ort zu verlassen und hinauszugehen, denn »draußen« würde alles noch viel schlimmer sein. So kann man sagen, daß ich an der Universität ziemlich notgedrungen zuhause war; sie war anstelle meines Elternhauses meine Muschel geworden, in die ich mich aus Angst und Schutzbedürfnis zurückzog und selbst dann zurückziehen mußte, wenn dort nichts nennenswert Erfreuliches mehr auf mich wartete.

Und sehr oft wartete in der Universität tatsächlich nichts auf mich. Im Gymnasium war ich ein leidlich fleißiger Schüler gewesen, weil sich diese Haltung als der Weg des geringsten Widerstandes angeboten hatte; an der Universität achtete niemand mehr auf meinen Fleiß oder Unfleiß, und so wurde ich denn ein recht fauler Student. Oft hörte ich damals die weise Lehre, daß einem die Mittelschule dazu verhelfe, richtig arbeiten zu können, so daß man dann die akademische Freiheit sinnvoll auszunützen imstande sei. Ich glaube aber, daß ich am Gymnasium in meinem Innersten nur den Zwang, aber nicht den Sinn der Arbeit erlebt habe, so daß ich die vielbeschworene akademische Freiheit zunächst einmal nicht brauchte, sondern mißbrauchte und mich einfach des Umstandes erfreute, daß mich nun niemand mehr zum Arbeiten anhalten konnte. Für meinen allgemeinen Müßiggang fand ich bald triftige Gründe. Man wußte nämlich, daß das Besondere am Studentenleben weniger die regelmäßige Arbeit als vielmehr der fidele Schlendrian war, und daß man sich ohne weiteres etwas darauf zugute halten konnte, wenn man im Punkte des Schlendrians eben so wenig wie nur möglich versäumte. Ich machte also aus meiner Untugend eine Tugend (wie es eigentlich immer alle Menschen tun, denn letzlich sind fast alle Tugenden uneingestandene oder stilisierte Laster) und hielt mich wacker daran, nur ja nie etwas von meiner arbeitsscheuen Fidelität einzubüßen und verächtlich auf die faden Studenten herunterzuschauen, die immer nur »stur« arbeiteten. Dabei war ich mit meinem Kriterium für die erwähnte Sturheit recht anmaßend, und jedes bißchen Fleiß, das ich an anderen nur entdecken konnte, schien mir immer schon einen Anflug von übertriebenem Fleiß zu haben. Meist war ich es, der die anderen aufforderte, ihre Arbeit zu unterbrechen und mit mir Kaffee trinken zu gehen; wenn ich selbst aber einmal aufgefordert wurde, so sagte ich nie nein dazu und war allemal bereit, meine eigene Arbeit im Stich zu lassen und die anderen zum Kaffee zu begleiten. Auf diese Weise erhielt mein Tag mehr Arbeitspausen als eigentliche Arbeitszeit, denn ich selbst schaltete bei meinem Arbeitsrhythmus ununterbrochen Pausen ein; wenn ich aber gerade einmal ein Stündchen erreicht hatte, in dem gar nichts mehr eine Pause gerechtfertigt hätte, so machte zu meinem Glück oder Unglück sicher gerade ein anderer Pause; und dann hatte ich nicht die Stärke, seine Aufforderung zum Kaffee abzulehnen und bei meiner Arbeit zu bleiben. So bestand mein Leben vorwiegend aus Pausen: aus meinen Pausen und aus den Pausen anderer Leute.

Natürlich wurde ich dieser Pausen nicht richtig froh. Man hätte ja einfach sagen können, daß ich ein skandalös fauler und vergammelter Student gewesen sei. Daß dem aber auf keinerlei Art so war, wußte ich selbst viel zu gut. Ich war ja viel eher ein Musterstudent, der sogar darin mustergültig war, daß er das Studentenleben auf die traditionell gerühmte leichte Achsel nahm. Ich hatte nicht den Mut, wirklich ein Bummelstudent zu sein. Ich verbrachte nicht den ganzen Tag in der Kneipe, ich besoff mich nicht, ich trieb mich nicht in Spielhöllen und Bordellen herum und verführte den ganzen Tag schöne Studentinnen (was ja tatsächlich auch eine Möglichkeit gewesen wäre, und vielleicht nicht die schlechteste), denn ich war ja grundsätzlich brav. Ich schwänzte zwar sehr häufig meine Vorlesungen, aber nicht, um in der gewonnenen Zeit etwas Lustigeres zu unternehmen, sondern um im Lichthof der Universität meinen hundertsten Kaffee einzunehmen. (Alkohol gab es an der Universität in Zürich bezeichnenderweise keinen; nicht umsonst nennt man Zürich die Zwinglistadt.) Dieser hundertste Kaffee kommt mir heute geradezu als das Symbol meiner studentischen Pseudo-Fidelität vor: ich war zwar kein fleißiger Student, aber mit meiner Faulheit wußte ich auch nichts Gescheiteres anzufangen, als immer wieder einen zusätzlichen Kaffee zu trinken (der zudem noch ziemlich scheußlich schmeckte). Und nach der letzten Tasse verließ ich mein Tagesheim und kehrte nach K. ins Elternhaus zurück, wo ich noch viel tiefer und noch viel verderblicher zuhause war.

Auf diese Weise gehörte ich zu den Romanisten und war auch einer von ihnen. Ich befand mich innerhalb einer schützenden Gruppe und meist auch innerhalb des schützenden Gebäudes der Universität, aber meine Funktion darin bestand mehr aus dem Trieb, mich meinem neuen Zuhause unterzuordnen, als in diesem neuen Zuhause selbst eine neue und persönliche Rolle zu spielen. Die Kameradschaft des Gymnasiums wiederholte sich: Ich hatte eine Menge Bekannte, ich hatte sogar einen gewissen Ruf als lässiger und fideler Typ, denn jeder wußte, daß ich die Person war, die man ununterbrochen beim Kaffeetrinken antreffen konnte; niemandem war ich deswegen besonders verhaßt, aber daß mich jemand besonders geschätzt hätte, bloß weil ich immer Kaffee trank, muß ich auch bezweifeln. Das Charakteristische bei diesen vielen Kaffeekränzchen war nämlich, daß dabei meist sehr viel geplaudert, aber nichts getan wurde. Ich will damit sagen, daß meine Kollegen, wie ich es schon erwähnt habe, immer »etwas zu tun« hatten. Ob sie nun über das Wochenende verreisten, ob sie Skifahren gingen, ob sie bei der Freundin eingeladen waren oder Sport trieben oder Klavier spielten, es war auf jeden Fall immer etwas, das entschieden mehr zu fesseln vermochte, als in der Universität schlechten Kaffee zu trinken. Die Studenten, die auch außerhalb des Studiums ein interessantes Programm hatten, versuchten natürlich, ihre Arbeitsstunden an der Universität möglichst intensiv zu gestalten, um mehr Freizeit für ihre anderen Interessen zu gewinnen. Es war kein Wunder, wenn sie dem Kaffeekränzchen im Lichthof nicht nachfragten. Ich aber hatte nichts außer der Universität; sie war mein Bestes, und das Kaffeekränzchen mußte für mich alles erfüllen, was eigentlich ein echteres Interesse hätte erfüllen sollen. Nach dem Kaffeekränzchen wartete nur noch die Langeweile auf mich. Vor allem aber unternahmen meine Kollegen immer etwas Gemeinsames mit ihren Freunden: sie gingen zusammen Ski fahren oder Tennis spielen oder in eine Ausstellung in Basel; ich, der ich allein war, hatte schon gar keine Veranlassung, ein ähnliches Programm in trübseliger Einsamkeit nachahmen zu wollen. So ging ich eben nicht Ski fahren oder Tennis spielen oder in eine Ausstellung in Basel, sondern ich ging heim zu den Eltern. Die meisten Belustigungen des Lebens, wenn man einmal vom Patiencelegen absieht, in dem mein Vater ein Meister war (obwohl er, wie gesagt, nur die »Harfe« konnte), finden eben in Gesellschaft statt; lustig kann man nur gemeinsam mit anderen sein, und da ich immer allein war, fand bei mir eben nichts dergleichen statt.

Zudem gab es noch einen anderen Aspekt. Nicht alle Studenten verbrachten ihre Freizeit damit, sich unablässig zu amüsieren (wie ich mir neidvoll vorstellte, daß sie es täten), sondern viele arbeiteten auch, um sich Geld zu verdienen. Das aber war eine Sache, die mir vollkommen fremd war. Ich hatte noch nie für Geld arbeiten müssen; ich verstand auch nichts vom Geld, und an den Zusammenhang von Geld und Arbeit hatte ich noch nie viel Gedanken verschwendet. Ich brauchte kein Geld zu verdienen, denn ich hatte es schon. Natürlich Taschengeld. Zu meinem Glück und zu meinem Unglück war mein Vater in dieser Hinsicht sehr großzügig. Er versah mich reichlich mit Taschengeld und bezahlte darüber hinaus noch alle größeren Ausgaben, die sich sonst für mich ergaben, so zum Beispiel meine Ferien oder Auslandsaufenthalte. Da es bei uns zuhause nicht Sitte war, vom Geld zu sprechen, weil das

Geld schon fast zu den unanständigen Dingen gehörte, hatte ich auch keine Vorstellungen vom Wert des Geldes. Ich hatte immer genug und konnte es auch immer für alles ausgeben, was mir Spaß machte, denn meinen Lebensunterhalt bestritten ja ohnehin meine Eltern: ich wohnte bei ihnen und konnte bei ihnen essen, so oft ich wollte. Wenn ich nicht zuhause aß, so deshalb, weil es in der Universität weniger langweilig war. Hatte ich nachher noch Hunger, so konnte ich mich immer noch zuhause aus dem Kühlschrank zu einem kleinen Souper bedienen. Für die Ferien brauchte ich auch nichts zu sparen, denn die bezahlte ja mein Vater für mich.

Meine guten Eltern gönnten mir meine Reisen und Ferienaufenthalte, und sie zahlten sie für mich. Diese finanzielle Abhängigkeit brachte für mich aber kaum Probleme mit sich, denn ich war ja in jeglicher Hinsicht so von meinen Eltern abhängig, daß der finanzielle Aspekt nur ein kleines Beispiel des viel größeren und umfassenderen Abhängigkeitsverhältnisses darstellte. Ich teilte den Lebensstil meiner Eltern, ich teilte ihre Meinungen und Überzeugungen, ich teilte ihre negative Haltung dem Leben gegenüber – warum hätte ich nicht auch ihr Geld teilen sollen? Der Konflikt vieler Studenten ging an mir vorbei, die aus finanziellen Gründen von ihren Eltern abhängig sind, die aber ganz andere Meinungen vertreten als diese und darunter leiden, daß sie ihre Ideale nicht verwirklichen können, solange ihr Lebensunterhalt vom Vater bezahlt wird, der die entgegengesetzten Ideale hat. Ich hatte dieselben Anschauungen wie mein Vater, und so konnte ich auch sein Geld konfliktlos entgegennehmen. Daß ich nicht aktiv genug war, um selbst auf die Idee zu kommen, Geld verdienen zu wollen, versteht sich von selbst.

Auch in dieser Hinsicht war ich also untätig; ebenso wenig wie ich für Geld arbeitete, arbeitete ich im Studium. Ich trank nur Kaffee und plauderte. Heute muß ich mich fragen, worüber um alles in der Welt ich denn den ganzen Tag geplaudert haben mag. Die Dinge der Welt waren ja alle »schwierig« für mich, und beim meisten des nicht »Schwierigen« hatte ich mir angewöhnt, es für lächerlich zu halten. So war es mir ein leichtes, auf die allermeisten Themen gar nicht oder nur spöttisch einzugehen, und wenn es je dennoch eine Meinung zu vertreten gab, so war es für mich immer die Meinung, die ich von zuhause auf den Lebensweg mitgenommen hatte, also die Meinung meines Vaters. Ich muß heute annehmen, daß ich, falls ich überhaupt einmal im Ernst gesprochen habe, bei diesem seltenen Ernst immer zugleich auch den Standpunkt eines alten Mannes eingenommen haben muß. Wenn ich aber, was das Normale war, nicht ernst und wie mein Vater sprach, dann konnte ich nicht anders sein als oberflächlich, ironisch und unernst.

Ich glaube, dieses Wort charakterisiert meine ganze Studienzeit sehr gut: Unernst. Mit meiner wissenschaftlichen Arbeit nahm ich es nicht sehr ernst, und beim Kaffeetrinken, das an die Stelle des Arbeitens getreten war, nahm ich es im Gespräch auch nicht ernst. Nur war es eben kein fröhlicher oder unbeschwerter Unernst, der meine Studienzeit auszeichnete, sondern ein zutiefst trauriger: Unernst und Melancholie hielten sich die Waage.

Ich fühlte mich immer einsam und konnte das Alleinsein nicht ertragen; ich flüchtete mich in die Gesellschaft der anderen, aber diese anderen waren nie meine wirklichen Freunde, sondern immer nur »die anderen«, und da ich den menschlichen Beziehungen ebenso wenig gewachsen war wie meiner Einsamkeit, fühlte ich mich meist in Gesellschaft noch viel mehr allein als ohne sie. So konnte ich hin- und hergerissen sein zwischen den gegensätzlichsten Empfindungen: war ich allein, so meinte ich es nicht mehr aushalten zu können und mußte unbedingt Gesellschaft suchen – oder sehr oft nur, vielleicht erfolglos, auf Gesellschaft warten; wenn ich mich aber in Gesellschaft befand, merkte ich wieder, wie weit weg und wie unüberbrückbar ich von den anderen getrennt war. Ich kam mir dann erst recht als ein Außenseiter vor und hatte den Drang, den geselligen Kreis zu verlassen, um wenigstens meinem Gefühl des Ausgestoßenseins zu entgehen.

Dieser Zustand begann sich auch auf meine eigentliche Arbeit als Student auszuwirken. Häufig suchte ich die Vorlesungen vor allem auf, um dem Alleinsein zu entgehen; oft hatte ich spät abends noch eine Vorlesung und wartete stundenlang darauf. Wenn die Vorlesung dann aber wirklich stattfand, vermochte sie mich nicht mehr zu fesseln, weniger, weil sie so furchtbar langweilig gewesen wäre, als weil ich meine Gedanken nicht darauf konzentrieren konnte. Sehr oft war ich zu dieser Konzentration auch dann nicht fähig, wenn mich das Thema in Wirklichkeit sehr interessiert hätte. Ich vesuchte dem Vortrag des Professors zu folgen, aber meine Gedanken wandten sich unwillkürlich vom Gebotenen ab und kreisten um den Eindruck, daß die Vorlesung gar nicht so wichtig sei, und daß ich etwas viel Schwerwiegenderes zuerst zu lösen hätte. Dieser Eindruck war natürlich sehr richtig, denn unbewußt war mir längst klar geworden, daß ich an der Universität in eine ganz unhaltbare Situation hineingeraten war, und daß es unbedingt das Wichtigste gewesen wäre, zunächst einmal meine depressive und trostlose Lage zu klären. Meinem Zustand aber wirklich auf den Grund gehen konnte ich nicht und wollte ich nicht und wagte ich nicht. So blieb das immer bedrückende Gefühl von etwas Unerledigtem, das viel wichtiger gewesen wäre als alle Literatur und Linguistik, und mein Interesse von allen romanistischen Themen wegstahl, ohne daß aber die große und schwere Aufgabe je erledigt worden wäre. So geriet ich selbst in dieser so einfachen Situation oft zwischen Tisch und Bank: nicht einmal bei der Vorlesung, auf die ich vielleicht drei Stunden lang gewartet hatte, war ich richtig dabei. Zuerst hatte ich den Tag in Erwartung dieser Vorlesung verwartet, und am Ende entpuppte sich auch die Vorlesung als ein bloß fiktives Ziel. Falls ich selbst nach dieser Vereitelung noch Energien hatte, begab ich mich noch einmal in den abendlichen Lichthof hinunter, um dort wenigstens noch Gesellschaft zu suchen oder, notfalls, auf Gesellschaft zu warten in der verzweifelten Hoffnung, daß der Tag doch noch etwas Erfreuliches bringen möge.

So wie mein Arbeitstag eigentlich nur aus Pausen bestand, so bestand auch der Ablauf meines Lebens meist nur aus Warten. Wie ich es schon seit so langer Zeit gewohnt war, hoffte ich immer noch auf imaginäre »bessere Zeiten«, die mich von meinem Leid erlösen würden. Dabei verhielt ich mich ganz passiv und hoffte immer darauf, daß die Zukunft mir etwas »bringen« würde. Der Gedanke war mir fremd, aus der Gegenwart selbst etwas zu machen. Ich muß eine ungeheure Kapazität an Hoffnung gehabt haben. Die Hoffnung ist zwar auch eine Chance im Leben, aber manchmal wäre Verzweiflung wohl die bessere Reaktion den Umständen gegenüber: »Am Hoffen und Harren erkennt man die Narren.« Denn da ich eben nicht verzweifelte, sondern mich nur innerlich und unbewußt in meinem Gram verzehrte, ohne ihn wahrhaben zu wollen, konnte ich immer noch die Fiktion aufrechterhalten, daß im Grunde genommen alles in Ordnung sei und daß meine kleinen Mucken das Maß des Normalen nicht überschritten. Solange ich mir sagen konnte, daß ich normal sei, glaubte ich nicht, mir ernstlich Sorgen um mich machen zu müssen. Unter dieser Normalität konnte ich mir aber keine andere als die bürgerliche Normalität vorstellen, und innerhalb dieser altvertrauten Norm war ich tatsächlich leidlich normal.

So klagte ich eben nicht über meine seelischen Nöte, was ich gerne damit verwechselte, daß ich keine solchen seelischen Nöte hätte. Von meiner sexuellen Qual zu sprechen, wagte ich erst recht nicht, denn das hätte mich viel zu viel Überwindung gekostet. Dafür nahm ich in meiner Verzweiflung ab und zu gerne die Haltung der meisten Frustrierten an, die sich dagegen verwahren, daß alles im Leben »bloß Sex« sein soll, und vertrat auch oft die These, daß die Sexualität zwar »sehr wichtig« sei, daß es daneben aber auch noch andere schöne Dinge gäbe, und ähnlichen Unsinn mehr. Es stimmt zwar schon, daß es noch andere schöne Dinge gibt, aber ebenso unzweifelhaft ist, daß, wo die Sexualität nicht in Ordnung ist, auch alles andere nicht in Ordnung sein kann, inklusive der oben erwähnten anderen schönen Dinge. Dies zuzugeben hätte aber nichts anderes geheißen als zuzugeben, daß bei mir eben gar nichts in Ordnung war, und eben die vollkommene Richtigkeit und Stimmigkeit wollte ich ja um jeden Preis.

Nur noch ein Thema aus dieser Zeit will ich herausgreifen: Selbstverständlich war ich auch gegen die Psychiater. Wie alle verstockten Neurotiker, die gerne normal sein oder wenigstens scheinen möchten, empfand ich eine lebhafte Abneigung gegen die Vertreter dieser Berufsgattung, deren Aufgabe es sein würde, mir mitzuteilen, daß ich eben alles andere als normal sei. Gerne berief ich mich auf die berühmte Weisheit, daß man noch viel verrückter werde, wenn man zum Psychiater gehe. In vielen Fällen trifft das sicher zu: Wer sich nur den Anschein gibt, als sei er normal, der wird sicher zunächst einmal verrückter, wenn ihm der Psychiater beigebracht hat, daß die scheinbare Normalität nur eine gespielte gewesen ist. Ich bin überzeugt davon, daß sehr viele Leute unbewußt ahnen, daß der Psychiater eben die Wahrheit über sie weiß, und daß sie sich eben deshalb genötigt sehen, immer so scharf über die Psychiater herzuziehen. (Daß es auch schlechte Psychiater gibt, ist selbstverständlich. Es gibt aber auch schlechte Metzger, und deshalb ist doch noch niemand grundsätzlich gegen die Metzger eingestellt. Die Papeteristen [Schreibwarenhändler] sind sogar alle blöd, und nicht einmal gegen die existiert ein generelles Vorurteil.) Ich glaube eben schon, daß ich nur ein Fall von vielen war. Ich war gegen die Psychiater, und ich hatte meine persönlichen Motive dafür. Ich war aber auch gegen die Psychiater, weil die ganze Welt, aus der ich stammte, allgemein gegen die Psychiater eingestellt war: Bürgerliche Eltern erziehen ihre Kinder gerne im Glauben, daß man lieber nicht zum Psychiater gehen soll; denn wenn die Kinder einmal beim Psychiater gewesen sind, sind sie nachher auch nicht mehr bürgerlich.

In diesem Punkte verhielt ich mich wie jemand, der Zahnweh und Angst vor dem Zahnarzt hat: um nicht zum Zahnarzt gehen zu müssen, findet man sich lieber mit dem Zahnweh ab. Die ganz großen Meister in dieser Kunst bringen es sogar fertig, so zu tun, als ob sie gar kein Zahnweh hätten, und wenn sie beim Brotbeißen auf den kranken Zahn stoßen und nicht schreien dürfen, um ihr Zahnweh nicht zu verraten, verziehen sie bloß das Gesicht und sagen, sie hätten gerade den Fuß am Tischbein angeschlagen.

In dieser Kunst war auch ich ein Meister. Weil ich unbedingt normal sein und um keinen Preis unglücklich scheinen wollte, fraß ich allen Gram in mich hinein und verneinte, daß es für mich Probleme gäbe, denn mir schwante, daß, wenn es für mich Probleme gäbe, sie mit einer Fürchterlichkeit über mich hereinbrechen würden, die mein Vorstellungsvermögen überschritt. Wenn man bedenkt, daß sich dieser Zustand meines Seelenlebens unaufhaltsam vertiefte und verschlimmerte, so leuchtet es ein, daß es mir an der Universität, wie ich es oben geschrieben habe, immer schlechter gehen mußte. Nun trat aber parallel zu dieser Entwicklung eine andere, entgegengesetzte ein, von der ich heute nicht fähig bin zu sagen, ob sie zu meinem Glück oder zu meinem Unglück ausschlug: Es begann mir nämlich in anderer Hinsicht an der Universität immer besser zu gehen. Ich will dies mit ein paar Beispielen zu erläutern suchen.

Was einen schwarzen Punkt betraf, den ich aus meiner Mittelschulzeit an die Universität mithinübergebracht hatte, begann sich für mich mit der Zeit eine Besserung einzustellen. Ich weiß nicht mehr, wann ich zum ersten Mal auf die revolutionäre Idee verfiel, aber diese Idee wurde verwirklicht, und ich begann zu turnen. Zuerst nur bei mir zuhause im stillen Kämmerlein, aber nach einiger Zeit konnte ich mich sogar dazu überwinden, freiwillig die verhaßten Turnhallen aus meiner Mittelschulzeit wieder aufzusuchen und dort als Student ein aktives Mitglied des Konditionstrainings zu werden. Und zwar war ich nicht nur gut dabei, sondern die Turnstunden machten mir auch Spaß. Dabei fiel mir auf, daß ich selbst sehr gern turnte, sehr viele der anderen Studenten das aber offensichtlich nicht taten, sondern ihre Turnstunden als bloß lästige Pflichtübungen absolvierten. Diese Studenten hatten überhaupt keinen Spaß an den Bewegungen, die sie da zum Heile ihrer Gesundheit, aber nicht zu ihrem Vergnügen ausführten. Sie schienen gar kein Körperbewußtsein zu haben, sondern den Körper eher als eine mühsame Maschine zu betrachten, für deren Unterhalt sie nun aufkommen mußten. Ich stellte fest, daß nun auf einmal ich es war, der viel ungehemmter und viel körperlicher war als die anderen. Etwa zur gleichen Zeit hatte es sich auch ergeben, daß ich plötzlich tanzen konnte, was mir doch während so vieler Jahre nicht hatte gelingen wollen.

Dieser Fortschritt brachte mir aber nicht nur eitel Freude ein, sondern verschärfte nur noch meinen schon langjährigen Konflikt. Ich kam mir nun zwar nicht mehr wie das häßliche junge Entlein vor, von dem man sagen konnte, daß es eben von Natur aus schon eine dürftige Erscheinung sei, sondern ich war nun auf einmal ein eleganter und attraktiver junger Mann, der viel weniger verkrampft und viel normaler aussah als noch vor wenigen Jahren. Um so mehr mußte es mich jetzt in Erstaunen setzen, daß ich keine Freundin finden konnte. Je mehr ich mich hinter meine eingebildete und geglaubte Häßlichkeit und Unscheinbarkeit hatte zurückziehen können, desto sicherer hatte ich darin auch eine Entschuldigung für meine mangelnde Kontaktfähigkeit gefunden. Je offener aber zu Tage trat, daß ich mich im besten Alter befand und den Höhepunkt meiner körperlichen Entwicklung erreicht hatte, desto unerklärlicher und unentschuldbarer mußte mir die Tatsache erscheinen, daß ich keine Beziehung zu Frauen finden konnte. Es wurde immer schwerer für mich, meine psychische Gesundheit vor meiner eigenen Kritik zu verteidigen, wenn ich nach außen das vollendete Bild physischer Kraft und Gesundheit verkörperte.

Es klingt wie ein Paradox, aber es ist keines: Je besser es mir ging, desto schlechter ging es mir. Je mehr der Druck der konkreten und verständlichen Probleme von mir wich, desto unverständlicher und unheimlicher wurde die heimliche Überzeugung, daß bei mir im Grunde genommen alles im argen lag. Je mehr ich mich nach außen dem Bild von dem näherte, was man sich unter einem normalen jungen Mann vorstellt, desto mehr fehlten mir die Gründe dafür, daß ich eben kein solcher Mann war. Diese Unstimmigkeit ergab sich zunehmend weniger daraus, daß mir dies oder das oder jenes gefehlt hätte, sondern sie war immer mehr »einfach so«, grundlos, fatal, von einem ungnädigen Schicksal auferlegt.

In verschiedener anderer Hinsicht war diese äußerliche Besserung auch nicht mehr zu verkennen. Im Lauf der Jahre wurde ich aus dem anonymen »einen« Romanisten, der meist nichts arbeitete und immer Kaffee trank, zu einer profilierteren Figur an der Universität. Ich begann festzustellen, daß ich allgemein beliebt war. Zunächst konnte mich diese Tatsache nur überraschen und wundern, denn ich hätte keine Gründe für meine Beliebtheit anzuführen vermocht; aber mit der Zeit gewöhnte ich mich daran und konnte es als Tatsache hinnehmen, daß ich von meinen Kollegen geschätzt wurde. Es geschah seltener, daß ich stundenlang auf einen ungewissen Jemand warten mußte, um Gesellschaft zu haben; ich kannte eine Menge Leute, viele Studenten freuten sich, mich zu kennen oder mich kennenzulernen, und die Augenblicke, wo ich wirklich allein war, wurden weniger. Ich glaube nicht, daß dieser allmählich eintretende neue Zustand grundsätzlich etwas an meiner allgemeinen Einsamkeit geändert hatte, aber nachdem ich nicht mehr so viel unter dem rein physischen Alleinsein zu leiden hatte, fiel es mir leichter, meine psychische Einsamkeit besser vor mir zu verbergen und zu vertuschen. Zu einer persönlichen Bindung an andere Menschen aber war ich immer noch nicht fähig, und letzten Endes war eigentlich von den Romanisten, die jetzt »alle« meine Freunde waren, immer noch keiner mein Freund.

Ich muß auch bekennen, daß mir der Maßstab meiner Popularität nicht unbedingt sympathisch war. Einer meiner wirklichen oder angeblichen Vorzüge war meine Originalität. Dieser Begriff kam mir immer sehr zweischneidig vor. Einerseits besaß ich zweifellos eine gewisse Originalität, zu der auch das künstlerische Air meiner äußeren Erscheinung beitrug, das ich *nolens volens* immer noch pflegte. Andererseits hatte diese bei meinen Kollegen so beliebte Originalität für mich auch höchst unliebsame Züge. Die Originalität war eben der Ausdruck meines Andersseins, und dieses Anderssein hatte ich ja schon seit langem nicht als ein Bessersein, sondern als ein Schlechtersein empfunden. Anders war ich überall dort, wo ich zurückgeblieben war, und wo ich mir sagen mußte, daß ich »noch nicht so weit sei« (und vielleicht auch gar nie mehr sein sollte); anders war ich immer, wenn ich mich einsam und ausgestoßen fühlte; anders war ich immer, wenn sich mir wieder die Ahnung davon aufdrängte, daß mein ganzes Leben nicht stimmte und falsch verlief. Somit bekam die Originalität auch einen Aspekt, der an das Krankhafte und Leidvolle und Anormale grenzte.

Aber auch für diesen Originalitätskonflikt fand sich ein Ausweg. Mehr durch Zufall als durch mein besonderes Dazutun wurde bekannt, daß ich Theaterstücke für die Marionettenbühne schrieb (was niemanden verwunderte, da ich ja ohnehin etwas Künstlerisches an mir hatte), und es geschah, daß ich mit der Produktion für einen Romanistenabend beauftragt wurde. Das Stück gefiel, und die Aufführung wurde ein großer Erfolg. Daß ich den Text nach ein paar Jahren, als ich wieder einmal von der Nichtigkeit und Krankhaftigkeit meiner künstlerischen Begabung durchdrungen war, zusammen mit allen meinen anderen literarischen Produkten vernichtete, sollte mir von nun an nichts mehr nützen: ich war und blieb der Autor und Interpret eines Theaterstückes, das beinahe jeder Romanist gesehen und das sich beim Publikum als großer Erfolg erwiesen hatte.

Von nun an war es klar, daß ich die Romanistenabende gestaltete. Ich schrieb neue Stücke, ich lieferte neue Aufführungen, ich war Romanistenpräsident und organisierte den Ablauf der festlichen Veranstaltungen innerhalb der Romanistik. Die Theaterstücke sprengten den Rahmen des romanistischen Publikums zwar nie und wurden meist nur einmal in diesem beschränkten Rahmen aufgeführt; aber sie erwiesen sich immer als Erfolge für mich. Diese bescheidene und doch glanzvolle Karriere stellte für mich bald die Hauptsache im Studium dar, ohne daß das eigentliche Studieren darunter nennenswert gelitten hätte. Von den verschiedenen Arbeiten, die ich zu leisten gehabt hatte, waren einige sehr gut gelungen und stellten Erfolge für mich dar, auf die ich stolz sein konnte. Kurz, es ging mir gut als Student – oder eben nicht. Wieweit diese letzten Studienjahre für mich ein Glück oder ein Unglück bedeuteten, kann ich heute kaum ermessen. Sicher war es, objektiv gesehen, nicht schlecht, daß ich gute Arbeiten schrieb, daß ich eine annehmbare Dissertation verfaßte und daß ich mein Doktorexamen ohne viel Aufregung ruhig und sicher und mit einem ehrenvollen Resultat bestand; ebenso gewiß war es sicher nicht schlecht, daß ich Theaterstücke produzierte, die allgemein gefielen und den Schauspielern wie dem Publikum viel Spaß und Freude bereiteten. Aber all diese kleinen Freuden vermochten doch nichts anderes, als mich immer wieder, Mal für Mal, für ein paar Schritte vom klaffenden Abgrund abzulenken, in dem all meine Ängste, Qualen und Verzweiflungen drohten. Jedesmal wenn ich etwas geleistet hatte, worauf ich stolz sein durfte, konnte ich mir wieder sagen, daß es jetzt doch wieder aufwärts ginge, daß ich doch wieder einen Fortschritt gemacht hätte und daß ich »bald« den imaginären Stand erreichen würde, hinter dem ich immer noch zurückgeblieben war.

Die Depression war nicht von mir gewichen, ich hatte mich nur besser daran gewöhnt, mich damit abzufinden, als sie chronisch geworden war. Meine vielen Erfolge machten es mir leicht, die positiven Werte in meinem Leben gegen die negativen abzuwägen und mir zu sagen, daß die beiden Waagschalen etwa gleich hoch stünden; mit anderen Worten: es war mir immer unmöglicher geworden, mich von der Falschheit meiner bloß gespielten Heiterkeit zu überzeugen, seit mir so viele heitere Dinge den düsteren Untergrund immer mehr zudeckten.

Wenn wir annehmen, daß jemand Zahnweh hat, sich aber damit zu trösten sucht, daß seine Blumen im Garten wunderschön gedeihen, sieht man sogleich ein, daß diese beiden Dinge überhaupt nichts miteinander zu tun haben. Ob die Blumen gedeihen oder nicht, spielt für das Zahnweh überhaupt keine Rolle. Sie sind nicht die Entschädigung für das Zahnweh, denn der Zahn würde auch schmerzen, wenn die Blumen verhagelt worden wären. Ebenso wenig täte es dem Blühen Abbruch, wenn der Zahn geheilt würde; in diesem Fall hätte der Patient eben beide Freuden zusammen, die Blumen und den geheilten Zahn. Es gibt für den zahnwehkranken Blumenfreund nur eine Lösung: den Zahnarzt.

Ein solcher Patient war ich. Ich redete mir ein, daß ich zwar deprimiert sei, daß es mir sonst aber gut gehe. Ich sagte mir, ich sei zwar einsam, aber dafür gescheit, ich sei zwar unglücklich, aber dafür hätte ich eine Menge Bekannte oder sogar Freunde, ich sei zwar frustriert, aber dafür Doktor, was auch nicht jeder von sich sagen könne; kurz, ich war verzweifelt, durfte es aber vor mir selbst nicht sein. Wie sinnlos es war, die Depression als Preis für die Intelligenz oder meine Theaterstücke als Entgelt für die Einsamkeit anzusehen – wie wenn ein dummer Mensch nicht auch deprimiert und ein gescheiter nicht auch zufrieden sein könnte, wie wenn ein Theaterautor notwendigerweise keine Geliebte oder ein Liebhaber notwendigerweise keine Begabung für das Theater haben könnte – all das wollte ich nicht einsehen und vergrößerte mein Elend dadurch nur noch mehr.

Ein anderer Aspekt meiner Krankheit waren die unaufhörlichen Vergleiche, die ich mit allen möglichen schlimmen Lebenslagen meiner Kollegen an der Universität anstellte. Wie immer war ich unfähig, mich darauf zu besinnen, wer und was ich war, sondern wollte mich immer nur als ein nicht allzu sehr vom gewöhnlichen Ganzen abweichendes Teilstück verstanden wissen. Ich merkte, daß viele Studenten eine Menge handgreiflicher Probleme hatten, von denen ich nicht betroffen war. Viele lebten im Zerwürfnis mit ihren Eltern und klagten darüber, daß sie nirgends daheim waren. Viele hatten kein Geld, mußten sehr sparsam leben und in der Zeit, die für mich nach den Aufgaben des Studiums als Freizeit übrigblieb, arbeiten gehen, um sich ihr Studium überhaupt finanzieren zu können. Viele kannten an der Universität niemanden, waren unbeliebt und allein und verbrachten ihre Abende in scheußlichen möblierten Zimmern bei bösartigen Schlummermüttern [Zimmerwirtinnen]. Andere wieder hatten mit dem Studium selbst Schwierigkeiten, verstanden den Stoff nicht oder konnten ihn nur äußerst mühsam erarbeiten; im Vergleich zu ihnen konnte ich meine Studienarbeiten geradezu hinschmeißen und brauchte sie mir nicht mit schlaflosen Nächten, Panik und Aufmunterungs- oder Beruhigungspillen zu erkämpfen.

Ich sah nicht, daß es Probleme ganz verschiedener Art gibt. Viele meiner Kollegen waren nämlich deshalb deprimiert, weil sie eine Prüfung nicht bestanden hatten; ich aber war deprimiert, *obwohl* ich dieselbe Prüfung glänzend bestanden hatte. Ich wollte nur das Gemeinsame sehen, nämlich daß beide deprimiert waren, aber nicht den Unterschied, daß die Trauer des einen sinnvoll war, die Trauer des anderen aber sinnlos. Sich zu grämen, weil man bei einer Prüfung durchgefallen ist, auf die man sich vielleicht sehr lange und gründlich vorbereitet hat, ist normal. Sich aber durchaus nicht darüber freuen zu können, daß einem die Prüfung so gut gelungen ist, und am Abend darauf genau so deprimiert dazusitzen wie der Durchgefallene, ist nicht normal. Es ist traurig, kein Geld zu haben; aber mehr als sich dafür etwas kaufen, kann man mit Geld auch nicht. Ich konnte mir zwar alles kaufen, was ich wollte, aber meine Käufe vermochten mich nicht aufzuheitern. Ich war nicht traurig, weil mir etwas Bestimmtes mangelte, sondern ich war traurig, obwohl mir nichts mangelte – oder nichts zu mangeln schien. Im Gegensatz zu vielen anderen Traurigen hatte ich kein Motiv, traurig zu sein; und das war eben das andere, das war eben das Anormale an meiner Trauer.

Ich reiste auch viel in den Ferien und besuchte die verschiedensten fremden Länder. Die waren nun freilich in mancher Hinsicht anders als die Schweiz, und als gehorsamer Tourist vermochte ich auch festzustellen, woraus die einzelnen Andersartigkeiten bestanden. Aber in einem Punkt glichen sich alle meine touristischen Stationen; in dem nämlich, daß kein fremdes Land und keine fremde Stadt mich zu erheitern vermochten. Die Sonne scheint in Spanien zwar heißer als in der Schweiz; aber die eisige Kälte der Depression in mir war in Spanien nicht weniger schneidend als in der Schweiz.

Sehr häufig wurden deshalb die sogenannten Regentage des Lebens für mich zu den am wenigsten unerträglichen, nämlich immer dann, wenn es einen offensichtlichen Grund gab, über den man sich frei und offen und im Einverständnis mit den anderen beklagen konnte. Es fiel mir schwerer, fröhlich Zustimmung zu nicken, wenn mir jemand zurief, daß es ein herrlicher Sommertag sei; und es kostete mich viel weniger Überwindung, jemandem beizustimmen, der trübselig zu mir bemerkte, daß einem das gräßliche Regenwetter so furchtbar auf die Nerven gehe. Wenn alle über den Regen und die Kälte und den Winter klagten, schien ich in meinem Jammer weniger allein zu sein. Dies war freilich meist eine Illusion, die zerstob, sobald der kommende Frühling das Heer der wegen Kälte und Nässe Trauernden wieder tröstete und aufmunterte, während ich im Frühling als immer noch Ungetrösteter einsam zurückblieb.

In diesem Zusammenhang muß ich auf eine kurze Periode zu sprechen kommen, in der ich mich auf diese bedenkliche Weise tatsächlich ein bißchen erholen konnte. Es war die Zeit, als ich

Gelbsucht hatte. Die Gelbsucht hatte ich in Lissabon bekommen. Schon mehrere Wochen, bevor die Krankheit wirklich ausbrach, hatte ich mich müde und elend gefühlt; ich hatte keine Energie mehr und schreckte vor der kleinsten Anstrengung zurück; alles war mir zuviel geworden; ich war melancholisch. Dieser unliebsame Zustand ließ bei mir an und für sich noch nicht auf eine bevorstehende Krankheit schließen, denn er war eigentlich nichts Neues für mich. Erst als die Krankheit wirklich ausbrach, fiel mir auf einmal ein, wie müde und unglücklich ich mich schon so lange Zeit gefühlt hatte.

Es war keine schwere Gelbsucht, an der ich in Lissabon darniederlag. Zehn Tage lang befand ich mich im Spital, und nach traditioneller Regel wurden mir ebenso viele Wochen Schon- und Diätzeit vorgeschrieben. Ich verließ Lissabon per Flugzeug und trat meine zehn Rekonvaleszenzwochen wieder in der Schweiz an. Von einem Bekannten erfuhr ich, daß alle Leberleiden melancholisch machten, und davon, daß nach klassischer Anschauung die Melancholie ihren Sitz in der Leber hat, hatte ich auch schon gehört. Das hieß für mich vorerst nichts anderes, als daß ich noch zehn Wochen Ferien von meiner mühsamen Normalität machen sollte. Ich wußte nun, daß alle meine Trostlosigkeiten von der Leber herrührten und während eines ganzen Vierteljahres auch weiter von der Leber herrühren würden. Es ging mir natürlich während dieser Zeit nicht besser und nicht schlechter als sonst; was diese Zeit aber vor anderen Phasen angenehm auszeichnete, war der Umstand, daß ich für meine Depression eine Erklärung hatte und mir sagen konnte, daß es »nur die Leber« sei. Ich hatte ein Alibi für eine sehr lange Zeit, während der mir niemand verdächtige Depressionen hätte nachweisen können, denn ich hatte aufgrund meiner Krankheit ja einen Freibrief und das eingestandene Recht, physisch bedingt und nach Belieben melancholisch sein zu dürfen.

Natürlich war bei diesem Alibi viel Heuchelei beteiligt, Heuchelei, die ich mir selbst nicht eingestehen wollte. Ich hätte wissen müssen und wußte in einem nicht genannt sein wollenden Teil meiner selbst wohl auch, daß sich der Gelbsucht-Sommer in nichts von anderen Sommern unterschied, und daß meine Verfassung vor der Krankheit nicht besser und nicht schlechter gewesen war als seit ich Gelbsucht hatte. Es war nur eine monumentale Vergrößerung meiner allgemeinen Lüge, wenn ich bei Regenwetter behauptete, daß Regen deprimierend auf mein Gemüt wirke. Ich brauche hier deshalb auch gar nicht mehr zu schildern, wie ich nach der ausgemachten Frist vom Arzt wieder in das rauhe Leben der Gesunden entlassen wurde und nach Abschluß der angeblich so melancholisch machenden Krankheit um kein Tüpfelchen weniger melancholisch war als vorher.

Was mir von der Gelbsucht blieb, war eine gewisse instinktive Neigung, mich mit Vorliebe auf traurige Dinge zu spezialisieren, da ich ahnte, daß traurige Dinge meinen Manövern dienlich waren. Ebenso versuchte ich, lustige Dinge mit Fingerspitzengefühl nicht allzu nahe an mich herankommen zu lassen. Daß die großen festlichen Ereignisse des Studentenlebens, wie der Polyball und der Uniball, nichts für mich waren, war mir diskret bewußt, und ich hielt mich von diesen Veranstaltungen gerne fern.

Und doch war ich durchaus nicht die Person, die dadurch bekannt gewesen wäre, daß sie so ausgesprochen festfeindlich sei. Ganz im Gegenteil hatte ich mir sogar einen gewissen Ruf für meine eigenen Feste erworben. Auch zu diesen Festen war ich durch einen Zufall gekommen. Ich war nämlich einmal zu einem Fest eingeladen, das dann aus bestimmten Gründen nicht zustande kam, und hatte statt dessen den Vorschlag gewagt, ob die ganze Angelegenheit nicht auch bei mir, d. h. im Hause meiner Eltern stattfinden könne. Zu meiner Überraschung stieß dieser Vorschlag auf allgemeinen Beifall. Überrascht war ich schon deswegen, weil ich mir mich als Teilnehmer an einem Fest gar nicht richtig vorstellen konnte. Zu meiner Mittelschulzeit war es ja noch eine Selbstverständlichkeit gewesen, daß Feste nicht als eine Sache zu betrachten seien, bei der ich unbedingt teilzunehmen hatte. Und nun hatte ich mich durch widrige oder günstige Zufälle selbst in die Rolle eines Gastgebers zu finden und fragte mich, ob ich diese schwierige Prüfung wohl zur allgemeinen Zufriedenheit bestehen könne. Ich bestand, das Fest in meinem Elternhaus wurde als Erfolg angesehen, und dank lebhafter Nachfrage konnte das Experiment wiederholt werden. Es geschah nun ab und zu, daß ich Gäste zu mir – oder besser: zu meinen Eltern – einlud und mich in der Rolle des Gastgebers vervollkommnen konnte. Natürlich als Gastgeber. Wie ich es mir gar nicht anders vorstellen konnte, bemühte ich mich in meiner neuerworbenen Funktion getreulich um das Wohl meiner Gäste, sah zu, daß sie zu essen und zu trinken hatten und sich auch sonst in jeder Hinsicht wohl fühlten. Nach alter familiärer Tradition war ich ein perfekter Gastgeber, was etwa darauf hinauslief, daß ich mehr der Diener meiner Gäste als ihr Genosse war und als korrekter Gastgeber immer ein bißchen außerhalb des eigentlichen Geschehens stand.

VII

Allmählich nahte nun die Zeit, in der ich meine neue zwiespältige Heimat, die Universität, wieder verlassen und einen Beruf, nämlich den des Lehrers ausüben sollte. Der Abschied fiel mir gar nicht so schwer, wie ich oft gefürchtet hatte, daß die Trennung von der schützenden und bewahrenden Alma mater mir fallen würde. In die paar Semester, bevor ich endgültig aus der Universität schied, fiel sogar noch eine kleine und bescheidene Emanzipation vom Althergebrachten. Ich gab bereits ein paar Stunden als Spanischlehrer an der Kantonsschule einer kleinen Stadt und verfügte über ein erstes kleines Einkommen. Ich hatte das Haus meiner Eltern in K. als ständigen Wohnsitz aufgegeben und wohnte die Woche über in einem scheußlichen alten Haus in Zürich, das etwa ein Dutzend Studenten beherbergte. Dieses scheußliche alte Haus, in dem ich jeden Komfort vermissen mußte, an den ich von meinem Elternhaus her gewohnt war, gefiel mir über alle Maßen. Das Haus war baufällig, schmutzig, verwahrlost, kalt im Winter und heiß im Sommer, in äußerst geräuschvoller Lage; seine Insassen waren meist ausgeflippte, unfreundliche und asoziale Typen, die sich nichts zu sagen hatten und einander, wenn es möglich war, ohne weiteres bestahlen. Eigentlich keine sehr liebenswürdige Umgebung, aber mir gefiel sie nicht übel; ich denke immer noch gerne an das Jahr zurück, das ich dort verbracht habe. Es war nicht die schlechteste Zeit meines Lebens.

Ganz allgemein brachte die Ablösung von der Universität eine Besserung meines Befindens mit sich. Der Studienabschluß machte mich vom Studenten zum Doktor und führte mich schon rein äußerlich in eine neue Sphäre ein. Der Wechsel vom Studenten- zum Berufsleben machte mich finanziell unabhängig von meinen Eltern; mein Geld hatte ich nun selbst verdient und konnte damit anstellen, was mir gefiel, ohne mich fragen zu müssen, ob ich nicht das Geld meiner Eltern für Zwecke mißbrauchte, die ihren Beifall nicht finden konnten. Ich gab auch mein Dasein als Wochenendpendler auf und bezog eine kleine Wohnung in der Zürcher Altstadt. Meine neue Wohnung nahm mich lange Zeit in Bann, und ich richtete sie auch sehr schön ein. Ich stellte fest, daß sich mein Geschmack in allem von dem meiner Eltern unterschied, und daß ich auf einmal in einem Heim wohnte, das meinen persönlichen Vorlieben entsprach.

Ich hatte nun alles, was ich wollte; ich hatte mein Studium erfolgreich abgeschlossen, ich hatte einen Beruf, ich hatte ein schönes Heim. Der Zufall hatte es mit sich gebracht, daß meine Wohnung (ohne daß ich sonderlich nach diesem Vorzug gesucht hätte) sich in der begehrtesten Wohnlage von ganz Zürich befand und alle nur möglichen Vorteile aufzuweisen hatte: romantische Lage in der Altstadt, schöne Aussicht über das Gewinkel der alten Dächer, absolute Ruhe und eine Menge angenehmer Dinge mehr. Hier konnte ich nun herrlich und in Freuden leben, und in einem gewissen Sinn lebte ich auch recht zufrieden in dieser neuen Umgebung.

Die ersten Jahre in diesem meinem schönen neuen Heim brachten wirklich das höchste Ausmaß und die Erfüllung der vorhergehenden Entwicklung, die darin bestanden hatte, daß es mir, parallel, einerseits immer besser und andererseits immer schlechter ging. Für das Bessergehen blieb der neue Lebensstil keinen Beweis schuldig; für das Schlechtergehen wurde von mir mehr oder weniger unbewußt alles getan, damit es nicht offen zu Tage treten konnte oder mußte.

Es mochten vielleicht eher Kleinigkeiten sein als deutlich hervortretende Symptome; aber sie wiesen alle in dieselbe Richtung. Es war zunächst natürlich nur »nett« und lobenswert, daß ich immer für mich kochte und alle meine Mahlzeiten für mich selbst zubereitete, und es ließ sich auch von selbst verstehen, daß ich meine Mahlzeiten lieber in meiner entzückenden Wohnung einnahm als in einem »ungemütlichen« Restaurant. Aber nicht nur die eigentlichen Mahlzeiten fanden in meinen eigenen vier Wänden statt; auch jeden Kaffee und jedes Bier und jedes Glas Wein nahm ich bei mir zuhause ein; oder mit anderen Worten: ich ging nie aus. Es kam mir gar nicht in den Sinn, einmal in einem öffentlichen

Lokal einen Kaffee oder ein Bier zu trinken, um auch einmal beim Essen unter die Leute zu kommen, denn ich hatte es ja »viel schöner« zuhause. Auch dieses Heim war eine Muschel für mich geworden, deren schützendes Gehäuse ich nur ungern verließ.

Stundenlang saß ich dann an meinem Tisch bei meinen (übrigens sehr guten und teuren) Mahlzeiten, vor allem am Abend, und schaute dem Sonnenuntergang zu. Diese Angewohnheit hatte ich schon aus meiner früheren Behausung in der alten Bruchbude in mein neues Heim mitgebracht. Und zwar beobachtete ich, wie die Strahlen der untergehenden Sonne auf ein Bild an der gegenüberliegenden Wand fielen und es langsam durchwanderten, bis es wieder im Schatten lag und die Sonne untergegangen war. Bei diesem Vorgang überfiel mich jedesmal eine große Traurigkeit, und es wurde mir schwer ums Herz. Man kann natürlich dafürhalten, daß der Sonnenuntergang ja an und für sich etwas Melancholisches sei und es einen jedesmal wieder traurig stimmen könne, wenn ein lichter Tag zu Ende geht und wieder die finstere Nacht beginnt. Daß diese allgemeine Erklärung für den von mir beschriebenen Fall aber wohl nicht zutrifft, leuchtet ein. Der Sonnenuntergang war viel eher der oberflächliche Anlaß dazu, eine viel größere Trauer als nur die über das jeweilige Ende des Tages zu aktivieren. Denn häufig ergab es sich, daß ich meine Trauer unwillkürlich auch in Worte faßte und Verse dazu sprach, und zwar fast immer dieselben Verse. Es waren Stellen aus der Totenklage von Jorge Manrique, eigentlich fast immer dieselbe Stelle:

> ¿Qué se hizo el rey don Juan?
> Los infantes de Aragón,
> ¿qué se hicieron?
> (Was wurde aus dem König Juan?
> Die Infanten von Aragón
> Was ward aus ihnen?)

Durch den Umzug in die neue Wohnung und durch sehr häufige Ummöblierungen ergab es sich, daß die Strahlen der untergehenden Sonne während dieses Rituals auf alle möglichen Bilder fielen, denn alle halben Jahre hing wieder ein anderes Bild an der betreffenden Stelle, wo die Reflexe des Sonnenunterganges sichtbar wurden. Alle diese sehr verschiedenen Bilder waren nun aber durchaus heiterer Natur und stellten nichts Trauriges dar. Bei jedem Bild überkam mich aber, wenn es von den letzten Sonnenstrahlen getroffen wurde, dieselbe Trauer; so konnten mich etwa die Photographie eines Waldes und merkwürdigerweise ein Theaterplakat, das einen Clown darstellte, gleichermaßen unglücklich machen, obwohl ihr Sujet zu keinerlei trübseliger Regung Anlaß gegeben hätte. Die Trauer ergriff mich ohne Grund und Motiv, aber stark und regelmäßig und nachhaltig. Diese Zustände blieben mit der Zeit nicht mehr auf das anfängliche Ritual des Sonnenuntergangsspieles auf den Bildern beschränkt und wurden immer häufiger und unmotivierter. Allmählich wechselte die Totenklage immer häufiger mit der Klage über die Einsamkeit ab, und – wiederum wie von selbst und ganz intuitiv – pflegte ich die Verse des portugiesischen Minnesängers Martim Codax zu sprechen:

> Ai, Deus, se sabe ora meu amigo,
> Como eu senheira estou em Vigo?
> (Ach Gott, wenn nur mein Freund es wüßt,
> Wie mir in Vigo so einsam ist.)

Dabei waren diese Verse jedesmal nicht nur ein bloßes Deklamieren, sondern drückten immer und immer wieder eine Trauer und Qual und Einsamkeit aus. Ich könnte nicht sagen, daß ich mir diese Deklamationen überlegt hätte; sie produzierten sich einfach von selbst. Ich glaube, die Trauer selbst sprach aus mir; ich brauchte gar nichts mehr eigens zu tun, sondern war nunmehr das passive Instrument der Trauer, mittels dessen sie sich ausdrückte. Deshalb gab es für mich dabei auch gar nichts mehr zu überlegen; es geschah mir einfach, daß von mir Worte der Trauer gesprochen wurden. Man hätte diese meine Haltung in die fatalen Worte fassen können: »Es ist einfach so.« Es war tatsächlich einfach so; es geschah einfach immer wieder und wieder, daß ich an meinem Schreibtisch oder auf meinem Bett saß und die klagenden Worte sprach:

> Ai, Deus, se sabe ora meu amigo,
> Como eu senheira estou em Vigo?

Verschiedene andere Dinge ähnlicher Art waren auch »einfach so«. Es war auch einfach so, daß ich nachts, auch bei größter Müdigkeit, nicht schlafen konnte. Es war einfach so, daß alle Schlaf-

mittel nichts nützten und ich mir mit ungezählten Schlummer-
tränken eher eine Alkoholvergiftung zugezogen als Schlaf erreicht
hätte. Das Problem war medizinisch nicht zu lösen; es war eben
»nervös«, es war eben einfach so.

Mit der Zeit hatte sich auch meine schwarze Trauerkleidung
wieder eingestellt. Nicht weil ich besonders traurig gewesen wäre,
sondern nur, weil mir schwarz jetzt auf einmal am besten »gefiel«.
Alle anderen Farben gefielen mir nicht mehr, und ich wählte für
meine Kleidung automatisch immer schwarz: schwarze Hosen,
schwarze Hemden, schwarze Pullover, schwarzes Jackett, alles
schwarz. Die Beziehung der schwarzen Farbe zur Trauer ist offenkundig; nur mir schien es, als ob ich das Schwarz nicht wegen seiner Trauersymbolik, sondern wegen seiner Eleganz bevorzugte.
Auch hier wurde ich zum passiven Teil: weil ich mich nicht bewußt
für Trauerfarben entschloß, ergab es sich, daß mir alle anderen
Farben außer schwarz zu mißfallen begannen, so daß ich eben auf
diesem Umweg wieder darauf gestoßen wurde, was offenbar meine
Farbe sein sollte: schwarz.

Daß ich nie mehr in die Ferien fuhr, war auch »einfach so«. Als
Lehrer hatte ich zwar eine Menge Ferien; als alleinstehende Person
hatte ich überhaupt keine finanziellen Verpflichtungen; zudem
hatte ich, da mein Vater vor ein paar Jahren gestorben war, ein
kleines Vermögen geerbt, das mir jede Reise, sei es nach Amerika
oder nach China, ermöglicht hätte. Aber ich reiste nie. Ich wußte,
daß es in den Ferien immer »nur noch viel schlimmer« war als zuhause. Es gab für mich überhaupt keine Veranlassung, die alte Erfahrung noch einmal unter Beweis zu stellen, daß ich auf Reisen
an Orten, wo es nach allgemeiner Ansicht »schön« war, noch viel
deprimierter, unglücklicher und einsamer war als zuhause.

Auch sonst rührte ich das von meinem Vater ererbte Geld nicht
an. Ich hatte mir keine Wünsche zu befriedigen, denn ich hatte
keine Wünsche. Ich war wunschlos unglücklich. Das Geld hatte
keinen Sinn für mich, denn nichts, was ich mir dafür hätte kaufen
können, hätte mir Freude gemacht. Ich war also kein eifriger Käu-
fer, denn ich wußte, daß es für mich nichts zu kaufen gab. Ich hatte
also eine Menge Geld, aber ich wußte nicht, wofür ich es hätte ausgeben können. Das war eben auch einfach so. Bezeichnenderweise
hatte ich auch keine Zeitung abonniert. Ich brauchte eigentlich
auch nicht zu wissen, was in der Welt vorging. Ich pflegte mich

darauf hinauszureden, daß in den Zeitungen meist doch nur Unsinn stünde (eine an sich richtige Wahrheit, die wohl niemand bestreiten wird), aber daß diese tiefe Erkenntnis des Wesens unserer Journalistik nicht der eigentliche Grund meiner Abstinenz war, braucht wohl nicht näher erörtert zu werden.

Daß diese Jahre auch auf dem Gebiet, das seit jeher mein unglücklichstes gewesen war, nichts Neues gebracht hatten, ergibt sich aus dem oben Gesagten von selbst. Ich war, wie immer, allein. Die meisten meiner Freunde hatten unterdessen geheiratet – natürlich. Es gab auch solche, die sich nie zum Heiraten entschließen konnten, von einer Freundin zur anderen wechselten und eben typische Junggesellen waren – was ebenso natürlich war. Viele hatten Kinder; andere hatten keine Kinder und waren mit ihrer Ehe unzufrieden, waren geschieden oder bereits wieder verheiratet. Nur ich hatte keine Freundin – natürlich. Das war auch »einfach so«. Ebenso natürlich, wie daß die meisten meiner Freunde bereits verheiratet waren, war es, daß ich noch nie Beziehungen zu einer Frau gehabt hatte. Ich hatte nie besondere Gefühle einer Frau gegenüber empfunden, von Liebe ganz zu schweigen, und zu sexuellen Begegnungen war es erst recht nicht gekommen – natürlich.

Während meiner Studienzeit hatte ich mir, als es mit meinen Beziehungen zu Frauen nie hatte klappen wollen, oft eingeredet, daß ich eben homosexuell sei, oder hatte vielmehr Angst davor gehabt, daß ich homosexuell sein könnte. Ich hatte nicht daran gedacht, daß ich, selbst wenn dem so gewesen wäre, mit einem Mann ebenso wenig eine Liebesbeziehung hätte haben können wie mit einer Frau. Die angenommene oder gefürchtete Homosexualität wäre ebenso wenig die Erklärung meiner unglücklichen Situation gewesen wie seinerzeit der »falsche« Tanzkurs oder das angebliche schlechte Wetter oder die Gelbsucht.

Ich klagte auch nie. Es ging mir immer »gut«. Es ging mir sogar so ununterbrochen »gut«, daß mir viele Leute verwundert gestanden, daß es für sie ein Rätsel darstelle, wie es mir so pausenlos gut gehen könne. Das Ganze mußte wohl darauf beruhen, daß ich das hatte, was man eine glückliche Natur nennt. Ich möchte heute eher sagen, daß ich nicht eine glückliche, sondern eine klaglose Natur hatte. Ich klagte nie und über nichts. Nur bei mir zuhause, wo ich es ja so schön hatte, brach es immer wieder aus mir hervor und sprach:

Ai, Deus, se sabe ora meu amigo,
Como eu senheira estou em Vigo?

Und mit der Farbe, die mir ja seit längerer Zeit so über alle Maßen gefiel, brach es aus mir heraus und kündigte Trauer an. Ich wußte, daß ich vor Einsamkeit und vor Mangel an Liebe beinahe zugrunde ging, ich wußte, daß die Frustration und die Depression mein Leben so ausfüllten, daß fast gar nichts anderes mehr darin Platz finden konnte als die allgegenwärtige depressive Qual; ich wußte es, aber ich glaubte es nicht; oder ich wollte es nicht glauben (was vielleicht dasselbe ist). Ich wollte nicht glauben, daß mein seelisches Leben einer grauenhaften Verwüstung anheimgefallen war, daß ich ein seelisch schwer kranker Mensch war, der fast keiner normalen menschlichen Regung mehr fähig war, sondern sich nur noch in der Hülle der eigenen Ausweglosigkeit selbst aufrieb, ich wollte nicht glauben, daß ich nicht einen »kleinen Knacks« hatte wie wohl jedermann, sondern einen großen: daß ich seelisch sehr schwer geschädigt war, und daß jedes weitere Mal, wo ich mir einzureden versuchte, daß es ja »nicht so schlimm« sei, für mich Gift bedeutete. Vielleicht war mein Verhalten insofern als allgemein menschlich anzusehen, als sich wohl niemand mit dem Gedanken anfreunden mag, daß er unmittelbar vor dem Abgrund steht. Niemand hört es gern, wenn man zu ihm sagt: Die Lage ist katastrophal. Die Weisheit, daß nur derjenige zu glauben fähig ist, daß man auch das Schlimmste überleben könne, der es selbst tatsächlich schon überlebt hat, war mir damals noch fremd.

Ich glaube, es gibt ein schönes Wort für meinen damaligen Zustand: Resignation. Ich hatte mich daran, daß es mir immer schlecht ging, schon so gewöhnt und mich so damit abgefunden, daß ich es manchmal schon gar nicht mehr merkte. Man muß ja annehmen, daß ein Verrückter auch nicht mehr realisiert, daß er verrückt ist. Wer meint, er sei Napoleon, hält sich nicht für einen Verrückten mit Napoleonkomplex, sondern für den Napoleon. So begann auch ich die Kontrolle darüber zu verlieren, daß ich traurig war. Ich konnte zwar nachts nicht schlafen, starrte bei Sonnenuntergang auf meine Bilder und sprach traurige Verse dazu, schrieb oft stundenlang das Wort *tristeza* oder *soledad* kreuz und quer auf kariertes Papier, so daß ich ganze Bögen damit füllte, und ging immer schwarz gekleidet – aber daß ich traurig gewesen wäre, hätte ich nicht gesagt. Ich war einsam und sehnte mich nach Wärme und Liebe und litt unter ständigen sexuellen Minderwertigkeitskomplexen – aber daß ich unglücklich und verzweifelt gewesen wäre, davon hätte ich nie gesprochen. Die Oberfläche blieb immer gleich ruhig und unbewegt, wurde aber immer leerer und schaler dabei. Die ganze Lebensenergie aber, die sich nunmehr in Leid und Qual äußerte, tobte sich untergründig aus, wurde von mir im Bewußtsein abgespalten und konnte gar nicht mehr wirklich erlebt werden.

Eine merkwürdige Illustrierung dieser Zustände ergab sich für mich in Form einer Serie von Visionen, die ich jahrelang hatte und deren erste sich kurz nach dem Tod meines Vaters einstellte. Es handelte sich dabei nicht um einzelne Bilder, sondern immer um ganze Geschichten, die sich unaufhörlich entwickelten, oft in der Form von Familiengeschichten oder dynastischen Folgen von Königsdramen, bei denen nach dem Ableben der ersten Generation die folgenden Generationen die alten Geschichten fortführten und häufig auch wiederholten und variierten. Es geht im Rahmen dieses Berichts nun nicht darum, all die mehr oder weniger romanhaften oder psychologisch interessanten Geschichten und Hauptfiguren jener Ereignisse darzustellen und den möglichen Sinn jeder Episode oder jedes Schicksals zu deuten. Ich will in diesem Zusammenhang nur ein paar sich immer und immer wiederholende Züge der meisten Gestalten erwahnen. Die meisten waren traurig. Und zwar waren sie meist nicht *a priori* traurig, sondern sie wurden es; die Trauer ereilte sie, und sie wurden von der Trauer überwältigt. Immer wieder ergab sich der Fall, daß eine solche Figur von Melancholie heimgesucht wurde. Häufig waren es nicht einmal die besonderen widrigen Schicksale, die die betreffende Figur gerade durchzustehen hatte, die die Trauer bewirkten; die Trauer stieg vielmehr wie ein Nebel aus dem Boden auf und hüllte die Gestalt völlig ein. Es gab da eine ganze Reihe von Männer- und Frauengestalten, die am Anfang ihrer Geschichte recht munter gewesen waren und keinen besonderen Anlaß zum Klagen hatten, die dann im Verlauf ihres Lebens aber auf motivierte oder halbverschleierte oder auch ganz unbegreifliche Weise in tiefster Melancholie versanken und meist durch nichts mehr daraus aufzuscheuchen waren. Vor allem einige Frauengestalten erlangten in dieser Hinsicht eine furchtbare allegorische Größe und erschienen mir immer und immer wieder in visionärer Klarheit als Sinnbilder der versteinerten Melancholie, als allegorische Figuren der undurchdringlichsten Trauer. Gerade diese Frauengestalten wurden in ihrem imaginären Leben meist sehr alt, konnten fast nicht sterben und mußten als Abbilder der Trauer und des Unglücks immer weiterleben.

Man darf nun nicht annehmen, daß ich diese Visionen selbst und bewußt produziert hätte. Sie entstanden von selbst, und vor allem die einzelnen Figuren waren immer einfach da, ohne daß ich daran etwas hätte ändern können. Wenn die Gestalten in dramatische Konflikte verwickelt wurden, konnte ich manchmal den Gang der Ereignisse aus freiem Willen ein bißchen mitbestimmen helfen und sogar über Leben und Tod von Nebenfiguren entscheiden und sie überleben oder sterben lassen. In den meisten Fällen aber ereigneten sich diese Geschehnisse von selbst und ohne mein bewußtes Zutun: Eines schönen Tages starb mir eine Gestalt – und dann war sie für immer tot. Der Fall trat nie ein, daß ich (wie viele Romanschriftsteller es tun), nachdem eine Figur gestorben war, sie wieder lebendig werden ließ, weil mich ihr Tod gereut hätte. Meist starben sie eben nicht, weil ich es wollte oder anordnete, sondern sie starben ohne mein Dazutun und waren dann wirklich tot. Eher konnte es sich ergeben, daß ich einen solchen Toten dann beklagte, als daß ich ihn wieder lebendig hätte machen können. Ebenso konnte ich sie meist auch nicht töten, sondern sie lebten einfach weiter, ob es mir gefiel oder nicht. Geschah es aber einmal, daß ich eine solche Figur brutal aus der Welt schaffte und sie regelrecht umbrachte, so nützte mir das nie etwas, weil im selben Augenblick eine neue Figur auferstand, die das Erbe der toten dann weiterverwaltete und mich mit genau derselben Intensität bedrängte wie die eben verstorbene.

Vor allem die Figur der in Leid erstarrten Frau zog sich durch alle Geschichten. Diese Gestalt, die bezeichnenderweise immer ein sehr hohes Alter erreichte, pflegte alle ihre Zeitgenossen zu überdauern und als letzte ihrer Epoche zu sterben. Wenn aber eine neue Epoche und eine neue Generation erstand, so kehrte auch die Gestalt der Großen Trauernden wieder. Manchmal wußte ich zu Anfang eines neuen Abschnittes noch nicht, daß die alte Gestalt der Großen Trauernden auch wieder dabei war, oder ich hätte doch nicht zu sagen gewußt, welche von den Frauen der neuen Generation die Große Trauernde sein würde. Aber in jedem Fall stellte sich nach einer gewissen Zeit bei einer der vorher nicht differenzierten visionären Frauengestalten heraus: *die* ist es. Diese Gestalt erwarb dann allmählich dieselbe Aura von Melancholie wie ihre Vorgängerin, selbst wenn sie im Charakter von jener ganz verschieden war. Es war sogar die Regel, daß alle diese Frauen ganz verschieden waren; nur eines hatten sie immer gemeinsam oder ähnelten sich darin: zum Schluß wurden sie immer zu Bildern des verkörperten Leides, gleichsam zu Trauergöttinnen.

Während es mir also im öffentlichen Leben »gut« ging und ich das auch vor jedermann und vor mir selbst bestätigte, entstand in mir ununterbrochen und stets aufs neue das Bild der leibhaftigen Trauer in der Gestalt der immer wieder anderen und doch immer gleichen unglücklichen und traurigen Frau. Ich glaube heute, diese allegorische Gestalt war das Bild meiner eigenen Seele, die sich mir von selbst in dieser sichtbaren Form darstellte, um mir vor Augen zu führen, wie es eigentlich um mich stand, oder um mich zu fragen, ob ich es denn immer noch nicht bemerkt habe, daß sie sich in höchster Not und ich mich in höchster Gefahr befand. Es fällt mir heute schwer zu sagen, wie lange diese Visionen dauerten, da sich diese inneren Ereignisse nicht mit äußeren in Verbindung bringen lassen und ich nicht sagen kann, ob ich zur Zeit, als sich ein gewisses Ereignis zutrug, gerade jene Phase der Visionenserie erlebt habe. Ich glaube aber, daß der ganze Zustand zwischen zwei und drei Jahre dauerte, bis schließlich das letzte Fragment jener Welt definitiv untergegangen war. Definitiv meine ich, weil, obwohl gegen Ende jener Zeit eine Menge Weltuntergänge das kleine Universum bedrohten, es doch immer wieder von selbst auferstand und nicht untergehen konnte noch wollte. Wie es mir meist unmöglich war, die wichtigsten Gestalten sterben zu lassen, ohne daß nicht sogleich eine Parallelfigur auferstanden wäre, so ließ sich auch die ganze visionäre Welt nicht zugrunde richten und brachte sich aus sich selbst unaufhaltsam neu hervor, so daß ich mir ihren endgültigen Untergang nicht anders erklären kann, als daß diese Welt zuletzt von sich aus untergehen wollte und das auch, wieder ohne mein persönliches Dazutun, tat und verschwand, so daß von da an die Visionen ausblieben.

Ich habe diese Geschichten nie aufgeschrieben; sie waren eigentlich auch gar nicht zum Aufschreiben bestimmt. Vermutlich käme, wenn ich die Schicksale der einzelnen Figuren in romanhafter Form zu Papier brächte, die langweiligste Sache von der Welt heraus, bei der von der Faszination, mit der mich die einzelnen Visionen erfüllten, in der literarischen Form wohl nichts mehr zu spüren wäre. Als Maler oder Musiker hätte ich die Gestalten vielleicht malen oder symphonisch ausdrücken können, aber als Romanfiguren kann ich sie mir kaum vorstellen. Ich habe mich damit begnügt, die wichtigsten Schicksale der Hauptpersonen stichwortartig zu skizzieren, damit ich sie nicht vergesse.

Diese ganze Welt verschwand also wieder. Wenn die Gestalt der trauernden Frau wirklich meine Seele gewesen war, die um Hilfe gerufen hatte, so war ihr Hilferuf auf jeden Fall ungehört geblieben und verstummt. Die Seele, um bei diesem Bild zu bleiben, war wieder an den Ort des Schreckens zurückgekehrt, wohin ich alle meine Nöte und Kümmernisse zu verdrängen pflegte, und ich brachte es fertig, eine Zeitlang die Illusion meiner Heiterkeit und meines Gutgehens aufrechtzuerhalten, bevor ich endgültig in die Grube fuhr.

VIII

Plötzlich aber war es aus mit dem Gutgehen. Zwei merkwürdige Ereignisse leiteten meinen Untergang ein. Zunächst trug sich der plötzliche Tod eines Nachbarn zu, der, eines Morgens, nachdem er sich am Tag zuvor noch wohl gefühlt und ich mich mit ihm noch unterhalten hatte, in seinem Sessel tot aufgefunden wurde. Sogleich wurde mir klar: Jetzt ist der Tod im Haus. Das Haus war gänzlich umgebaut und restauriert worden, bevor ich und meine Mitmieter es vor ein paar Jahren bezogen hatten. In seiner neuen Form und Gestalt hatte das Haus den Tod noch nie erlebt gehabt; früher (das Haus ist viele hundert Jahre alt) hatte alles viel zu anders ausgesehen, als daß man von denselben Räumen hätte sprechen können. Aber jetzt war der Tod da, und mir war, als ob der Tod, der in den Jahren nach der Restaurierung noch nicht vom Haus hatte Besitz ergreifen können, das nachgeholt und das Haus jetzt, wie alle anderen Häuser auch, in seiner Gewalt hatte. Am nächsten Tag sah ich einen Kriminalfilm. Der Held war zugleich der Mörder, der seine junge Frau sehr zu lieben vorgibt, sie aber nur wegen ihres Geldes geheiratet hat und bald nach der Hochzeit ermordet. Da er sich über ihren Verlust so untröstlich gibt, kommt niemand auf den Verdacht, daß er selbst der Mörder sein könnte. Nach dem Mord will er seine Mordhelferin heiraten, wird dann aber gewahr, daß er die erste Frau trotz allem ein wenig lieb gehabt hat. Im darauffolgenden Streit mit der anderen Frau bringt er auch sie – aus Wut über sie und sich selbst – um und wird dann des Mordes überführt. Nach dem Film wurde mir klar, daß der Mörder, obwohl er zwei Morde auf dem Gewissen hatte, vorderhand im Irrenhaus gelandet war und vielleicht auch noch hingerichtet werden würde, ein viel besserer und viel glücklicherer Mann gewesen war als ich, und zwar aus dem Grunde, weil er die erste Frau doch ein bißchen lieb gehabt hatte. Ich aber hatte noch nie jemanden lieb gehabt. Es war mir sofort klar, daß das Verbrechen der beiden Morde nichts zählte gegen die Tatsache, daß er die erste Frau ein bißchen lieb gehabt hatte (obwohl er sie nachher plangemäß ermordete); und daß es auch in meinem Fall vollkommen gleichgültig war, daß ich nun zufällig kein Mörder war, sondern daß nur mein Verbrechen zählte, daß ich noch nie jemanden lieb gehabt hatte: der Mörder aus dem Film war freigesprochen, ich war verurteilt.

Ich merkte, daß mein Leben schlimmer war als das des Mörders, und ich wußte, daß nun der Tod im Haus war. Von nun an ging es sehr schnell bergab.

Auf einmal ging es mir nun nicht mehr »gut«. Die Depression war nun nicht mehr unterirdisch und verdrängt, sondern trat offen zutage und deckte alles zu, wovon ich mir bis jetzt hatte sagen können, daß es mir noch Freude machte. Ich merkte, daß mir überhaupt nichts mehr Freude machte und wie vieles mich bedrückte, wovon ich mir bis dahin nur nicht hatte eingestehen wollen, daß und wie sehr es mich schon immer bedrückt hatte. Auf einmal war mein Bild eines heiteren und zufriedenen Menschen in Frage gestellt; eigentlich schon nicht mehr in Frage gestellt, sondern schon gestürzt und vor mir in Trümmer gesunken. Innerhalb sehr kurzer Zeit merkte ich, daß plötzlich wieder alles genau so war »wie früher«. »Wie früher« bedeutete aber auf einmal mehr als nur etwas Chronologisches, es bedeutete vielmehr »wie seit eh und je«. Es wurde mir bewußt, daß es mir gar nicht »früher« schlecht gegangen war und sich dieser Zustand dann im Lauf der Jahre unaufhaltsam gebessert hatte, so daß es mir mit der Zeit sogar »gut« ging, sondern ich merkte, daß es mir eben immer schlecht gegangen war, daß ich diese Tatsache aber lange Zeit nicht hatte wahrhaben wollen.

Es geschah mir nun immer häufiger, daß ich bei mir zuhause, ohne es zu wollen, auf einmal auf meinem Bett saß und die Verse sprach:

> Ai, Deus, se sabe ora meu amigo,
> Como eu senheira estou em Vigo?

Ebenso häufig konnte es vorkommen, daß ich mich an meinem Schreibtisch vorfand und immer wieder ohne Unterlaß die Worte *tristeza* und *soledad* kreuz und quer auf kariertes Papier schrieb. Es passierte mir nun auch, daß ich oft »nicht mehr konnte«, wie man so treffend sagt: Der Weg war mir zu weit, die Treppe war mir zu hoch, der Einkaufskorb war mir zu schwer, und alle Dinge bargen in sich die Möglichkeit, sich für mich als Strapaze zu erweisen. Ich war müde. Es gibt eine Theorie, die besagt, daß der Körper nie müde sei und auch gar nie müde werden könne, sondern daß nur der Geist ermüde und nur die Müdigkeit des Geistes die sogenannte körperliche Müdigkeit bewirke. Damit mag es sich ebenso verhalten wie mit der Vermutung, daß nur derjenige darüber klagt, daß ihn das Regenwetter deprimiere, der ohnehin schon deprimiert ist. Vermutlich war mir ein Weg zu weit, weil ich gar nicht an das betreffende Ziel gelangen wollte, und ein Unternehmen zu mühsam, weil ich es eigentlich gar nicht ausführen wollte. Der Grund aber, weshalb ich gar nichts mehr ausführen wollte, war wohl der, daß mir gar nichts mehr Freude machte.

Etwa gleichzeitig mit dieser Entwicklung begann sich bei mir am Hals ein Tumor auszubilden, der mich eigentlich nicht belästigte, weil er nicht schmerzte und ich darin auch nichts Bösartiges vermutete. Ich dachte nie daran, daß es Krebs sein könnte, und ließ den Tumor, als er gar nicht mehr verschwinden wollte und immer größer wurde, von den Ärzten untersuchen, ohne mir vorzustellen, daß sie etwas sehr Schwerwiegendes dabei herausfinden würden. Wie es wirklich um mich stand, davon hatte ich noch keine Ahnung. Einerseits war ich medizinisch sehr ungebildet, und andererseits wollte ich, nach alter Gewohnheit, nicht sehen, daß es wirklich schlecht um mich stehen könnte. Obwohl ich noch nicht wußte, daß ich Krebs hatte, stellte ich intuitiv bereits die richtige Diagnose, denn ich betrachtete den Tumor als »verschluckte Tränen«. Das bedeutete etwa soviel, wie wenn alle Tränen, die ich in meinem Leben nicht geweint hatte und nicht hatte weinen wollen, sich in meinem Hals angesammelt und diesen Tumor gebildet hätten, weil ihre wahre Bestimmung, nämlich geweint zu werden, sich nicht hatte erfüllen können. Rein medizinisch gesehen trifft diese poetisch klingende Diagnose natürlich nicht zu; aber auf den ganzen Menschen bezogen sagt sie die Wahrheit aus: Das ganze angestaute Leid, das ich jahrelang in mich hineingefressen hatte, ließ sich auf einmal nicht mehr in meinem Inneren komprimieren; es explodierte aufgrund seines Überdruckes und zerstörte bei dieser Explosion den Körper.

Diese Erklärung des Krebses scheint schon deshalb einleuchtend zu sein, weil es sonst eigentlich keine andere gibt. Die Ärzte wissen zwar eine Menge über den Krebs, aber was er wirklich ist, wissen sie nicht. Ich glaube, daß der Krebs eine seelische Krankheit ist, die darin besteht, daß ein Mensch, der alles Leid in sich hineinfrißt, nach einer gewissen Zeit von diesem in ihm steckenden Leid selbst aufgefressen wird. Und weil ein solcher Mensch sich selbst zerstört, nützen auch die medizinischen Behandlungsmethoden in den meisten Fällen überhaupt nichts. So wie einen der Weg über alle Maßen ermüdet, den man eigentlich gar nicht gehen will, und wie einem der Einkaufskorb unverhältnismäßig schwer vorkommt, den man eigentlich gar nicht tragen will, so zerstört der Körper von selbst das menschliche Leben, wenn man dieses Leben gar nicht mehr leben will.

Als der Winter vorbei war, ohne daß die Ärzte herausgefunden hätten, woraus mein Tumor bestand, wurde beschlossen, den Tumor zu operieren, herauszunehmen und auf seine Natur hin zu untersuchen. Ich dachte auch vor der bevorstehenden Operation an nichts Gefährliches, stand aber fest unter dem Eindruck, daß die Operation etwas für mich Notwendiges sei, und knüpfte unbestimmte Hoffnungen daran. Es waren meine erste Operation und meine erste Narkose, und ich erblickte darin ein Symbol für Tod und Wiedergeburt. Ich hoffte auf unbestimmte Weise, daß ich in der Narkose einen symbolischen Tod erleiden und nachher daraus wieder zu einem vielleicht glücklicheren Leben auferstehen würde.

Wenn ich auch nicht so leichten Kaufes davonkommen und jene einfache Operation mir auch weder Tod noch Wiedergeburt verschaffen konnte, so war meine Hoffnung doch insofern richtig, als ich spürte, daß ich einen solchen Tod und eine solche Wiedergeburt sehr nötig hatte. Ich ahnte, daß ich reif fürs Sterben war und daß meine beste Hoffnung nur die sein konnte, nach meinem symbolischen Tod vielleicht den Weg zu einem neuen und besseren Leben zu finden.

Die Operation verlief sehr mühe- und schmerzlos. Nach den nötigen weiteren Untersuchungen und den gewohnheitsmäßigen ersten Versuchen der Ärzte, meine Krankheit zu vertuschen, fand ich dann bald im Selbststudium heraus, daß ich Krebs hatte.

Nachdem das Wort »Krebs« in meinen bisherigen Überlegungen noch nie vorgekommen war, bedeutete der Name dieser Krankheit und die Tatsache, daß ich sie selber hatte, einen kleinen Schock für mich. Ich sage absichtlich: einen kleinen, denn einen großen dürfte ich es der Wahrheit nach nicht nennen. Ich war nicht bestürzt oder erschreckt oder überrascht oder, wie man in solchen Fällen wohl am liebsten sagt, »wie vom Donner gerührt«, sondern meine ersten Worte angesichts der neuen Tatsache waren: Natürlich. Es leuchtete mir sogleich ein, daß ich Krebs hatte, ich fand es sogleich logisch und richtig; ich sah ein, daß es so hatte kommen müssen, und daß ich es auch erwartet hatte. Ich hatte zwar nicht ausdrücklich den Krebs erwartet. Aber als der Krebs definitiv ausgebrochen war, leuchtete mir ein, daß er sehr genau der Form und dem Wesen dessen entsprach, was ich erwartet hatte. Ich wußte, daß ich nicht erst in diesem Winter zufällig an Krebs erkrankt war, sondern daß ich schon seit sehr vielen Jahren krank gewesen war, und daß der Krebs nur das allerletzte Glied einer langen Kette bildete, oder wenn man will: die Spitze eines Eisbergs.

Das Furchtbare, das mich mein ganzes Leben lang gequält hatte, ohne einen Namen zu haben, hatte nun endlich einen bekommen; und niemand wird bestreiten, daß das schreckliche Bekannte immer besser ist als das schreckliche Unbekannte. In alten Zaubersprüchen wird der Teufel oft dadurch gebannt, daß man ihm seinen Namen sagt:

Wola, wiht, thaz thu weist, thaz thu wiht heizist.

Auch das bekannte Rumpelstilzchen wird sogleich überwunden,

als ihm die Königin sagen kann, daß es Rumpelstilzchen heißt. Beim Krebs verhält es sich ganz ähnlich, niemand getraut sich, das Wort »Krebs« auszusprechen; kein Wunder, daß man den Krebs bis jetzt noch nicht hat überwinden können. Ich habe noch keinen Arzt getroffen, der das Wort »Krebs« ausgesprochen hätte. Und weil die Ärzte den Teufel nicht beim Namen zu nennen wagen, vermögen sie ihn natürlich auch nicht auszutreiben. Die Patienten werden zwar ununterbrochen operiert und bestrahlt und mit Medikamenten abgespeist, aber der wichtigste Teil der Therapie unterbleibt. Es ist bekannt, daß der allerletzte Hustensirup und die allerdümmste Tablette nur dann etwas nützen, wenn der Patient auch daran glaubt; wenn der Patient daran glaubt, kann man ihm sogar Schreibkreide als Tablette verabreichen, und er wird gesund. Bei allen Krebsbehandlungen pflegt sich die medizinische Welt aber in Schweigen zu hüllen, so daß der Patient den Glauben an die Wirksamkeit der Behandlung verliert und folglich auch nicht geheilt werden kann. Aber nicht nur die Ärzte sprechen nicht vom Krebs, sondern überhaupt niemand. Das Wort ist tabu. (Meine armen Eltern hätten es wohl so ausgedrückt, daß Krebs etwas »Schwieriges« sei.) Auf diese Weise wird der Krebskranke dazu verurteilt, vollständig zu verzweifeln und an seiner Verzweiflung zu sterben.

Deshalb glaube ich auch, daß der Krebs primär eine seelische Krankheit ist und die verschiedenen Krebsgeschwüre nur als sekundäre körperliche Nebenerscheinungen des Leidens zu betrachten sind, denn der Krebs hat ja tatsächlich alle Charakteristika einer Gemütskrankheit. Darüber, daß man erkältet ist oder Grippe hat, darf man sprechen, darüber aber, daß man deprimiert ist, darf man nicht sprechen. (Ich glaube, daß Leute auch deshalb erkältet sind, damit sie sich endlich einmal beklagen dürfen, ohne die Regeln des guten Tones zu verletzen.)

Ich glaube, ich habe mich auch hier wieder sehr sittenkonform und krebskonform betragen. Ich bin mein ganzes Leben lang unglücklich gewesen, und ich habe mein ganzes Leben lang nie ein Wort darüber gesprochen, aus dem wohlerzogenen Empfinden heraus, daß sich so etwas »nicht schicke«. In der Welt, in der ich lebte, wußte ich, daß ich traditionellerweise um keinen Preis stören oder auffallen durfte. Ich wußte, daß ich korrekt und konform sein mußte, und vor allem – normal. So wie ich die Normalität aber verstand, bestand sie daraus, daß man nicht die Wahrheit sagen, sondern höflich sein soll. Ich war mein ganzes Leben lang lieb und brav, und deshalb habe ich auch Krebs bekommen. Das ist auch ganz richtig so. Ich finde, jedermann, der sein ganzes Leben lang lieb und brav gewesen ist, verdient nichts anderes, als daß er Krebs bekommt. Es ist nur die gerechte Strafe dafür.

Ich hätte auch jetzt noch die Möglichkeit gehabt, lieb und brav zu sein und, ohne Aufsehen zu erregen, still zugrunde zu gehen. Dieses Schicksal blieb mir aber insofern erspart, als ich in meiner Krankheit, dem berühmten und doch nie mit Namen genannten – eben teuflischen – Krebs, an dem man normalerweise nach nicht allzu langer Zeit stirbt, nun doch eine Form von Tod und Auferstehung erblickte, wobei freilich der Tod nun nicht mehr nur symbolisch, sondern ganz konkret zu verstehen war. Die Bedrohung durch den Tod ließ mich auf den Gedanken kommen, daß ich vielleicht, falls ich dem Tod am Ende doch noch entrinnen sollte, nun endlich eine Chance für eine wirkliche Auferstehung hätte, nämlich die Auferstehung zu einem neuen Leben, das vielleicht nicht mehr so qualvoll wäre wie das vergangene. Ich schrieb oben, die Konfrontation mit dem Krebs sei nur ein kleiner Schock für mich gewesen, da ich mein Leben lang nichts anderes gekannt hatte als den seelischen Krebs; aber offenbar war der Schock doch groß genug gewesen, mich aus meiner Resignation herauszureißen und mir wenigstens wieder zu Bewußtsein zu bringen, daß mein Leben unerträglich war. Wenn es überhaupt möglich ist, den Krebs als eine Idee zu bezeichnen, so möchte ich bekennen, daß es die beste Idee, die ich je hatte, gewesen ist, Krebs zu bekommen; ich glaube, daß es das einzige noch mögliche Mittel gewesen ist, mich vom Unglück meiner Resignation zu befreien. Es versteht sich von selbst, daß ich hier nicht behaupten will, daß der Krebs an und für sich etwas Schönes sei. Er ist sicher auch ein Unglück und bringt viele Leiden mit sich. Aber für meinen eigenen Fall muß ich feststellen, daß dieses Unglück doch weniger schwer wiegt als das Unglück, das die ersten dreißig Jahre meines Lebens für mich gebracht haben. Vermutlich ist niemand sehr glücklich, der Krebs hat, und ich bin es auch nicht; aber ich bin ein bißchen weniger unglücklich als zur Zeit, wo ich offiziell noch keinen Krebs hatte – außer dem seelischen Krebs, den ich aus meiner Familientradition übernommen habe.

So schnell sollte es mit dem Weniger-unglücklich-Sein nun aber noch nicht gehen, denn bevor ich den konkreten Tod erleiden sollte, mußte ich zunächst noch den symbolischen erleiden. Als ich nämlich mit meinen Überlegungen so weit gediehen war, meine akute Erkrankung als den ersten Schritt eines möglichen Prozesses von Tod und Wiedergeburt zu verstehen, suchte ich den Psychotherapeuten auf, den ich schon von früher her kannte, um mit ihm die Wahrscheinlichkeit oder Unwahrscheinlichkeit dieser Idee zu diskutieren. Obwohl ich bei diesen ersten Besprechungen nicht eigentlich an eine richtige Psychotherapie gedacht hatte, entwickelte sich etwas Derartiges nach einigen Konsultationen und setzte nun die Idee von Tod und Wiedergeburt in Tat um.

Jetzt sollte natürlich der interessanteste Teil dieses Berichtes folgen, nämlich die Beschreibung meiner Psychotherapie. Aber gerade diesen Teil will ich nun nicht beschreiben. Nicht nur deshalb, weil diese Psychotherapie noch nicht abgeschlossen – und vielleicht auch nicht gelungen – ist; ich kann mit der Aufzeichnung meiner Erinnerungen aber auch nicht mehr warten, bis meine Therapie wirklich einmal abgeschlossen sein sollte, denn vorderhand kann ich ja noch nicht wissen, ob die Therapie abgeschlossen werden wird, bevor ich an Krebs sterbe. Da ich diesen Bericht aber auf jeden Fall schreiben will, muß ich es tun, solange ich noch lebe; da ich einstweilen noch am Leben bin, will ich diesen Bericht *jetzt* schreiben, obwohl die Psychotherapie noch nicht zu Ende ist und ich noch nicht als »geheilt« entlassen worden bin. Der viel wichtigere Hinderungsgrund aber ist der, daß es mir viel zu schwierig vorkommt, diese Therapie überhaupt mit Worten darzustellen. Ich kann zwar meine Erinnerungen an frühere Zeiten, so gut ich sie mir eben zu vergegenwärtigen vermag, beschreiben und dazu sagen: so und so war es, und dies und das denke ich mir heute dabei. Ich kann auch meine jetzigen Überlegungen oder Meinungen zu Papier bringen, wie sie sich mir heute darstellen; aber es scheint mir unmöglich, seelische Umformungsprozesse zu beschreiben – vor allem, nachdem es meine eigenen sind, zu denen ich gar keinen Abstand haben kann – und dazu zu sagen: jetzt vollziehe ich die und die Wandlung, und jetzt bin ich in der und der

Phase. Es ist leicht möglich und scheint mir sogar wahrscheinlich, daß ich im bisherigen Verlauf dieser Psychotherapie alle möglichen Wandlungen vollzogen habe und in die verschiedensten Phasen geraten bin (sicher bin ich jetzt auch gerade in irgend einer Phase; vermutlich ist man immer in irgend einer Phase, und vielleicht läßt es sich gar nicht auskommen ohne alle diese Phasen), aber es ist mir nicht möglich zu behaupten, gestern hätte ich die Müllersche Phase durchlebt und heute durchlebte ich die Meiersche (wenn ich nicht in den Fehler jener Portugiesisch-Studentin verfallen will, die sagte, in Brasilien habe die Romantik an einem 17. Juli angefangen).

Ich will hier nun also die eigentliche Beschreibung meiner Psychotherapie unterlassen. Zunächst bot sie mir allerdings nur Unerfreuliches, denn alle Erinnerungen, die ich hier scheinbar leichthin aufgeschrieben habe, mußten erst im Verlauf der Therapie wieder lebendig gemacht werden. Vor allem aber wurde die Einsicht lebendig, wie es eigentlich um diese Erinnerungen bestellt war: es verhielt sich nämlich durchaus nicht so, daß ich, wie jedermann, in meiner Jugendzeit auch »Probleme« und manchmal »Schulschwierigkeiten« gehabt, am Anfang der Studienzeit unter »Akklimatisationsproblemen« oder »Kontaktschwierigkeiten« gelitten hätte und andere nicht aus dem Rahmen fallende Dinge mehr. Ich hatte nicht »Kontaktschwierigkeiten« gehabt, sondern ich hatte mein ganzes bisheriges Leben in einer vollkommenen Beziehungslosigkeit zugebracht. Ich hatte an der Universität nicht »Anfangsschwierigkeiten« gehabt, die sich dann gemildert hatten, als ich viele andere Studenten kennenlernte, sondern ich hatte dieselben Schwierigkeiten wie am ersten Tag durch mein ganzes Studium bis hin zum letzten Tag weitergetragen. Ich war nicht »auch manchmal einsam« gewesen, sondern ich hatte, so weit ich mich nur erinnern konnte, immer und ununterbrochen unter Einsamkeit gelitten. Ich hatte nicht »Schwierigkeiten mit Frauen« oder gar »sexuelle Probleme« gehabt; ich hatte überhaupt nichts mit Frauen gehabt, und mein ganzes Leben war ein einziges ungelöstes sexuelles Problem. Ich war nicht »unglücklich verliebt« gewesen, es hatte nicht »nicht geklappt« und die Frau dann »einen anderen genommen«, sondern ich war überhaupt nie verliebt gewesen und hatte gar keine Ahnung davon, was Liebe war; es war ein Gefühl, das ich nicht kannte, wie ich auch fast alle anderen Gefühle nicht kannte. Mein Problem war alles andere als »Schwierigkeiten mit Frauen«, sondern es war die vollkommene seelische Impotenz. Ich war nicht »früher oft unglücklich« oder »manchmal unglücklich« gewesen, sondern es verhielt sich so, daß ich seit mindestens fünfzehn Jahren, vielleicht auch noch länger, ohne Unterbrechung unter Depression gelitten hatte. Es stellte sich heraus, daß meine sogenannte »glückliche Jugend« eine Erfindung meinerseits gewesen war, an die ich zum Teil sogar geglaubt hatte. Es erwies sich, daß auch mein letzter Trumpf eine Niete gewesen war: ich war nicht »normal«, wie ich es mir ja immer eingeredet hatte, wenn mir die Summe der Unstimmigkeiten meines Lebens über den Kopf zu wachsen drohten. Meine Leiden waren nicht die normalen Steine im Lebensweg jedes jungen Menschen gewesen, sondern eben – anormale, was »anormal« nun auch immer heissen mochte.

Mit anderen Worten: Es stellte sich heraus, daß es mir nicht nur miserabel ging, sondern daß es mir schon immer miserabel gegangen war, und daß ich alle Voraussetzungen dafür erfüllte, daß es mir auch in Zukunft miserabel gehen würde. Ich sah mich also vor die Tatsache gestellt, daß ich nicht »normal« war, wenngleich sich beim Begriff »normal« sofort die Frage stellte, was »normal« denn überhaupt sei, und vor allem, was denn »anormal« sei. Es bedeutete zunächst einmal, daß mein Leben schon sehr früh, vermutlich schon von früher Kindheit an, eine Bahn eingeschlagen hatte, die eben nicht die normale war. Das Resultat dieser Verirrung oder Verkrümmung war dann, daß ich die Entwicklungen, die ein Kind oder ein junger Mensch macht oder machen sollte, überhaupt nicht oder nur sehr unvollständig gemacht hatte und in mancher Hinsicht verkümmert war. Diese Verkümmerungen oder Verkrüppelungen waren dann eben meine Anormalität.

Es ließ sich nun aber auch nicht behaupten, daß ich »verrückt« sei in dem Sinne, wie man sich unter einem Verrückten einen Irren vorstellt, der in Wahnvorstellungen lebt oder unsinnige Handlungen begeht. Meine Intelligenz war offenbar nicht auf diese Weise verkrüppelt worden: ich bin nicht besonders gescheit, aber ich bin auch nicht besonders dumm; meine Intelligenz ist also »normal«. Daß ich an der Universität studiert habe, sagt natürlich gar nichts über meine Intelligenz aus. Denn um eine Maturitätsprüfung zu bestehen, braucht man nicht sonderlich gescheit zu sein; meist genügt dafür ein reicher Vater. Für das Studium an der Philosophischen Fakultät I braucht man aber erst recht keine Intelligenz; im Gegenteil schadet sie eher. Es studieren eigentlich nur Leute Phil. I, die nicht wissen, was sie sonst Gescheites tun sollen (was sicher kein Intelligenzbeweis ist).

Auch die praktische Fähigkeit, sich im Leben zu bewegen, mangelte mir eigentlich nicht. Immerhin hatte ich jahrelang an einer öffentlichen Mittelschule unterrichtet, ohne daß die Tatsache, daß sich unter den Lehrern ein »Anormaler« befand, untragbar geworden wäre. Es soll dahingestellt bleiben, wieweit diese Lehrtätigkeit als befriedigend oder unbefriedigend bewertet werden soll; sicher aber fällt sie nicht aus dem Bereich des Normalen heraus.

Eine Geisteskrankheit im Sinne von Wahnvorstellungen hatte ich offenbar auch nicht; ich war nicht schizophren und konnte alle realen Dinge und irrealen Dinge deutlich auseinanderhalten. Bei den Visionen, die ich vor ein paar Jahren gehabt hatte, war mir immer klar gewesen, was nur in meiner Phantasie und was auch außerhalb der Phantasie bestand. Die Krankheit lag natürlich auf einem ganz anderen Gebiet, auf dem Gebiet, das man etwa das »menschliche« nennen könnte, oder ganz einfach das Gebiet der Gefühle. Die Intelligenz war intakt und hatte keinen Schaden gelitten, aber das Gefühl war verkrüppelt und krank. Ich konnte keine Gefühle haben, vor allem keine Gefühle für andere Menschen; ich konnte niemanden lieben. Ich litt zwar sehr unter meiner Einsamkeit, aber ich besaß die Fähigkeit nicht, diese Einsamkeit zu überwinden, denn ich konnte mir nicht vornehmen und noch weniger mir befehlen, von nun an jemanden zu lieben. Ich konnte nicht den guten Vorsatz fassen: Ab morgen liebe ich Herrn Müller! Man kann sich nicht vornehmen, Herrn Müller (oder Frau Müller) zu lieben, so wenig wie man sich vornehmen kann, von nun an intelligent zu sein. Es stößt einem vielmehr zu, daß man jemanden liebt. Mir konnte das aber nicht zustoßen, denn mir fehlte die Fähigkeit, dieses Zustoßen überhaupt wahrzunehmen. Einem Idioten kann man nicht befehlen, zu verstehen, daß zwei mal zwei vier sind. Falls sein intellektueller Mangel so groß ist, daß er dieser Erkenntnis nicht fähig ist, kann es ihm nicht zustoßen, daß er auf einmal begreift, daß zwei mal zwei tatsächlich vier sind; es kann ihm nicht geschehen, daß er auf einmal sagt: Aha – jetzt habe ich es begriffen!

In meinem Fall müßte man wohl von emotionaler Idiotie sprechen. Dieser Mangel verbat es mir zu merken: Aha – *den* oder *die* habe ich gerne. Ich hatte niemanden gerne, denn ich war nicht fähig dazu. Es war mir also nicht möglich, in einen emotionalen Kontakt zur Welt zu treten. Ich konnte mich zwar als gesitteter Bürger darin bewegen, ohne das Aufsehen eines »Verrückten« zu erregen, aber ich konnte mich nur als ein ständiger Fremdkörper in der Welt bewegen, als ein Fremdkörper, der – in jeder möglichen Bedeutung des Wortes – nicht anstößt.

Laut Lexikon litt ich demnach nicht an einer Geisteskrankheit im engeren Sinne, die als Psychose definiert wird, sondern nur unter einer Neurose, die man eher als Geistes-»Störung« denn als Geisteskrankheit bezeichnet. Ich hatte also nur eine Neurose und keine Psychose, was immerhin als ein Vorteil zu bewerten war. Bei den Neurosen unterscheidet man zwischen leichten und schweren Neurosen, und meine war als schwere zu beurteilen. Das leuchtete mir auch ein, denn es gehört ja zum Wesen der Neurose, daß sie meist auch allerlei körperliche Störungen verursacht; und da meine Neurose eine so schwere körperliche Störung wie den Krebs verursacht hatte, mußte es sicher auch eine schwere Neurose sein, die eine so schwerwiegende körperliche Konsequenz nach sich gezogen hatte.

Es leuchtete mir nun verschiedenes ein. Ich war sicher nicht verrückt in dem Sinne, daß mein gesamtes Geistesleben gestört gewesen wäre, und deshalb war es mir im Verlauf meines ganzen Lebens auch immer wieder möglich gewesen, zu beweisen, in wie vielen Belangen ich eben doch normal sei. Auf vielen Gebieten hatte ich den Vergleich mit anderen Menschen ohne weiteres aushalten können: Ich war ja nicht verwirrt und war darum in dieser Hinsicht sicher viel normaler als ein Wirrkopf, mit dem ich mich etwa verglichen hatte; ich war auch nicht hysterisch und darum im Vergleich mit einem Hysteriker ganz sicher als normal zu bezeichnen. Mit anderen Worten: In meiner Sucht, mich mit anderen Menschen zu vergleichen, hatte ich mich immer auf Gebieten mit ihnen verglichen, in denen ich gut abschneiden und in denen nichts Nachteiliges für mich herausschauen konnte. Wie unsinnig dieses Verfahren gewesen war, wurde mir nun klar. Immer wieder hatte ich festgestellt, daß es dümmere oder ungeschicktere oder verwirrtere Menschen gab als mich und daraus gefolgert, daß ich in diesem Fall gar nicht anormal sein könne. Für die Abfassung meiner Dissertation zum Beispiel hatte es keine Rolle gespielt, ob mein Seelenleben zerstört war oder nicht; der Umstand, daß ich während meiner Dissertationszeit in einer psychischen Wüste Sahara lebte, hatte mit der wissenschaftlichen Brauchbarkeit meiner Dissertation nichts zu tun, und der Professor hatte nicht darüber zu entscheiden gehabt, ob sein Student nun ein gesundes oder krankes Seelenleben habe, sondern nur, ob dessen Dissertation gescheit sei oder nicht. Später, als Lehrer, hatte ich meinen Schülern ja auch nicht zu demonstrieren, daß ich psychisch ausgewogen sei, sondern ihnen den spanischen Konjunktiv beizubringen, und die Regeln des spanischen Konjunktivs konnten sie ja ebenso gut von einem neurotischen Lehrer lernen wie von einem normalen.

Ich war nun auf einmal nicht mehr der verzweifelte »Normale«, der ich dreißig Jahre lang gewesen war, und der sich ununterbrochen hatte fragen müssen: »Warum, warum nur ist immer alles so furchtbar für mich, wenn ich doch normal bin?« Die quälende und unbeantwortbare Frage war nun auf einmal verschwunden: Ich wußte nun, warum es in meinem ganzen Leben noch nie geklappt hatte und warum mein Leben immer so qualvoll war. Man kann hier freilich einwenden, das Wort »Neurose« sei auch nur ein Wort und besage an sich noch nicht viel. Aber auf diesen Einwand müßte ich entgegnen, daß es doch schon sehr viel besagt: Ich hatte die Illusion verloren, »normal« zu sein, aber ich hatte auch die Einsicht gewonnen, daß ich in vielen Gebieten tatsächlich normal sein konnte, ohne Angst haben zu müssen, dort auch anormal zu sein.

Dasselbe was ich vom Krebs gesagt habe, gilt auch für die Neurose. Auch die Neurose ist nichts Schönes und bringt große Leiden mit sich; aber auch wenn es sich nicht mehr um eine körperliche Krankheit handelt, sondern um eine seelische Krankheit, ist das Wissen darum, woran man leidet, für den Patienten viel eher ein Trost als eine zusätzliche Belastung.

Dies war also das erste Ergebnis meiner Psychotherapie: Ich war neurotisch, und zwar nicht erst seit kurzem, sondern schon seit vielen Jahren, vielleicht schon während meines ganzen Lebens. Diese Erkenntnis brachte eine sehr unerfreuliche Konsequenz mit sich: mein ganzes Leben war falsch gewesen. Schon seit frühester

Jugend waren alle meine Handlungen und Entscheidungen in erster Linie nicht vom gesunden Menschenverstand diktiert gewesen, sondern eben von meiner Geistesstörung.

Die Tatsache, mit der ich mich abzufinden hatte, war diese: Während meiner Jugend war ich also »verrückt« in dem oben beschriebenen Sinne gewesen; meine Jugend war in Hinsicht auf ein normales und vielleicht sogar glückliches Leben verloren. Ich war zwar noch kein alter Mann, aber ich war auch kein Jugendlicher mehr und mußte mich damit abfinden, daß ich in den ersten dreißig Jahren meines Lebens nicht das erlebt hatte, was man eben gemeinhin die »Jugend« nennt, sondern an einer seelischen Krankheit gelitten hatte, die es mir unmöglich gemacht hatte, jung zu sein. Zudem mußte ich mir bewußt sein, daß diese seelische Krankheit meinen Körper so geschwächt hatte, daß ich nun eben an Krebs litt und die Wahrscheinlichkeit groß war, daß ich binnen kurzem an Krebs sterben würde, so daß ich mich darauf gefaßt zu machen hatte, daß ich sterben könnte, bevor ich von meiner seelischen Krankheit geheilt sein würde. Mit anderen Worten ausgedrückt bestand die Möglichkeit, daß es für mich bereits zu spät sein und daß ich an meiner seelischen Krankheit und an deren körperlichen Folgen sterben könnte, ohne daß ich je erlebt haben würde, wie denn das Leben ist für einen Menschen, der *nicht* seelisch krank ist.

Ebenso mußte ich mich damit abfinden, daß meine bisherige Vergangenheit im weitesten Sinne verfehlt war: ich war nicht mehr das glückliche Kind, das aus einer glücklichen Familie und aus gesunden Verhältnissen und einem vernünftigen Hintergrund stammte. Auch wenn ich es als Kind und als Jugendlicher nicht gemerkt haben mochte, so waren doch meine Verhältnisse alles andere als gut und gesund gewesen. Es soll hier nicht diskutiert werden, ob ich als dasselbe Kind bei anderen Eltern glücklicher geworden oder mit einem anderen Charakter als dem meinen bei meinen Eltern besser gediehen wäre, oder ob ich als Kind einer anderen Gesellschaftsklasse glücklicher geworden wäre (wobei all diese Fragen eigentlich auch vollkommen müßig sind); es stand nur fest: als das Kind, das ich nun einmal war, mit dem Charakter, den ich hatte, bei den Eltern, die die meinen gewesen sind, und in der Gesellschaftsklasse, in der ich aufgewachsen bin, bin ich nicht glücklich geworden, sondern neurotisch und krebskrank. Es soll hier auch nicht herausgefunden werden, wer der Schuldige gewesen ist: ob mein Charakter schuld war, ob meine Eltern schuld waren oder ob die bürgerliche Gesellschaft schuld war; vielleicht war niemand schuld, und vielleicht waren alle schuld. Es ging weniger um die Frage nach der Schuld und nach dem Ursprung des ganzen Übels, sondern vielmehr um das Resultat: Hier war ein Mensch von frühester Jugend auf konsequent zerstört worden, und die Folgen dieser Zerstörung saßen nun beim Psychotherapeuten auf dem Polstersessel und harrten der Dinge, die da kommen sollten. Und dieser zerstörte Mensch war ich.

Eine Folge dieser Erkenntnis war das Gefühl einer großen Verlorenheit und Heimatlosigkeit. Ich war nun auf einmal nirgends mehr zuhause, und gerade das, irgendwo in einem schützenden Zuhause sich zu befinden wie der erwähnte Krebs in seiner Muschel, war mir doch mein Leben lang ein dringliches Bedürfnis gewesen. Ich konnte nun nirgends mehr heimkehren, weil ich kein Heim mehr hatte. Mein bisheriges Leben war nicht mehr mein Zuhause, und in meinem jetzigen Leben war ich erst recht nicht zuhause. Aus einer Fülle von zunächst widersprüchlichen Gefühlen kristallisierte sich zuletzt immer mehr die Gewißheit heraus, daß ich meine Eltern, den Ort meiner Herkunft und meine Heimat nicht eigentlich hassen konnte, sondern daß vielmehr der Eindruck einer sehr großen Entfremdung eintrat. Von meinem Vater, der tot ist, ging der Eindruck aus, als ob er schon immer tot gewesen sei und überhaupt nie gelebt hätte. Das Grab meines Vaters befindet sich in K., und wenn ich es einmal besuche, so ist mir immer, als ob ich sagen müßte: »Schau, schau! Da liegt einer begraben, der zu Lebzeiten denselben Familiennamen führte wie ich. Welch merkwürdiger Zufall!« Meine Mutter lebt noch, und ich sehe sie ab und zu. Ich finde, sie ist eine nette alte Dame, so wie die alten Damen von der Zürcher Goldküste eben sind; aber wenn ich daran denke, daß ich mit dieser netten alten Dame verwandt bin, so empfinde ich diesen Gedanken als geradezu lächerlich. Ebenso gut könnte ich mit dem Kaiser von China verwandt sein. Ich finde meine Mutter sympathisch, aber die Idee, daß sie meine Mutter sein soll, kommt mir nur noch komisch vor. Auch das Haus, in dem meine Mutter lebt, besuche ich bisweilen; es ist eine große und schön gelegene Villa mit Seeblick und vielen Zimmern. Diese wunderschöne Villa ist mein Elternhaus. Ich bin über diese Tatsache im Bilde, aber das Wort »Elternhaus« kommt mir dennoch merkwürdig vor.

Zu den positiven Aspekten aber, die fast jede Krankheit und auch die Neurose mit sich bringt, gehört sicher die Idee der Heilung. Vermutlich hofft jeder Kranke, daß er von seiner Krankheit geheilt werden könne, und hat somit ein mehr oder weniger deutliches Wunschziel vor Augen. Ein solches Ziel war für mich nun aber eine Neuigkeit. Zu der Zeit, als ich mir noch einzureden versucht hatte, daß ich normal sei, hatte ich mir immer nur sagen können, daß eigentlich »alles in Ordnung« sei, auch wenn überhaupt nichts in Ordnung war. Zu hoffen aber, daß es einmal besser kommen könnte als nur das mühsam zusammengehaltene »alles in Ordnung«, war mir damals nicht möglich gewesen. Nun aber war auf einmal nicht mehr alles in Ordnung, es war überhaupt nichts mehr in Ordnung; ich war physisch und psychisch schwer krank und ganz unverhohlen vom Tode bedroht. Da aber sowohl der Krebs als auch die Neurose immer noch heilbar waren, eröffnete sich die Möglichkeit, daß es mir auch einmal besser gehen könnte, daß diese schwere Zeit auch einmal zu Ende gehen und ich einmal nicht mehr krank sein könnte.

Wenn ich nun aber mein ganzes Leben lang seelisch krank gewesen war, und wenn theoretisch für mich die Möglichkeit einer Heilung bestand, so hieß das nichts anderes, als daß ich von dem Elend, das ich nun dreißig Jahre lang mit mir geschleppt und als den eigentlichen Inhalt und die eigentliche Form meines Lebens angesehen hatte, geheilt werden konnte; es hieß nichts anderes, als daß die Qual, die mir nun dreißig Jahre lang als mein Leben gegolten hatte, gar nicht mein wirkliches Leben war, sondern vielmehr das krankhafte Element darin, das mein Leben zerstört hatte; es hieß nichts anderes, als daß die Möglichkeit zu existieren sich eröffnete, daß mir das Leben vielleicht noch bevorstand und ich aus dem bisherigen wie aus einem Alptraum erwachen konnte. Wenn meine Qual neurotisch war und wenn eine Neurose geheilt werden konnte, so hatte das nichts anderes zu bedeuten, als daß ich vielleicht noch erleben konnte, daß diese Qual einmal nicht mehr da sein würde.

Vielleicht. Ich war mir klar bewußt, daß es sich bei diesen Zukunftsträumen um eine mögliche Chance und nicht um eine Gewißheit handelte. Vorderhand sprach nichts dafür, daß ich diese ungewisse Zukunft überhaupt noch erleben sollte. Der Krebs, der sich zuerst nur in jenem Tumor am Hals – den »verschluckten Tränen« – geäußert hatte, hatte sich längst ausgebreitet, und meine medizinische Chance hatte sich eindeutig verschlechtert. Vorderhand hatten mich die Ärzte aber noch nicht aufgegeben; aber ich wußte, daß es viel schlechter um mich stand als zu Beginn der Krankheit. Ich erfuhr auch, daß die Ärzte eine Stelle des Körpers zwar erfolgreich behandelten, daß der Krebs später aber an einer anderen Stelle wieder zum Vorschein kam und so vor den Ärzten immer eine Nasenlänge Vorsprung hatte. Ich ahnte, daß die Ärzte allein mir nicht mehr zu helfen vermochten, und daß ich nur noch gerettet werden konnte, wenn der ganze Organismus, Seele und Körper zusammen, genügend Widerstand aufbrachten, um die Krankheit zu überwinden. Ebenso klar war mir, daß die Seele offensichtlich vorderhand noch überhaupt keinen Widerstand aufbringen konnte, denn die war noch viel kränker als der Körper; und daß der Körper kränker und kränker wurde, bevor die Seele noch etwas dazu beitragen konnte, dem Körper zu helfen.

Die Chancen für das Überleben standen also nicht gut. Von der Psychotherapie konnte ich nicht sagen, daß sie mich viel glücklicher gemacht hätte. Ganz im Gegenteil hatte sie bisher nur die Aufgabe erfüllt, mein bisheriges Leben – oder besser gesagt: die Illusion, die ich von meinem bisherigen Leben gehabt hatte – in Trümmer zu schlagen, und dieser Prozeß erzeugte für mich begreiflicherweise nicht Heiterkeit, sondern zusätzliche Depressionen. Dieses erste Jahr meiner Psychotherapie wurde das schlimmste meines Lebens, denn bevor sie etwas Neues schaffen konnte, mußte zuerst noch alles Alte kaputtgehen. Und es *ging* tatsächlich kaputt. Meine ehemals nur vage Idee, daß ich wohl zuerst den Tod erleiden müßte, bevor an eine Wiedergeburt zu denken sei, wurde in der Psychotherapie also dergestalt in Wirklichkeit umgesetzt, daß ich im Verlauf dieses Jahres, unter grauenvollen seelischen Qualen, tatsächlich den Tod erlitt, nämlich den Tod meines ganzen bisherigen Ich. Zuletzt war dieses Ich denn wohl ganz und gar tot, denn es blieb auch gar nichts mehr davon übrig. Zurück blieb nur ein Häuflein Elend, das nun darauf warten sollte, daß es, in welcher Form auch immer, irgendwann und irgendwie wiedergeboren werden sollte. Ein bißchen merkwürdig mutete die Idee der Wiedergeburt schon an, denn vorderhand hatten die Ärzte noch alle

Hände voll zu tun, mich ohne Unterlaß zu bestrahlen, zu operieren, zu untersuchen und mit Medikamenten vollzustopfen, nur damit das kleine bißchen Leben, das von mir noch übriggeblieben war, ihnen nicht vollends durch die Finger schlüpfte und aus dem oben angedeuteten symbolischen Tod nicht ein ganz banaler Tod wegen Krebs wurde.

Allmählich trat aber etwas Merkwürdiges ein, etwas vielleicht Erhofftes, vielleicht sogar Erwartetes, aber doch vor allem Merkwürdiges: Die Depressionen waren eines schönen Tages nicht mehr da. Ich kann nicht sagen: an dem und dem Tag waren sie nicht mehr da oder kamen sie nicht mehr; aber es stellte sich allmählich heraus, daß sie tatsächlich verschwunden waren und nicht wieder auftauchten. Ich will damit nicht behaupten, daß ich viel glücklicher geworden wäre; aber der neue Zustand war doch, das spürte ich, in mancher Hinsicht dem vorherigen vorzuziehen. Man kann es am ehesten so ausdrücken, daß ich zwar unglücklich war, daß es aber nie vorkam, daß sich mir, ohne mein persönliches Dazutun, die Verse aufdrängten:

> Ai, Deus, se sabe ora meu amigo,
> Como eu senheira estou em Vigo?

oder daß ich mich nie mehr an meinem Schreibtisch vorfand, das Wort *tristeza* stundenlang kreuz und quer auf kariertes Papier schreibend. Eine andere Verschiedenheit war die folgende. In gewisser Hinsicht reagierte ich auf eine Weise, die man wohl etwa mit »vernünftiger« bezeichnen könnte, womit ich sagen will: wenn ich mir zum Beispiel einen komischen Film ansah, mußte ich jetzt eher lachen, *weil* er komisch war, und nicht, wie früher, darüber weinen, *obwohl* er komisch war. Obwohl ich immer noch einsam war, fühlte ich mich jetzt viel eher einsam, wenn ich wirklich allein und ohne Gesellschaft war, und viel weniger häufig, wie früher, *obwohl* ich mich mitten in einer Gesellschaft befand. Ich hatte auch eine gewisse Fähigkeit erlangt, mich über etwas zu freuen. Ganz allgemein gesprochen, könnte man sagen, daß ich mehr angenehme Dinge als wirklich angenehm zu empfinden begann, und daß ich auch die unangenehmen Dinge mehr und mehr als etwas an und für sich Unangenehmes zu begreifen begann. Früher war immer alles »einfach so« und allgemein bedrückend gewesen: ich war deprimiert gewesen, obwohl es regnete und obwohl die Sonne schien. Jetzt begann ich die Fähigkeit zu erlangen, mich darüber zu freuen, *daß* die Sonne schien, und mich zu ärgern, *weil* es regnete. Wenn es mir früher also nichts hatte helfen können, wenn sich das Regenwetter in Sonnenschein verwandelte, weil die Depression eben *trotz* der Sonne noch andauerte, so konnte mein jetziger Unwille über den Regen auf natürliche Weise verschwinden, *weil* es nicht mehr regnete. In mancher Hinsicht stellte ich nun fest, daß das Wort »normal« mehr war als ein bloßer toter Begriff, und daß ich in vielen Fällen tatsächlich »normaler« zu reagieren begann als bisher.

Auch einen anderen Aspekt meiner selbst lernte ich würdigen, nämlich den lustigen. Ich bin zeit meines Lebens die traditionell lustige Person gewesen, und die Lustigkeit war denn oft auch meine Etikette, die an mir klebte, oder die Flagge, unter der ich segelte. Ich begriff nun, daß meine Lustigkeit in vielen Fällen nichts anderes gewesen war als die Hülle, mit der ich meine Traurigkeit bedeckte. Ich hatte nie von traurigen und auch nie von ernsten Dingen reden können, denn die Trauer, die ich in mir trug, war ja immer so groß gewesen, daß sie den Rahmen jedes konventionellen Gespräches gesprengt hätte, wenn ich die Schleusen einmal geöffnet hätte, die den Wasserfall von Verzweiflung zurückhielten, der in mir drängte. Deshalb hatte ich automatisch immer alles ins Lustige oder gar ins Lächerliche gezogen, um dem in mir drohenden Unheil so gut wie möglich auszuweichen. Meine ewige Lustigkeit war also meist nicht spontan gewesen, sondern das Ergebnis einer verzweifelten, immer wieder verlängerten Anstrengung, die bevorstehende Katastrophe noch ein bißchen hinauszuschieben. Ich hatte mich also immer bemüßigt gefühlt, Lustigkeit um mich zu verbreiten – und das war mir auch gelungen –, aber *einen* Punkt hatte ich mir nie die Mühe genommen näher zu betrachten: ich konnte zwar jedermann zum Lachen bringen, aber ich selbst lachte nie.

Ich mußte nun meine Lustigkeit unter einem neuen Blickwinkel betrachten und zum Schluß kommen, daß der größte Teil dieser Lustigkeit ein *bluff* gewesen war. Ich glaube zwar, daß ich tatsächlich das Talent besitze, lustige Dinge zu sagen oder zu schreiben, und dieses Talent ist, wie jedes Talent, sicher positiv zu bewerten. Nur der Schluß, daß ich deshalb auch gleich schon ein lustiger Mensch sei, war falsch. So wenig wie ich normal war, weil ich mich in gewisser Hinsicht nicht anormal verhielt, war ich ein lustiger und ein heiterer Mensch, weil ich in vielen Fällen lustige Dinge sagte. Ein Maler, der immer schöne Frauen malt, braucht deswegen ja auch noch kein schöner Mann zu sein. Mein liebstes Kind, nämlich die Vorstellung, ein heiterer Mensch zu sein, mußte ich also begraben.

Um aber wieder auf das Thema der Minderwertigkeit zurückzukommen, so ließ sich nun auch nicht mehr bestreiten, daß ich jetzt eben in gewisser Hinsicht wirklich minderwertig war, zwar nicht in jeder Hinsicht, aber doch in einem sehr wichtigen Punkt, vielleicht sogar im allerwichtigsten. Es ließ sich nun nicht mehr bestreiten, daß ich eigentlich immer sehr recht gehabt hatte und mein Eindruck vollkommen korrekt gewesen war, daß ich grundsätzlich und in allem von allen anderen Menschen ausgeschlossen gewesen war, und daß alles, was mir das Leben bisher geboten hatte, doch nur Nebensächlichkeiten gewesen waren, die an der einen großen Tatsache nicht haben rütteln können, daß mir das Wichtigste seit eh und je gefehlt hatte. Nachdem der Gedankengang aber einmal so weit gediehen war, daß das Wort »das Wichtigste« ausgesprochen war, wurde auch gleich klar, was dieses Wichtigste denn war: die Liebe natürlich. Das war nun insofern nichts Neues für mich, als ich das eigentlich schon immer gewußt hatte, als das ohnehin jedermann schon weiß und schon immer gewußt hat und als jedermann mir schon nach der Lektüre der ersten Seite dieses Berichtes hätte sagen können, in welchem Bereich meine Krankheit lag.

Es war aber doch etwas Neues für mich. Ich habe in diesem Bericht viel vom Nicht-Wissen und vom Nicht-wissen-Wollen geschrieben und darüber, daß man, wenn man etwas erfährt, dieses Neue auch immer zuerst wissen wollen muß, bevor man wirklich davon sagen kann, daß man es weiß. Ich hatte ja zeit meines Lebens davon gefaselt, daß ich »Schwierigkeiten mit der Liebe« hätte, ohne mir einzugestehen, daß ich dies hätte so formulieren müssen, daß ich aus Mangel an Liebe zugrunde ging und starb. Wenn jemand den Hungertod gestorben ist, sagt man ja auch nicht, er habe am Schluß seines Lebens »Schwierigkeiten mit der Ernährung« gehabt, sondern man sagt, daß er verhungert sei. Wenn ich von mir gesagt habe, daß ich »Schwierigkeiten mit der Liebe« hätte, so war das etwa so zutreffend ausgedrückt, wie wenn ich von jemandem gesagt hätte, er habe »Schwierigkeiten mit seiner Form« gehabt, nachdem er unter eine Dampfwalze gekommen war.

Es gab nichts anderes, als mir einzugestehen, daß ich nicht die besagten »Schwierigkeiten« gehabt hatte, sondern daß ich in der wichtigsten Sache des Lebens überhaupt vollkommen versagt hatte, daß ich diesen essentiellen Mangel aber nicht ertragen hatte und darum verrückt geworden war (oder eben »neurotisch«, um diesen gesitteten Euphemismus noch einmal zu verwenden), und daß diese Verrücktheit dann den Krebs ausgelöst hatte, der nun im Begriff war, meinen Körper zu zerstören.

Was aber »Liebe« ist, brauche ich nicht lange zu definieren. Das Wort »Liebe« ist zwar von der unheilvollen Sekte, die auch heute noch den Ruf genießt, die Hauptreligion des sogenannten gesitteten Westens zu sein, seit zweitausend Jahren immer wieder mißbraucht und in den Schmutz gezogen worden, so daß man sich eigentlich gar nicht mehr wundern müßte, wenn heutzutage tatsächlich kein Bewohner des christlichen Abendlandes mehr wüßte, was Liebe ist. Und doch weiß es jedermann. So wie man Körper und Seele nicht voneinander trennen kann und das eine das andere beeinflußt und bestimmt und die beiden zusammen ein Ganzes sind, so kann man auch die Liebe nicht in »geistige« und »körperliche« oder in »platonische« und »sexuelle« Liebe auseinanderlegen und schon gar nicht einen Unterschied zwischen Liebe und Sexualität annehmen. Um noch einmal an Freud zu erinnern, so soll eben der, dem das Wort »Liebe« aus was weiß ich für Gründen nicht paßt, »Sexualität« dafür sagen; und wer etwas gegen das Wort »Sexualität« einzuwenden hat, der soll eben in Gottes Namen »Liebe« sagen.

Um mich trotzdem noch einmal zur Stilistik der heutzutage üblichen Umgangssprache zu bequemen, die in gewissen Fällen eher »Liebe« und in anderen Fällen lieber »Sexualität« sagt, so kann ich zur Bestätigung nur wiederholen, daß ich in jedem der beiden Scheingebiete analog versagt habe; oder anders ausgedrückt: ich hatte niemanden gerne und ich hatte mit niemandem Geschlechtsverkehr, was eben wieder auf dasselbe herauskommt, wenn man es unter dem Wort »Liebe« zusammenfaßt. Natürlich war ich nicht normal; natürlich war ich minderwertig – und aus eben diesem Grunde. Es klang auf einmal alles so einfach, daß es fast unmöglich erscheinen mußte, daß ich faßt dreißig Jahre lang gebraucht hatte, um diese Binsenwahrheit herauszufinden. Ich möchte hier aber wiederholen, daß es für mich keine Binsenwahrheit war, und zwar wegen ihrer schwerwiegenden Konsequenzen. Jedermann weiß, daß reife Äpfel die Tendenz haben, von den Bäumen zu fallen und einem sogar auf den Kopf fallen können. Wenn solch ein reifer Apfel aber Newton auf den Kopf fällt, entdeckt er das Gesetz der Gravitation und gründet die moderne Physik darauf. Die meisten Tatsachen sind einfach und allgemein bekannt; bedeutsam werden sie erst, wenn man ihre Tragweite entdeckt.

Und diese Tragweite war ich nun eben im Begriff zu entdecken. Ich merkte, daß man auf alle möglichen Arten versagen konnte; das war nicht so schlimm. Aber in sexueller Hinsicht durfte man kein Versager sein, denn das war eine Schande und unverzeihlich. Ich wurde gewahr, daß ich hier an ein viel wichtigeres und viel urtümlicheres Tabu stieß als das bloß oberflächlich modische, bürgerliche und viktorianische. Man spricht zwar nicht von der Liebe, die Liebe ist tabu, und man muß so tun, als ob es sie nicht gäbe; das ist eben unsere Mode. Aber man darf in der Liebe kein Versager sein; wer zur Liebe nicht fähig ist, mit dem ist gar nichts los. Ein Mann, der kein Mann ist, ist gar nichts. Man spricht zwar nicht offen davon, weil das Thema eben tabu ist, aber stillschweigend ist sich jedermann darüber einig. Die Sexualität ist zwar als Gesprächsstoff aus dem bürgerlichen Leben verdrängt worden, aber desungeachtet ist sie das eigentliche Maß, nach dem alles gemessen, bewertet und beurteilt wird. Niemand spricht darüber, aber jedermann weiß es. Niemand spricht davon, und doch ist seit Urbeginn der Zeiten von nichts anderem die Rede: seit die Schrift erfunden worden ist, kennt die Literatur kein anderes Thema als das, daß die Sexualität mehr zählt als alles andere. Ob man nun das Radio anstellt und sich den trivialsten Schlager anhört, oder ob man im sogenannten Buch der Bücher die Worte der Erleuchteten liest: man vernimmt nie etwas anderes, als daß man, wenn man die Liebe nicht hat, nichts ist als »ein tönendes Erz und eine klingende Schelle«.

Offenbar habe aber nicht nur ich mich geweigert, diese uralte Wahrheit anzunehmen, sondern die ganze Gesellschaft weigert sich, diese Wahrheit anzuerkennen. Als Freud zu Anfang dieses Jahrhunderts die Theorie veröffentlichte, daß das ganze Leben nur aus Sexualität bestehe, war jedermann entsetzt, diese Tatsache ausgesprochen zu hören, obwohl jedermann diese Tatsache schon längst gewußt hatte.

Ein Skeptiker könnte sich hier fragen, ob denn wirklich alles so einfach sei, daß man es mit ein paar Worten auszudrücken vermöge. Vermutlich ist auch jedermann ein Skeptiker, denn wir alle sind es gewohnt, einfache Wahrheiten ungern zu vernehmen. Sehr oft hat man, wenn sich etwas als einfach herausstellt, sogleich den Verdacht, daß etwas daran falsch sein müsse, weil doch gar nichts einfach sein könne. Es ist wohl Temperamentssache, ob man an einfache Dinge glaubt oder nicht glaubt. In meinem Elternhause, zum Beispiel, war es üblich anzunehmen, daß die Dinge von vornherein »schwierig« seien; ich selbst neige eher zur Ansicht, daß die Dinge einfach sind und man bloß keine Lust hat einzusehen, wie einfach sie tatsächlich sind.

Mein Leben und meine Krankheitsgeschichte, zum Beispiel, kommen mir gar nicht kompliziert vor, sondern scheinen mir die einfachste Sache von der Welt zu sein. Eine sehr unerfreuliche Sache, gewiß, aber absolut keine »schwierige«. Ich kann mich auch sehr gut mit einer so einfachen Theorie befreunden wie mit der von Wilhelm Reich, die nun an Einfachheit allerdings nichts mehr zu wünschen übrig läßt. Reich unterscheidet prinzipiell nur zwei Dinge: die unlustvolle Verkrampfung des Lebens und die lustvolle Entspannung des Lebens, und zwar gleichgültig, ob es sich dabei um einen Einzeller oder um einen Menschen handelt. Der arme Einzeller kann nun freilich auch gar nichts anderes, als sich mal zusammenzuziehen und sich mal wieder auszudehnen; damit hat er seinen Taten- und Wirkungsbereich bereits abgeschritten (wenn »schreiten« vom Einzeller nicht fast schon zu viel gesagt ist). Und der Mensch, der ja bekanntlich »schwierig« ist? Eigentlich tut er auch nichts anderes, als sich manchmal unlustvoll zu verkrampfen und manchmal lustvoll zu entspannen. Nach Reich ist nun der Orgasmus die reinste und totalste Form der lustvollen Entspannung; ein ebenso extremes ständiges Verkrampfen des Organismus führt über seelische Verkümmerung und Verkümmerung der einzelnen körperlichen Organe, die sich in ihrem verkrampften Zustand auch nicht mehr richtig ausdehnen, die nicht mehr richtig atmen können und nicht mehr richtig durchblutet werden, zu Krebs. Der verkrampfte Mensch gleicht somit einem

Einzeller, der sich nur noch einzieht und klein macht, aber nie mehr ausdehnt. Daß man davon Krebs bekommt, liegt auf der Hand. Laut Reich sind also der Orgasmus und der Krebs die beiden reinsten Erscheinungsformen der beiden einzigen Inhalte des Lebens an sich. Ich gebe zu, daß diese Formulierung äußerst einfach klingt und sicher vielen Leuten zu wenig »schwierig« ist. Ich möchte niemandem die Freude am »Schwierigen« nehmen, aber ich glaube, daß die Reichsche Theorie im Grunde genommen eben doch den Nagel auf den Kopf trifft. Wer die Theorie nicht wörtlich nehmen mag, der kann sie auch *cum grano salis* nehmen; ich glaube zwar nicht, daß zwischen dem ersten und dem zweiten ein großer Unterschied besteht. Ich möchte auch nicht behaupten, daß immer alles ganz leicht und ein Kinderspiel sei oder daß das ganze Leben aus einem einzigen solchen Kinderspiel bestehe (denn meine persönlichen Erfahrungen haben mich davon überzeugt, daß das Leben eben kein solches Kinderspiel ist), aber ich glaube, daß man in sehr vielen Fällen das Einfache sehen könnte, wenn man sich nur nicht darauf versteifen wollte, immer nur das Schwierige zu sehen.

Es stellte sich also das folgende Fazit heraus: Meine Lage war sehr unerfreulich, aber eigentlich verworren war sie nicht. Die Chancen für mich waren nicht sehr gut, aber ich hatte auch noch nicht alle Chancen verloren. Ich war nicht geheilt, aber es war möglich, daß ich geheilt wurde. Es war genauso möglich, daß ich nicht geheilt werden konnte und sterben würde. Bis jetzt hatten die Ärzte zwar verhindern können, daß die einzelnen Krebsgeschwüre lebensgefährlich für mich geworden waren, aber meine Krankheit an sich hatten sie noch nicht geheilt. Auch die Psychotherapie hatte mir geholfen, Klarheit in das Chaos meiner seelischen Krankheit zu bringen, aber geheilt war auch diese Krankheit nicht.

Dieser Zustand liegt auch jetzt noch für mich vor. Von meinem eigentlichen Leiden, dem Krebs – worunter ich jetzt gleichzeitig den psychischen wie den physischen Krebs verstehe, also nicht zwei verschiedene Krankheiten, sondern nur eine einzige, die einfach einen körperlichen und einen seelischen Aspekt aufweist, wofür man auch den Begriff »psychosomatisch« verwendet –, bin ich noch nicht geheilt. Ich kann jetzt entweder davon geheilt werden oder daran sterben; das sind meine beiden Möglichkeiten. Vermutlich sieht man den Tod immer als etwas Unerfreuliches an. Wenn man aber bedenkt, daß es selbst heutzutage noch Leute gibt, die sich ein Verdienst daraus machen, für Gott, das kapitalistische Vaterland und seine Wirtschaftskonzerne zu sterben, so kann man nur zum Schluß kommen, daß es dümmere Todesmotive gibt als den Tod aus Mangel an Liebe. So wie man früher – und auch heute noch in der Oper – aus Liebe gestorben ist, so kann man offenbar auch heute noch am Gegenteil, nämlich aus Mangel an Liebe, sterben. Ich glaube, es ist nicht die schlechteste Todesursache.

Wenn ich aber geheilt werde, dann wird meine ursprüngliche Idee von Tod und Wiedergeburt Wahrheit werden. Dann wird man sagen können, daß ich tatsächlich in einem gewissen symbolischen Sinn – etwa im Verlauf der letzten zwei Jahre – gestorben bin und zu einem neuen Leben wiedergeboren werden kann, bei dem die Hoffnung gerechtfertigt ist, daß es nicht nur aus meiner Krankheit besteht und mit ihr gewissermaßen identisch ist. Ob dieses Leben glücklich oder unglücklich verlaufen wird, bleibt dahingestellt; aber die Wahrscheinlichkeit ist groß, daß es weniger krankhaft verläuft.

Wenn ich nun aber sterben werde, bevor ich geheilt worden bin, dann habe ich diese Chance nicht gehabt. Dann werde ich eben an meinem Leiden zugrunde gegangen sein, ohne je Gelegenheit gehabt zu haben, einen anderen Aspekt des Lebens zu erfahren als den des Zugrundegehens. Auch das ist möglich. Man weiß, daß nicht jeder eine Chance hat. Viele Millionen Neger und Inder gehen jährlich auch sang- und klanglos zugrunde und sterben an Hunger, Aussatz oder irgend einer Mangelkrankheit und haben auch keine Chance gehabt. Ich glaube, daß aber doch ein wesentlicher Unterschied zwischen einem solchen Neger und mir besteht. Dieser Neger wird einfach vom Aussatz, von der Pest oder vom Hunger aufgefressen, ohne daß ihm groß bewußt wird, was mit ihm geschieht. Er wird sich wahrscheinlich über sein trauriges Schicksal wundern, aber wenn er sich eine Zeitlang gewundert hat, ohne zu einem Resultat gekommen zu sein, stirbt er. Es ist möglich, daß auch ich binnen kurzem vom Krebs aufgefressen werde; der Unterschied zum Neger aber wird darin bestehen, daß ich mir über die Zusammenhänge, die zu meiner jetzigen Situation geführt haben, klar bin. Ich habe den Eindruck, als wüßte ich ganz genau, was mit mir geschieht, und das sehe ich als einen großen

Vorteil gegenüber der Situation des Negers an. Selbst wenn ich an meiner jetzigen Situation zugrunde gehe, wird meiner ein viel menschlicherer Tod sein als der des Negers, der am Ende wie ein unbewußtes Stück Vieh verreckt.

Ohne überheblich sein zu wollen, glaube ich, daß meine Erkenntnis und dieser Bericht theoretisch sogar etwas nützen können. Ich kann mir nicht vorstellen, daß mein Fall einzigartig sein soll (denn die Goldküste ist sehr lang und bis zum Platzen überbevölkert; und daß viele normale Menschen am Gestade des Zürichsees wohnen, kann ich mir eigentlich nicht vorstellen). Ich denke mir viel eher, daß ich einen typischen Fall repräsentiere, und daß es noch vielen anderen Menschen genau so, oder zumindest sehr ähnlich, geht und gegangen ist. Selbst wenn ich wie alle diese anderen nichts anderes kenne, als daß ich eben von frühester Jugend an von meinem Übel aufgefressen worden bin und ihm zuletzt ganz erliege, so glaube ich doch, daß mein Leben und Tod ein bißchen weniger sinnlos gewesen sein werden als die des oben erwähnten Negers.

Das ist ein erster großer Vorteil. Damit im Zusammenhang steht auch der zweite, der der Erkenntnis und Kenntnis des Übels: Ich bin nach wie vor der Meinung, daß ein erkanntes und mit Namen genanntes Übel weniger schwer zu ertragen ist als ein unerkanntes und unbegriffenes. Daraus folgt, daß auch die Hoffnung auf ein mögliches Überleben des Übels konkretere Formen annimmt. Die Hoffnung ist zwar klein, aber dieses kleine Stück ist real und vielleicht hoffnungsvoller als eine große, unbestimmte und ganz vage Hoffnung, bei der eigentlich kaum ersichtlich wird, worauf man überhaupt hofft. Man könnte vielleicht von einer Hoffnung sprechen, die auf dem Wahrscheinlichen beruht, und von einer, die auf dem konkret Möglichen beruht. Jedermann hofft natürlich, daß er nie von einem herabfallenden Meteorstein getroffen wird, und es ist auch äußerst wahrscheinlich, daß das berechtigt ist; aber eine solche Hoffnung spielt im Leben keine hervorragende Rolle. In meinem Falle ist es alles andere als wahrscheinlich, daß ich mein Übel überleben werde, aber die bislang bestehende Aussicht, daß es noch möglich ist, läßt diese Hoffnung sehr stark und wichtig werden.

Das mag mit der Grund dafür sein, daß ich feststellen muß, daß mein heutiges Leben trotz allem weniger hoffnungslos und trostlos ist als die ersten dreißig Jahre meiner Existenz. Ich bin zwar nicht glücklich, aber ich bin wenigstens nur noch unglücklich und nicht mehr deprimiert. Den genauen Bedeutungsunterschied zwischen »unglücklich« und »deprimiert« in einer eleganten stilistischen Formel zu präsentieren, fällt mir schwer, aber es leuchtet ein, daß »unglücklich« weniger schlimm ist als »deprimiert«. Um auf das Beispiel von den verschluckten Tränen zurückzukommen, kann man es so ausdrücken, daß der, der weint, unglücklich ist, während der Deprimierte die Fähigkeit zu weinen schon verloren hat. Der Inhalt dieses Berichtes ist sicher nicht die reine Glückseligkeit; aber der Bericht an sich ist nicht so sehr das Produkt einer Depression, wie es vor zwei Jahren die ständige Vision der vor Schmerz erstarrten und nicht sterben wollenden allegorischen Frauengestalt war. Es ist auch etwas anderes und etwas weniger Deprimiertes, wenn ich jetzt einen Essay über das Unglück zu Papier bringe, als wenn ich immer noch das Wort *tristeza* auf kariertes Papier schreiben würde. (Freud beschreibt die beiden Phänomene als Trauer und Melancholie.) Die Depression bestand aus einem ungewissen und allgegenwärtigen erstickenden Grau; der neue Zustand ist von einer eiskalten und kristallklaren Durchsichtigkeit. Er schmerzt, aber erstickt mich nicht. Zudem fühle ich mich aktiver. Nachdem ich dreißig Jahre lang, wie es mich meine Eltern und die durch sie verkörperte Gesellschaftsklasse gelehrt haben, dem Leben ausgewichen bin, stehe ich nun dem Tod in seiner konkretesten Form gegenüber und muß ihn bekämpfen. Oder auf lateinisch: *Hic Rhodus, hic salta.*

Ich stelle mir vor, daß mein Schicksal, nachdem es eingesehen hat, daß ich mit dem Leben durchaus nicht zu Rande kommen konnte, sich gesagt hat: Na, wenns mit dem Leben so gar nicht gehen will, so versuchen wirs mal mit dem Sterben. Und siehe da, es ging besser damit. Ich möchte auch hier den Begriff des schon erwähnten kosmischen Humors heranziehen. Das Schlimmste ist eigentlich nie das Schlimmste, und man beginnt zu begreifen, was Camus gemeint hat, als er in *Le mythe de Sisyphe* bewies, daß Sisyphus in der Hölle glücklich ist.

Ein weiterer Punkt, der den oben geschilderten Zustand charakterisiert, ist der, daß ich gar nicht wünschen kann, daß es anders um mich bestellt wäre. Bei all den Voraussetzungen, die ich nun einmal die meinen nenne, kann ich nur zufrieden darüber sein, daß ich Krebs bekommen habe und daß in der Psychotherapie meine ganze bisherige Existenz in sich zusammengefallen ist. Es ist mir unmöglich zu wünschen, daß alle diese Dinge lieber nicht hätten eintreffen sollen; ich kann es nur gut finden. Ich kann auch nicht wünschen, daß alles ganz anders wäre, denn dann müßte ich wünschen, daß ich jemand anderer wäre, und das ist unmöglich. Ich kann nicht wünschen, statt ich lieber Herr Meier sein zu wollen. Ich kann nicht wünschen, daß das Bisherige nicht geschehen oder anders geschehen sei, sondern ich muß einsehen, daß bei den Voraussetzungen meines Lebens alles Bisherige so hat kommen müssen, wie es gekommen ist, und daß es weder möglich noch wünschenswert ist, daß es anders wäre. Das einzige, was ich mir wünschen kann, ist, daß sich die jetzige Situation noch zum besten wendet; dieser Wunsch aber ist ja auch noch möglich und durchaus real. Ich brauche mir nichts Irreales zu wünschen, und alles, was irreal wäre, will ich mir gar nicht wünschen. Da ich die Notwendigkeit meiner jetzigen Lage einsehe, wird sie auch erträglicher für mich, als wenn ich sie als vollkommen absurd ansehen müßte.

Zudem muß man noch folgenden Punkt berücksichtigen: Wie ich glaube, bin ja nicht ich *selbst* der Krebs, der mich auffrißt, sondern meine Familie, mein Herkommen, ein Erbe in mir ist es, das mich auffrißt. Medico-politisch oder sozio-politisch ausgedrückt heißt das: solange ich noch Krebs habe, bin ich auch noch dem kanzerogenen bürgerlichen Milieu verhaftet, und wenn ich an Krebs sterbe, so werde ich eben noch als Bürgerlicher gestorben sein. Soziologisch gesprochen ein kleiner Verlust, denn um einen gestorbenen Bürgerlichen ist es nie schade. Was aber das Wesen der Familie betrifft, so hatten, glaube ich, die Griechen die beste Nase dafür. Nicht umsonst sind Oedipus und seine Familie das Symbol für die Familie an sich geworden. Auch Phädras grausiges Schicksal entdeckt sich schon in dem einen Vers, der sie als Tochter ihrer Eltern bezeichnet:

La fille de Minos et de Pasiphaé.

Selbst die gute deutsche Iphigenie (obwohl sie, wie bekannt, nur von Goethe ist) ahnt, wie fatal es ist, das Kind seiner Familie zu sein. In keiner Gestalt aber tritt das traute Familienleben unverblümter zutage als in der des Kronos, der seine eigenen Kinder frißt. Ich glaube, dieser schöne alte Brauch ist bis in die heutige

Zeit eine liebe Tradition geblieben, und es ist wohl keiner unter uns, der nicht auch von sich selbst sagen könnte:

Mein Mutter, die mich schlacht,
Mein Vater, der mich aß.

Heutzutage ist man allerdings zivilisierter und greift nicht mehr direkt zu Messer und Gabel, um die eigenen Kinder aufzufressen (denn die Tischmanieren sind sehr kompliziert am Ort, von dem ich herstamme), sondern man sorgt einfach durch eine dementsprechende Erziehung dafür, daß die Kinder dann Krebs bekommen; auf diese Weise können sie auch, nach alter Väter Sitte, von den Eltern aufgefressen werden.

Bloß sind die Kinder nicht immer gleich gut verdaulich.

Deshalb glaube ich auch nicht, daß das Wort »Resignation« auf meinen jetzigen Zustand zutrifft. Früher hatte ich mich dem Dogma verschrieben gehabt, daß es mir »gut« gehe; aber dieses Gutgehen war von den unheimlichsten Ängsten davor heimgesucht, daß es mit dem Gutgehen am Ende doch nicht seine Richtigkeit haben könnte. *Das* eben war Resignation gewesen, daß ich mich damit begnügt hatte, nur ja nie und unter gar keinen Umständen an etwas zu rühren, was diese Ängste hätte aktivieren können; es war Resignation gewesen, nur ja nie den Schrank aufzumachen, damit nicht etwa das darin befindliche Skelett in die gute Stube gepurzelt wäre. Jetzt geht es mir nicht mehr »gut«, sondern es geht mir schlecht, aber es steckt auch kein Skelett mehr im Schrank, und es besteht zudem noch die Möglichkeit, daß es mir auch einmal nicht mehr schlecht geht.

Zum Abschluß will ich noch einen eher zauberhaften, wenn auch durchaus nicht scherzhaft gemeinten Aspekt meiner Geschichte zu Papier bringen, nämlich den astrologischen.

Ich bin – natürlich – im Sternzeichen des Widders geboren, das ja als das eigentlich marsische Zeichen anzusehen ist. In der älteren Astrologie wurde auch das Zeichen des Adlers (das sich in manchen Gebieten auch noch erhalten hat, so zum Beispiel als das Symbolzeichen des Evangelisten Johannes, selbst nachdem der Adler in der gewöhnlichen Astrologie längst durch das Zeichen des Skorpions ersetzt worden ist) als marsisches Zeichen angesehen; seitdem der Skorpion aber an die Stelle des Adlers getreten ist, wird dieses Tierzeichen meist dem Planeten Pluto zugeordnet. Der

Widder ist also mehr denn je der eigentliche Repräsentant des Mars.

Mars ist bekanntlich der Gott des Krieges, der Aggression und der schöpferischen Kraft (daß der Krieg der Vater aller Dinge ist, ist uns schon seit vielen Jahrhunderten bekannt), des Frühlings und des Jahresanfangs (bekanntlich war bei den Römern der dem Mars geweihte Monat März der erste Monat des Jahres; und erst der unliebsame Jesus hat mit seiner inopportunen Geburt Unordnung in diese schöne alte Ordnung gebracht). Er ist der Gott des Neubeginns und des schöpferischen Prinzips und recht eigentlich der Gott der Schöpfer und Künstler. Der in gewissen Kreisen hochgeschätzte Apollo (*ich* schätze ihn nicht) hat zwar auch mit Kultur zu tun; es handelt sich bei diesem etwas teigigen Jüngling mit seiner ewigen Leier und der Botticelli-Frisur aber eigentlich eher um den Gott der Literaten als um den Gott der Dichter, und er gehört wohl mehr in die literarische Sonntagsbeilage der *Neuen Zürcher Zeitung* als in die Welt der wirklichen Dichter, die ihrem Wesen nach marsisch ist.

Die im Zeichen des Widders und unter dem Stern des Mars geborenen Menschen sind ihrer Natur nach zutiefst aggressiv und schöpferisch (wobei ich unter dem Wort »aggressiv« natürlich nicht die fälschlicherweise oft gebrauchte Bedeutung »gehässig, streitsüchtig, bösartig« verstehe, sondern die allgemeinere Bedeutung »fähig und willens, sich mit allem auseinanderzusetzen«) und benötigen nichts mehr als eine Angriffsfläche, an der sie sich betätigen und bestätigen können. Fehlt einem solchen marsischen Menschen diese äußere Angriffsfläche und ein solcher Widerstand, so wendet er seine natürliche Aggression nach innen und zerstört sich selbst.

Das Tierkreiszeichen des Krebses entspricht aber dem Planeten (ich verwende hier die traditionelle Bedeutung des Wortes »Planet« und nicht die modern astronomische) Mond und dem astrologischen vierten Haus. Der Mond aber – oder wie er in den romanischen Sprachen eigentlich einleuchtender mit weiblichem Geschlecht heißt: Luna, die Göttin der Nacht, oder: Isis, Astarte, Artemis, Diana, Hekate – verkörpert die Große Mutter, das weibliche Prinzip, das Passive, das Empfangende und das Unbewußte. Das vierte Haus aber verkörpert alles, woher der Mensch stammt, sein Herkommen, sein Elternhaus, sein Verhältnis zur Heimaterde, ganz allgemein seine Familie und alles, was seine Familie anbelangt. Das Zeichen des Krebses selbst verkörpert ganz den schon erwähnten Einsiedlerkrebs, der nichts anderes kennt und will, als seinen ungepanzerten und verletzlichen Hinterleib in das schützende Gehäuse seines Schneckenhauses zu stecken, der immer nach dem Heim, dem Zuhause, der Intimität, dem Haus (sei es das Schneckenhaus oder sei es das erwähnte astrologische vierte Haus) verlangt. Dieser Krebs verkriecht sich immer in seinem Zuhause, er verkriecht sich ebenso in seiner Einsamkeit und Abgeschiedenheit, er sucht Zuflucht bei allem, was seine Abgeschiedenheit fördert, er lullt sich in ein kindliches, intimes und rückwärtsbezogenes Leben ein, denn in allem geht der Krebs eben rückwärts. Mit der Wirklichkeit will er nicht gern zu schaffen haben, denn vermutlich findet er die Wirklichkeit zu »schwierig«, sondern zieht sich lieber in eine irreale Traumwelt zurück und, wie es der astrologische Führer verkündet, »wenn er seinen Traum nicht leben kann, träumt er sein Leben«. Er ist nie beteiligt, sondern sieht sich alles immer nur von seinem sicheren Haus aus von ferne an, denn die Wirklichkeit wäre viel zu konkret und viel zu wenig zart und fein für ihn.

Es ist sehr leicht auszumalen, was mit einem Widder geschieht, wenn er in den Bannkreis des vierten Hauses, des Elternhauses, des Mutterhauses und des Familienhauses gerät: er verliert die Angriffsfläche nach außen, deren er so notwendig bedürfte, es gibt für ihn auf einmal kein Außen mehr, sondern nur noch ein Innen; er fällt mit seiner Aggression auf sich selbst zurück und beginnt sich selbst zu aggredieren; er gerät in den Bannkreis des Krebses, und er bekommt – das Wort nimmt nun eine ebenso symbolische wie astrologische wie medizinische Bedeutung an – er bekommt *Krebs*.

Wie wenn es der Astrologie noch bedurft hätte! Es kommt nicht so sehr darauf an, ob man nun an die Astrologie glaubt oder nicht; wenn aber jemand dafür empfänglich ist, so kann er nur der Erkenntnis teilhaftig werden: was mit einem Menschen geschieht, der in die in diesem Bericht beschriebene Situation gerät, das steht schon in den Sternen; das ist noch viel klarer als Professor Freuds unmißverständliche und von allen schon seit eh und je gewußte Botschaft; das kann man jede Nacht mit und ohne Fernrohr vom Himmel ablesen. Ich glaube, es geht auch hier wieder viel weniger um die VersTecktheit der Tatsachen, als um die Augen, die willens sind zu sehen, und um die Ohren, die willens sind zu hören.

Das ist mein Leben. Ich bin in der besten und heilsten und harmonischsten und sterilsten und falschesten aller Welten aufgewachsen; heute stehe ich vor einem Scherbenhaufen. Wieviel tausendmal schöner ist es doch, vor einem Scherbenhaufen zu stehen als vor einem wackeligen Christbaum, bei dem man immer eine fürchterliche Angst ausstehen muß, daß der blöde Siech am Ende eben doch umfällt und zerbricht und kaputtgeht! Womit ich zur Moral dieser Geschichte kommen kann: Lieber Krebs als Harmonie. Oder auf spanisch: ¡ *Viva la muerte!*

Zürich, 4. IV. 1976

ZWEITER TEIL

ULTIMA NECAT

Ich habe vor einiger Zeit die Geschichte meiner Krankheit zu Papier gebracht in der mehr oder weniger deutlich empfundenen Hoffnung, eine Rekapitulation und Auseinandersetzung mit meiner Vergangenheit könnte eine gewisse Distanzierung und vielleicht sogar Bewältigung dieser Vergangenheit zustande bringen. Das Gegenteil ist eingetroffen. Seit ich mich eingehender damit beschäftigt habe, stürzt das Leid, das ich angesichts meiner Geschichte empfinde, mit neuer und früher noch nie erreichter Gewalt über mich her. Die Abfassung meiner Erinnerungen hat mir keine Ruhe gebracht, sondern nur noch mehr Unruhe und Verzweiflung.

Die seelische Krankheit ist keine Depression mehr, die neben meinem offiziellen Leben herläuft und es vergiftet, sondern sie ist jetzt ein verzehrendes Feuer, in dem alles verbrennt, und mein äußerliches Leben ist es, das nun nebenher läuft, mein Beruf, meine Freunde, mein Krebs.

So wie ich seit langem eine Wechselwirkung zwischen seelischem und körperlichem Zustand angenommen habe, muß es mir auch einleuchten, daß sich mein körperlicher Zustand rapid verschlechtert hat. Aus dem kleinen Krebsgeschwür am Hals vor zweieinhalb Jahren, das ein bißchen in die Gegend des Halses ausschwärmte, ist ein generalisierter Krebs geworden: der ganze Körper ist von Krebs zerfressen, ich habe überall und ununterbrochen Metastasen. Ich bin ständig in medizinischer Behandlung und verbringe den größten Teil meiner Zeit bei den Ärzten. Unablässig stellen sich neue Symptome ein, und jedes neue Symptom sagt immer wieder dasselbe: *Memento mori*. Ich habe natürlich auch Angst, wenn auch nicht mehr so sehr wie früher. Zu Beginn meiner Krankheit sagte ich mir bei jeder neuen Beule und bei jedem neu auftauchenden Schmerz: Wenn das nur nicht wieder ein Zeichen für Krebs ist! Heute kann ich mühelos ein halbes Dutzend Stellen an meinem Körper aufzählen, wo man sehen und fühlen kann, wie zum Beispiel der Knochen auseinandergetrieben wird und sich auflöst; ich brauche in solchen Fällen nicht mehr zu befürchten, daß es Krebs sein könnte; ich weiß, daß es Krebs ist.

Niemand hat gerne Krebs, ich auch nicht. Aber mehr Bedeutung, als ihm zusteht, kann ich ihm auch nicht beimessen. Auch der Krebs, auch die Tatsache, daß ich jetzt an dieser Krankheit sterbe, ist für mich nicht die Hauptsache. Der Krebs ist nur die körperliche Illustration für meinen seelischen Zustand. Daß man Angst vor dem Tod hat und bedrückt ist, wenn man stirbt, halte ich nur für normal; und alles, was an mir normal ist, hat mir nie großen Kummer gemacht. Die Todesangst ist auch ein Gefühl, aber ein kleines und unbedeutendes im Vergleich zu den emotionalen Ausbrüchen, die mich *wirklich* quälen.

Der Haß und die Verzweiflung in mir hören nicht mehr auf. Sie sind wie ein Vulkan, der in mir explodiert und nie mehr erlöschen kann, solange ich noch lebe. Wenn ich nachts nicht schlafen kann und mich schweißgebadet ächzend und brüllend in meinem Bett herumwälze, wenn ich sinnlos schreiend in meiner Wohnung herumrenne und meine Zimmerwände anheule, dann ist dieser Vulkan tätig. Immer wieder erleide ich auch vor allem zwei bestimmte körperliche Sensationen. Oft ist mir, als ob man ein Schwert langsam durch meine Wirbelsäule bis zu den letzten Lendenwirbeln versenkte; und oft werde ich plötzlich am ganzen Körper vor Schmerz geschüttelt. Das ist kein Schüttelfrost, das ist nicht die Hitze und nicht die Kälte, das ist nicht das Wetter und nicht das Frühaufstehen am Montagmorgen, das mich schüttelt. Das ist das unverhüllte, maskenlose Leid der Seele, das den Körper herumwirft in ohnmächtiger und hoffnungsloser Verzweiflung.

Diese körperlichen Reaktionen haben nichts Rationales an sich; sie führen zu nichts, sie haben kein Ziel, sie finden einfach statt. Auch die Geschichte meines Lebens führt zu nichts und hat keinen Sinn, sondern findet einfach statt; aber das ist ja eben das Charakteristische aller Geschichten, daß sie nichts anderes tun als eben stattfinden, unabhängig davon, ob sie erfreulich oder unerfreulich sind.

Meine Geschichte ist unerfreulich. Ich schreibe sie trotzdem auf; oder besser gesagt: gerade deshalb schreibe ich sie auf. Ich habe mir vorgenommen, alles aufzuschreiben, und ich finde das ganz richtig so. Wenn man geschlagen wird, schreit man; das

Schreien ist auch irrational, es nützt auch nichts und hat auch keinen Sinn, aber es gehört gewissermaßen dazu, daß man die erhaltenen Schläge mit Schreien beantwortet. Es ist eben richtig so. Darum ist es auch richtig für mich, meine Geschichte aufzuschreiben.

Auf meine eigentliche Familiengeschichte brauche ich hier nicht mehr zurückzukommen; ich habe sie in meinen Erinnerungen schon geschildert. Aber das Resultat dieser Familiengeschichte, das, was als Produkt dieser meiner Familie herausgekommen ist, dieses menschliche Wrack, zu dem ich Ich sage, darauf muß ich immer und immer wieder zurückkommen, denn die Erkenntnis meiner Vernichtetheit durchlöchert mich pausenlos wie ein Maschinengewehr. Das Gefühl des Versagens brennt mir Seele und Körper aus. Je mehr ich mich selbst erkenne, desto mehr erfahre ich mich, wie ich bin: vernichtet, kastriert, zusammengeschlagen, entehrt, geschändet. Mit jedem Vorhang, den ich vor dem mir bis dahin Unbewußten zurückschlage, tut sich ein neuer und noch tieferer Horizont von Verzweiflung auf. Es scheint, als ob das Leid bis in alle Ewigkeit immer nur vertieft werden könnte, ohne je zu einem Ende zu gelangen. Meine Welt starrt vor Leid. Aus dieser meiner Situation erwächst mir immer deutlicher die Verpflichtung, diese Tatsache aufzuschreiben, mitzuteilen. Wem zuliebe sollte ich schweigen? Wem zuliebe sollte ich die Geschichte meines Lebens verheimlichen? Wen sollte ich durch mein Schweigen schonen?

Wenn ich schweige, schone ich alle diejenigen, die nicht gerne in einer anderen als der besten aller Welten leben, alle diejenigen, die nicht gerne vom Unangenehmen sprechen und nur das Angenehme wahrhaben wollen, alle diejenigen, die die Probleme unserer Zeit verdrängen und verleugnen, statt sich mit ihnen auseinanderzusetzen, alle diejenigen, die die Kritiker des Bestehenden, auch die unbestechlichsten, als Bösewichter verurteilen, weil sie lieber in einem unkritisierten Saustall leben als in einem, in dem man das Wort »Sau« in den Mund nimmt. Gerade die aber will ich nicht schonen und unterstützen und mich mit ihnen solidarisch erklären, denn sie sind es, die mich zu dem gemacht haben, was ich heute bin. Ihnen kann nicht meine Schonung gelten, sondern nur mein Haß. Der Leser weiß schon, wen ich damit meine: die bürgerliche Gesellschaft, der Moloch, der seine eigenen Kinder frißt, der auch mich gerade im Begriff ist zu fressen und mich innerhalb kurzer Zeit ganz gefressen haben wird.

Von allen Lastern darf man *eines* nicht haben: Geduld. Ich denke hier an den exemplarischsten Vertreter dieser Charaktereigenschaft, den alttestamentarischen Hiob. In seinem ganzen Elend kommt Hiob nicht auf die Idee, Stellung zu beziehen, sondern er kuscht oder, wie es die Bibel ausdrückt: »Er versündigte sich nicht und redete nichts Törichtes wider Gott.« Hiobs Weib, offenbar der stärkere Charakter der beiden, rät ihm: »Fluche Gott und stirb!« Er aber sprach zu ihr:

Wie sollte ich dazu kommen, Gott zu fluchen? Was würde denn Gott dazu sagen? Ich bin überzeugt davon, daß es Gott nicht passen würde, wenn ich ihm fluchte.

Ja, und wenn es ihm nicht passen würde? Und wenn er etwas dazu sagen müßte? Warum wäre das eigentlich so furchtbar, wenn es Gott stören sollte, daß Hiob ihm fluchte?

Gott stellt die Sache auch alsbald klar und gibt dem Hiob zu verstehen, daß es ihm durchaus nicht wohlgefällig wäre, Kritik an sich selbst zu vernehmen. Da antwortete der Herr dem Hiob aus dem Wetter und sprach:

> *Habe ich nicht das Krokodil erschaffen?*
> *Wer dringt ihm in das doppelte Gebiß?*
> *Die Tore seines Rachens, wer hat sie geöffnet?*
> *Um seine Zähne lagert Schrecken.*

Habe ich nicht das Krokodil erschaffen, das an Scheußlichkeit alles andere übertrifft? Kann das Krokodil nicht beißen, morden, verstümmeln, verkrüppeln, vernichten? Wie kommst du dazu, an meiner Autorität zu zweifeln, wo ich doch der Herr über solche Scheußlichkeiten bin?

Da antwortete Hiob dem Herrn und sprach:

Du hast recht. Ich anerkenne, daß du der gemeinste, widerlichste, brutalste, perverseste, sadistischste und fieseste Typ der Welt bist. Ich anerkenne, daß du ein Despot und Tyrann und Gewaltherrscher bist, der alles zusammenschlägt und umbringt. Dies ist für mich Grund genug, dich als alleinseligmachenden Gott anzuerkennen, zu verehren und zu preisen. Du bist das größte Schwein des Universums. Meine Antwort auf diesen Tatbestand ist die, daß ich dir gerne untertan bin, dich sinnvoll finde und versuche, dich zu lieben. Du hast die Gestapo, das KZ und die Folter erfunden; ich anerkenne also, daß du der Größte und der Stärkste bist. Der Name des Herrn sei gelobt.

Welche Haltung die ethisch wertvollere ist, die Hiobs oder die von Hiobs Weib, versteht sich von selbst. Eben *weil* Gott das Krokodil erfunden hat, besteht die Verpflichtung, gegen ihn zu rebellieren; denn wenn er es nicht erfunden hätte, brauchte man auch gar nicht mehr gegen ihn zu rebellieren. Hiobs Reaktion ist nicht nur feig, sie ist auch dumm.

Wie so manches Verwerfliche hat auch Hiob und seine Art Schule gemacht: es wimmelt heutzutage von solchen Hioben. Überall trifft man sie an; nicht zuletzt mein Vater war ein solcher Hiob. Gerade dies aber, daß es eben so viele Hiobe gibt, ist für mich wieder eine Verpflichtung, es diesen Hioben meinerseits *nicht* gleichzutun, Hiobs Weib nachzufolgen und sterbend Gott zu fluchen. Man darf sich nicht trösten lassen, solange der Trost nur ein fauler Trost ist.

Eine Frage muß man hier freilich außeracht lassen, nämlich die, was es denn überhaupt nützen sollte, dem Krokodilgott zu fluchen. Es braucht überhaupt nicht zu nützen; es genügt, daß es richtig ist. Und selbst wie die anderen Geschlagenen reagieren, spielt letzten Endes keine Rolle; es genügt, daß ich es für mich für richtig gehalten habe, um den biblischen Ausdruck noch einmal zu verwenden, »Gott zu fluchen«. Es ist gleichgültig, ob ich der einzige Zerstörte oder einer unter tausend Zerstörten bin, und es ist belanglos, die einzelnen Schicksale miteinander zu vergleichen. Ich sehe jeden Tag unzählige andere Gescheiterte, Verkrüppelte und Ruinierte, in der Schule, auf der Straße, im Restaurant; ob sie nun im Rollstuhl vorgefahren oder nach einem Verkehrsunfall im Unfallwagen abtransportiert werden, ob sie nun ein geistiges oder ein seelisches Wrack sind, ihre Zahl nimmt kein Ende mehr. Bei einer solchen Konfrontation nützt es nichts, sich zu sagen, daß man nicht der einzige Geschlagene sei und daß den anderen auch ein schweres Schicksal ereilt habe; es nützt mir nichts, und es nützt dem anderen nichts. Dem einen ist ein Bein abgefahren worden; das ist sein Problem. Ich bin neurotisch; das ist mein Problem. Jeder muß mit seinem eigenen Problem fertig werden, nicht ich mit dem verlorenen Bein des anderen, und nicht der andere mit meiner Neurose. Ich kann darum hier auch nicht die Geschichte der tausend anderen stellvertretend schildern, denn jeder ist allein mit seinem Leid und seiner Einsamkeit; jeder hat seine eigene Geschichte.

Viele haben es auch noch schlechter als ich. Das ist wahr, aber man darf dennoch nicht vergleichen: Wenn ich Zahnweh habe, dann ist es belanglos, ob mein Nachbar noch mehr Zahnweh hat als ich. Ich kann nicht das Zahnweh der ganzen Welt bekämpfen; ich kann nur dafür sorgen, daß der Zahnarzt mir meinen eigenen kranken Zahn zieht.

Und dennoch achten viele Leute bereitwilliger auf das größere Zahnweh des Nachbarn als auf das vielleicht kleinere, aber dafür eigene Zahnweh bei sich selbst. Oder um es in der klassischen Formel auszudrücken: Man schaut lieber auf den Splitter im Auge des anderen als auf den Balken im eigenen Auge. Als ich noch ein Kind war, war in den Kreisen, die ich damals als die meinen anzusehen gezwungen war, die Redensart üblich: Der soll doch einmal nach Moskau gehen! Damit bezog man sich auf Andersdenkende und Kritiker unseres schweizerischen Systems. Man wollte damit ausdrücken, daß jeder, der an der Schweiz etwas auszusetzen hatte, nach jenem sagenhaften Moskau gehen sollte, dem Ort, wo sprichwörtlicherweise alles noch viel schlechter war als in der Schweiz. »Nach Moskau gehen« hieß also etwa soviel wie: von zwei Übeln das kleinere zu wählen, statt sich zu überlegen, ob man nicht auch etwas unternehmen könnte, um das näherliegende Übel zu kurieren.

Man sagte: Geh doch nach Moskau – und meinte damit: Wir sind nicht gewillt, irgend eine Kritik an uns zu vernehmen. Es ist uns gleichgültig, ob wir uns bessern sollen oder nicht, wir wollen uns lieber auf »Moskau« berufen, wo alles noch schlimmer ist, so daß wir bei diesem Vergleich notwendigerweise gut abschneiden. Wir brauchen uns auch nicht zu bessern, denn vor »Moskau« haben wir immer noch einen gewaltigen Vorsprung. Sollen doch die »Moskowiter« sich erst einmal bessern! Der Balken in unserem Auge ist uns gleichgültig, solange wir uns mit dem Splitter im fremden Auge entschuldigen können.

In Wirklichkeit gibt es aber kein solches sagenhaftes Moskau, wo alles immer noch schwärzer sein soll als an dem Ort, wo man sich zur Zeit gerade befindet. Es gibt so wenig einen Ort, wo immer alles schwärzer ist als bei uns, wie es ein Eldorado gibt, wo immer alles goldener ist als bei uns. Das Moskau, wohin die Nonkonformisten früher gehen sollten, ist ein imaginärer Ort. Es ist sogar dann noch ein imaginärer Ort, wenn es in Moskau tatsächlich um so vieles schwärzer als in Zürich sein sollte, wie viele Schweizer hoffen; nicht nur, weil man auch in Moskau glücklich und auch in Zürich unglücklich sein kann. Selbst wenn Moskau der schwarze Ort sein sollte, wie er im Märchen geschildert wird – was kümmert das einen glücklichen Moskauer? Und selbst wenn es in Zürich so wunderbar sein sollte, wie man es hierzulande gerne betont – was nützt das dem unglücklichen Zürcher?

Das oben geschilderte Moskau ist jedoch noch aus einem viel tiefer gehenden Grund ein imaginärer Ort. Um zu beurteilen, ob eine Sache gut oder schlecht ist, ist es belanglos, ob eine andere Sache besser oder schlechter ist; von zwei miserablen Sachen muß eine notwendigerweise noch die bessere sein, und auch von zwei hervorragenden Dingen nimmt eines eben nur den zweiten Platz ein und ist also das schlechtere. Wenn man von »Moskau« nur weiß, daß es *schlechter* ist, dann weiß man nichts von ihm, und dann hört es eigentlich auf zu existieren. »Geh nach Moskau« bedeutet dann nichts weniger mehr als »Geh an den Ort, der gar nicht existiert«. Es gibt keinen Weg nach Moskau. Ich glaube, es gibt im Leben überhaupt nie einen Weg nach Moskau. Jede Situation, in der man sich befindet, ist die notwendigerweise einzig mögliche, und nie kann man sich sagen: Gottlob bin ich wenigstens nicht in Moskau, denn dort wäre es noch schlimmer.

Jedesmal wenn ein anderer Krüppel im Rollstuhl an mir vorbeigefahren wird, ist mir, als ob mir eine Stimme zuriefe: Sei doch zufrieden, denn der hat es noch schlechter als du – und dann ist es, als ob diese Stimme damit meinte: Geh doch nach Moskau! Aber es gibt auch angesichts solcher anderer Krüppel keinen Weg nach Moskau. Ich bin nicht in Moskau, ich bin nicht anderswo, sondern ich bin hier; ich bin nicht jemand anders, sondern ich bin ich und befinde mich mitten in meiner eigenen Tragödie, und zwar unmittelbar vor der finalen Katastrophe. Den Inhalt dieses Trauerspiels habe ich schon in meinen Erinnerungen geschildert: ich bin der neurotische Sohn eines neurotischen Vaters und einer neurotischen Mutter; meine Familie ist für mich der Inbegriff alles dessen, was ich verabscheue, und doch bin ich als Mitglied dieser Familie notwendigerweise auch ein Neurotiker; ich versuche mich aus meiner Vergangenheit herauszukämpfen, aber meine Vergangenheit frißt mich in der konkreten Erscheinungsform des Krebses auf, bevor ich es geschafft habe, mich davon zu befreien. Das Bedrückende an der ganzen Situation ist, daß die Sache nicht damit abgetan ist, daß ich nicht wie meine Eltern sein *will* und darum, nicht wie sie zu sein, auch *kämpfe*, sondern daß meine Eltern in mir selbst stecken, zur Hälfte als Fremdkörper und zur Hälfte als ich selbst, und mich auffressen, so wie ja auch der Krebs, der mich auffrißt, zur einen Hälfte ein kranker Teil meines eigenen Organismus ist und zur anderen Hälfte ein Fremdkörper innerhalb meines Organismus.

Es ist mir schon die diabolische Frage gestellt worden, ob ich denn vielleicht lieber mein Vater hätte sein wollen als ich selbst. Nein, natürlich nicht. Auch mein Vater war einer der vielen, die noch schlimmer dran waren als ich; auch mein Vater ist solch eine Beispielsfigur, die mir im Rollstuhl vorgefahren wird mit der Frage: Wolltest du denn vielleicht lieber der im Rollstuhl sein? Mein Vater war ein üblicher Millionär der Zürcher Goldküste mit Herzinfarkt und sechzig Jahren Frustration. Soll man lieber sechzig Jahre auf der Sparflamme der Frustration langsam zu Tode schmoren oder lieber schon mit dreißig Jahren aus Verzweiflung an Krebs sterben? Soll sich die Mühle der Hoffnungslosigkeit lieber sechzig Jahre lang ein bißchen langsamer drehen, oder soll man lieber mit etwas beschleunigtem Tempo schon nach dreißig Jahren zu Tode gemahlen sein? Natürlich das letztere. Wenn es für mich als Abkömmling meiner Familie schon keine andere Lösung gibt als mich von der Verzweiflung zermalmen zu lassen, dann will ich lieber schon mit dreißig Jahren an meiner Krebs gewordenen Hoffnungslosigkeit sterben als sechzig Jahre lang auf das erlösende Aneurysma warten. Wenn es für mich schon keine andere Lösung mehr gibt, als zugrunde zu gehen, dann ziehe ich einen ehrlichen Selbstmord einem bemäntelten vor.

Aber was soll mir diese Erkenntnis nützen? Soll ich mich an das Leben meiner Eltern erinnern und mir zum Trost sagen, daß ich wenigstens nicht mein Vater gewesen sei? Was schert mich mein Vater? Es ist, als ob man mich wieder aufforderte, nach Moskau zu gehen, wenn man mir vorschlägt, mein eigenes Leben mit dem meines Vaters zu vergleichen und dann das seine für das schlechtere der beiden zu halten. Das ist auch keine Hilfe. Mein Vater ist tot; er ist schon gestorben, und wer jetzt stirbt, das bin ich. Es hat nichts mit meinem eigenen Tod zu tun, wenn ich mir jetzt überlege, daß mein Vater aus einer noch viel unerfreulicheren Seelenlage heraus gestorben ist als ich.

Ich glaube, selbst das Sterben kann in vielen Fällen bedeuten, »nach Moskau zu gehen«. Der Tod versöhnt mit manchem, vor allem auch mit solchen Dingen, mit denen man sich lieber nicht versöhnen sollte. Man schlägt vor: *De mortuis nihil nisi bene.* Warum eigentlich? Wenn es um diese Toten eben nicht *bene* bestellt war, warum soll denn alles Schlechte an ihnen plötzlich vergessen sein, bloß weil sie gestorben sind? Ich denke hier weniger an die Gewohnheit, von allen gestorbenen Mitmenschen zu behaupten, daß es gute, teure und wertvolle Menschen gewesen seien, sondern vielmehr an das eigene Sterben. Ich glaube, daß man auch angesichts des eigenen Todes versucht ist, sich zu einem besseren Menschen zu stilisieren, als man in Wirklichkeit gewesen ist. Ich glaube, auch im Sterben erklingt noch einmal die verführerische Aufforderung: Geh doch nach Moskau!

Wenn ich jetzt mein Leben zusammenfassen und beurteilen soll, so kann ich nur zum Schluß kommen, daß es mißraten und gescheitert ist. Solange man lebt, kann man sich immer damit trösten, daß das Leben nur »bis jetzt« mißlungen sei, und daß es sich in Zukunft vielleicht noch bessern werde. Vor dem Tod gibt es aber kein solches Hintertürchen und kein solches »bis jetzt« mehr; dann kann es nur noch heißen: Es *ist* mißlungen. Auch in dieser extremen Situation gibt es keinen Ausweg nach Moskau; es hilft nichts und es taugt nichts, sich vor dem Tod noch eine rosa Brille aufzusetzen und von seinem eigenen Leben zu behaupten, »es sei doch eigentlich gar nicht so schlimm gewesen, und man sterbe eigentlich ganz versöhnt mit sich und der Welt«. Wenn es nicht wahr ist, daß man mit sich und der Welt versöhnt stirbt, so soll man es auch nicht sagen, selbst im Augenblick des Todes nicht, wo jede Chance für mögliche Hilfe und Besserung und jede Möglichkeit eines Trostes ausgeschlossen ist.

Fontanes Effi Briest bemerkt, kurz bevor sie an ihrem Kummer stirbt, den ihr ihre Eltern und ihr Ehemann aus Unverstand zugefügt haben, zu ihrer Mutter, daß sie ganz ruhig, versöhnt und friedlich sterbe. Sie vergleicht das Leben mit der Schilderung eines Banketts aus einem Buch: Einer der Gäste mußte die Tafel vorzeitig verlassen, was sich dann aber nachher nicht als eigentlicher Verlust herausstellte. Auf die Frage, was es denn nach seinem vorzeitigen Abgang noch alles gegeben habe, wird ihm geantwortet: Ach, es war noch allerlei; aber eigentlich haben Sie nichts versäumt. Effi stirbt als ganz junge Frau, fast noch als Mädchen, aus Gram, aber sie hat sich damit abgefunden; sie meint, sie habe nichts versäumt. Glückliche oder unglückliche Effi? Bezeichnenderweise hat mein Vater *Effi Briest* nie leiden mögen. Schon die bloße Möglichkeit, daß sich jemand am Ende seines Lebens Gedanken darüber macht, ob sich denn das Leben jetzt gelohnt habe oder nicht, war ihm zuwider. Ich kann mir das nicht anders begründen als so, daß er Angst davor hatte, sich diese Frage überhaupt zu stellen; Angst davor konnte er aber wohl nur empfunden haben, weil er eine Ahnung davon gehabt haben muß, wie die Antwort auf diese Frage wohl lauten würde. Glücklicher oder unglücklicher Vater, der es nicht wagen durfte, sich zu fragen, ob er nicht doch etwas versäumt habe, obwohl im Leben sonst »noch allerlei« war?

Wenn man es im Leben nur zu »noch allerlei« gebracht hat, dann hat man zu wenig erreicht und das Leben nicht bestanden. Auf die Frage, was denn die Menschen vor allem erreichen wollen, denke ich mir, daß das erste Ziel der Menschen doch das *Glück* ist. Unter dem Glück stelle ich mir einen Zustand vor, der daraus besteht, daß die Tatsache des Existierens für den Menschen gar keine Qual bedeutet, daß man gerne lebt und einem das Leben sogar Freude macht. Diesen Zustand kenne ich nicht und habe ihn nie gekannt. Die Fähigkeit, glücklich zu sein, ist in mir zerstört. Das ist wohl das eigentliche Kennzeichen der Neurose: neurotisch ist, wer nicht glücklich sein *kann*. Der deutlichste Ausdruck dieser Glücks-Impotenz ist sicher die sexuelle Impotenz. Die Zerstörung meiner sexuellen Fähigkeiten ist sicher mein größter Schaden. Ich bin seelisch kastriert, ich habe keine sexuellen Regungen, ich kann weder Frauen noch Männern gegenüber sexuelle Gefühle empfinden. Ich habe nie Beziehungen zu Frauen gehabt, denn ich kann sie nicht lieben und ich kann sie nicht begehren. Ich bin darum logischerweise auch nicht fähig, den Geschlechtsakt auszuführen, selbst wenn es ohne Gefühle und Erregung und nur rein mechanisch wäre; ich kann nicht erzwingen, was nicht existiert und bleibe so auch körperlich impotent.

Ein anderes typisches Kennzeichen der Neurose ist, daß ich nicht lachen kann. Vielleicht ein weniger dramatisches Kennzeichen als das sexuelle, aber deshalb nicht weniger bedrückend. Es ist deshalb so bedrückend, weil man auch das Lachen nicht erzwingen kann. Ich kann nicht lachen, weil *es* nicht lacht in mir. Auch das ist eine Unfähigkeit und eine Impotenz, die man nicht mit dem Willen korrigieren kann. Ich kann mir nicht befehlen zu lachen; es lacht einfach nicht, es bleibt tot.

Zur Bezeichnung solcher Unfähigkeiten verwendet man heute das Wort Frustration, wobei von allen Frustrationen die sexuelle ohne Zweifel die tödlichste ist. Diese Frustration ist eben ethischer Natur, denn sie betrifft die Ehre des Menschen. Die menschliche Ehre besteht aus Sexualität; die Sexualität ist der Stoff, aus dem die Ehre gemacht ist, und es gibt keine andere Ehre außer der sexuellen. Ich glaube, die Begriffe »Ehre« und »Sexualität« sind sogar identisch; es sind Synonyme für denselben Begriff. Ich jedenfalls empfinde es so. Wenn ich fragen würde, aus welchem Stoff denn die sexuelle Frustration besteht, so weiß ich keine andere Antwort als »Unehre, Schande«. Das aber ist das tödlichste Element der sexuellen Frustration: die sexuelle Schande, unter der ich leide. Auch dieses Gefühl drückt sich bei mir oft in einer körperlichen Sensation aus: ich empfinde den Zwang, den Kopf senken zu müssen, weil ich mir das Recht nicht anmaßen kann, erhobenen Hauptes dazustehen.

Auch die Wendung, daß ich von Frustration zerfressen sei, ist mehr als eine bloße Redensart, sondern findet auch auf körperlicher Ebene konkret statt. Ich werde ja wirklich zerfressen, nämlich vom Krebs. *Das* ist in Wirklichkeit der Krebs, sein Grund, sein Ursprung, seine Verzweiflung, weit über alles bloß Medizinische hinaus.

Das zweite Ziel des menschlichen Lebens aber scheint mir der *Sinn* zu sein. Wenn man schon nicht glücklich sein kann, so möchte man wenigstens, daß das Leben, auch das unglückliche Leben, sinnvoll sei. Mit dem Begriff des Sinns wird meiner Ansicht nach aber viel Unfug getrieben. Ich meine hier vor allem die allgemein beliebte Tendenz, alles um jeden Preis sinnvoll zu finden. Ein Hauptsünder bei der Pervertierung des Begriffes »Sinn« ist sicher die christliche Religion, die uns lehrt, daß kein Spatz vom Dach fällt, ohne daß es der Wille des Konstrukteurs dieses Vogels gewesen sei. Das christliche Dogma lehrt: Bleibt der Spatz oben, so ist das gottgewollt und sinnvoll; fällt der Spatz herunter, so ist das auch gottgewollt und sinnvoll – bloß verstehen wir diesen Sinn nicht. Wenn der Vogel also oben bleibt, so hat das einen Sinn, den wir *verstehen* können; wenn der Vogel aber nicht oben bleibt, so hat das einen Sinn, den wir *nicht* verstehen können. Ergo ist *alles* sinnvoll. In dieser Beweisführung liegt ein Widerspruch, der mich mehr anekelt, als daß ich es tatenlos ertragen könnte. In einem solchen Augenblick müßte man Gott, der diesen Spatz geschaffen hat, geradezu erfinden (denn meinem persönlichen Glauben nach gibt es ihn nicht), bloß um ihm eins in die Fresse zu hauen.

Meiner Überzeugung nach existiert der Sinn. Die notwendige Konsequenz davon ist, daß auch der Unsinn existiert. Es *kann* nicht alles sinnvoll sein; gewisse Dinge *müssen* sinnlos sein. Auch vom Leben eines Menschen kann man nicht um jeden Preis behaupten, daß es sinnvoll gewesen sei. Die Sinnlosigkeit kommt eben vor, und selbst wenn man sich die Frage nach dem Sinn des Lebens im Augenblick des Todes stellt, wo es, wie gesagt, kein Hintertürchen nach Moskau mehr gibt, ändert das nichts an der Tatsache, daß man dann die Frage nach dem Sinn des Lebens entweder mit Ja oder mit Nein beantworten muß. Wenn die Antwort nein lautet, so ist das für den Betreffenden schmerzlich, aber deswegen nicht weniger wahr.

Diesen Sinn kann ich in meinem Leben aber nicht entdecken. Meine neurotischen Eltern haben in mir einen Menschen produziert, der zwar körperlich nicht schwach genug war, um gleich nach der Geburt zu sterben, der aber durch das neurotische Milieu, in dem er aufgewachsen ist, seelisch so zertrümmert wurde, daß er zu einem Dasein, das man menschlich nennen könnte, nicht mehr fähig war. Dreißig Jahre lang habe ich nun zwar körperlich existiert, bin aber ebenso lange seelisch tot gewesen. Heute, nach dreißig Jahren Sterilität, bricht nun auch der Körper zusammen, und das lebensunfähige Produkt zerstört sich selbst. Ist das sinnvoll, daß zwischen meinem seelischen und meinem körperlichen Tod noch dreißig Jahre Elend, Depression und Frustration gelegen haben? Ist das sinnvoll, daß ich nicht gleich an meiner Geburt gestorben bin? Nein, ich kann das nicht sinnvoll finden. Ich kann es nicht sinnvoll finden, daß meine Eltern dieses qualvolle Geschöpf produziert haben, das ich bin, und dem sie auf seinen Lebensweg nichts anderes mitzugeben vermocht haben als ihre eigene Lebensunfähigkeit und ihre eigene Neurose. Es wäre sinnvoller gewesen, sie hätten mich nicht produziert, sondern es unterlassen. Es wäre sinnvoller gewesen, wenn mein Vater sich hätte sterilisieren lassen und meine Mutter unfruchtbar geblieben wäre. Aber das hat nun eben nicht stattgefunden; und daß es nicht stattgefunden hat, das bezeichne ich als sinnlos.

Ich sehe aber noch einen dritten möglichen Inhalt des menschlichen Lebens, nach dem Glück und nach dem Sinn, nämlich die *Klarheit*. Wenn ich schon nicht glücklich und mein Leben nicht sinnvoll sein kann, so kann ich mir doch darüber klar werden, was ich bin und was mein Leben ist. In diesem Sinne glaube ich eine gewisse Logik und Konsequenz meines Lebens klar zu erkennen. Ich habe bereits über die neurotische Veranlagung meiner Eltern und darüber geschrieben, daß ich annehmen muß, daß sie auch keine glücklichen Menschen waren. Es ergibt sich eine gewisse katastrophale Konsequenz, wenn ich meinen Lebenslauf verfolge: Die Neurose meiner Eltern begründet meine eigene Neurose; meine Neurose begründet meinen lebenslänglichen Kummer; mein Kummer begründet, daß ich an Krebs erkrankt bin, und der Krebs ist zuletzt der Grund für meinen Tod. Keine erfreuliche Geschichte, aber sie leuchtet ein. Meine Lebensgeschichte bedrückt mich zu Tode, aber sie leuchtet mir ein. Ich stelle darin eine Fatalität fest, von der ich nicht sagen kann: »Ach, so etwas gibt es doch gar nicht«, sondern von der ich nur zur Kenntnis nehmen kann, daß es sie gibt. Das ist wohl, was man sprichwörtlicherweise nennt, »den Becher bis zur Neige leeren«, um dann zu konstatieren: So ist es; so und nicht anders.

Ich anerkenne auch die Notwendigkeit, aus jeder Situation das Beste zu machen, und gelange dadurch zur Notwendigkeit der Ehrlichkeit: Wenn man einmal eingesehen hat, daß eine Sache verloren ist, ist es falsch, sich vor dieser Tatsache zu verschließen. Eine eingestandene Niederlage ist besser als eine uneingestandene.

Ich habe es nicht geschafft, die Niederlage ist eingetreten, der Krieg ist verloren. Krieg gegen wen eigentlich? Wer sind denn meine Feinde? Das ist schwer zu sagen, obwohl es eine Menge Wörter dafür gibt: meine Eltern, meine Familie, das Milieu, in dem ich aufgewachsen bin, die bürgerliche Gesellschaft, die Schweiz, das System. Von allem dem ist ein bißchen in dem enthalten, was ich als das mir feindliche Prinzip bezeichnen möchte, wenn auch kein einziges dieser Wörter die ganze Wahrheit aussagt. Man könnte es auch als eine ganz amorphe anonyme Übermacht zu beschreiben versuchen, in der die einzelnen Begriffe wie »meine Eltern« oder »die Gesellschaft« ab und zu wie momentane Funken aufleuchten. Es kümmert mich im gegenwärtigen Zustand auch gar nicht so sehr, wer alles an dieser anonymen Übermacht beteiligt ist und in welchem Ausmaß, denn ich glaube, daß, zumindest heute und hier, in Zürich, in der Schweiz, in unserem politischen System, jeder durch dieses anonyme feindliche Prinzip bedroht und geschädigt worden ist. Ich habe schon in meinen Erinnerungen darauf hingewiesen, daß ich mich nicht als einen einzigartigen Fall betrachte, sondern nur als einen unter vielen, wenn vielleicht auch als einen besonders schwerwiegenden. Alle sind auf dieselbe Art geschädigt worden wie ich. Den einen hat es vielleicht nicht so viel ausgemacht, die einen haben es vielleicht überwunden, die anderen tragen vielleicht schwerer daran, können sich aber trotzdem noch über Wasser halten, und die letzten haben es nicht überwunden und gehen daran zugrunde.

Laut Sartre soll in dieser offenbar allgemein menschlichen Situation nicht das Wesentliche sein, »was man aus dem Menschen gemacht hat, sondern was er aus dem macht, was man aus ihm gemacht hat«. Ein Satz, den ich unterschreiben kann. Es kann sicher eine Chance geben, noch etwas daraus zu machen, was aus einem gemacht worden ist; vielleicht hat sogar jeder diese Chance. Selbst ich hätte diese Chance haben können. Vielleicht wenn der mir von meinen Eltern (und allem, was zum Begriff »Eltern« gehört) zugefügte Schaden nicht so unauslotbar gewesen wäre, wäre es mir zeitlich noch möglich gewesen, ich selbst zu werden, bevor mich der Krebs aufgefressen hat. Vielleicht wäre mir, wenn sich der Ablauf meiner Krankheit verzögert hätte, noch eine gewisse Frist zugestanden gewesen, in der ich meine Neurose hätte überwinden können. Vielleicht. Aber diese Hypothesen sind müßig, denn in Wirklichkeit verhält es sich eben nicht so, oder, um auf Sartre zurückzukommen: Es ist mir nicht mehr gelungen, etwas aus dem zu machen, was man aus mir gemacht hat. Man hat etwas aus mir gemacht, man hat mich kaputt gemacht; aber die von Sartre geforderte Überwindung dieses »Kaputt« ist mir nicht mehr gelungen.

Ein letzter Punkt gehört noch zur Bestandsaufnahme meines Lebens. Ich möchte meine Tragödie so definieren, daß ich in meinem Leben all das nicht sein und verkörpern konnte, was mir als das einzig Lebenswerte erschien, weil offenbar in meinem Leben nicht mein Wille und meine Gefühle und mein Ich die Hauptsache gewesen sind, sondern immer nur das Erbe der anderen in mir: nicht was ich wollte, ist geschehen, sondern was meine Eltern – oder eben richtiger in Gänsefüßchen geschrieben: meine »Eltern« – in mich gelegt haben. So haben zum Beispiel meine Eltern in mich gelegt, daß die Sexualität bei mir nicht stattfindet, obwohl in dem Teil meines Ichs, den ich als »ich selbst« bezeichnen möchte, die Sexualität der höchste aller Werte ist. Ich glaube, nur der allerkleinste Teil meines Ichs bin ich selbst; der größte Teil davon ist vergiftet, vergewaltigt und zerstört durch das oben beschriebene feindliche Prinzip, dessen typischste Repräsentanten für mich meine Eltern waren. Es ist wie ein riesengroßer Fremdkörper in mir, der beträchtlich viel größer ist als der als »ich selbst« bezeichnete Teil meines Ichs, der mich auffrißt und an dem ich leide.

Mit dem Begriff »Fremdkörper« wird aber auch die Grenze zwischen dem Fremden und dem Eigenen offensichtlich, und *dies* ist die letzte Konsequenz jenes Inhaltes meines Lebens, den ich die Klarheit genannt habe: herauszufinden, welcher letzte kleine Teil meines Ichs *nicht* von meiner Vergangenheit vergiftet worden ist, zu welchem Teil meines Ichs ich mich bekennen kann, ohne mich voll Haß und Abscheu davon abwenden zu müssen. Ich glaube, ich kann auch in dieser Hinsicht wieder eine Parallele zwischen meiner Neurose und dem Krebs feststellen.

So wie mein Körper vom Fremdkörper Krebs durchwuchert wird (wobei auch dieser Fremdkörper aus ursprünglich nicht bösartigen Zellen meines Körpers besteht), so wird auch meine Seele vom Fremdkörper »Eltern« durchwuchert, der genau wie die Krebsgeschwüre des Körpers kein anderes Ziel kennt, als den ganzen Organismus zu zerstören. Die Krebsgeschwüre schmerzen bekanntlich für sich genommen nicht; was schmerzt, sind die an sich gesunden Organe, die durch die Krebsgeschwüre zusammengedrückt werden. Ich glaube, dasselbe trifft auch für die seelische Krankheit zu: überall wo es weh tut, bin ich es. Das Erbe meiner Eltern in mir ist wie ein riesengroßes Krebsgeschwür; alles was darunter leidet, mein Elend und meine Qual und meine Verzweiflung, das bin ich. Ich bin nicht nur *wie* meine Eltern, ich bin auch *anders* als meine Eltern: meine Individualität besteht aus dem Leid, das ich empfinde. Mein Leben ist tragischer als das meiner Eltern, ihr Leben war deprimierender als das meine: meine Eltern richteten sich zugrunde, ohne je auf die Idee zu kommen, es könnte auch für sie die Chance geben, aus ihrer Resignation herauszukommen. Ich habe die Möglichkeit eingesehen, daß es für mich eine Chance hätte geben können: daß diese Chance sich nicht geboten hat, erzeugt meine Hoffnungslosigkeit, die wegen ihrer tödlichen Enttäuschung viel wilder und gellender ist als das bloß dumpfe Deprimiertsein meiner Eltern. Auch darin, daß ich so hoffnungslos bin, unterscheide ich mich von meinen Eltern, die das Risiko nicht eingegangen sind, hoffnungslos zu sein. Auch die Art meines Todes ist anders als die meines Vaters: auf meinen Vater trifft tatsächlich die etwas kitschige Redensart zu, daß die altersschwache Uhr vor lauter Verstaubtheit am Ende aufgehört hat zu schlagen – ein Objekt, das eine Zeitlang noch mit Ach und Krach getickt hat und dann als Rosthaufen stehen bleibt. Meinen eigenen Tod möchte ich lieber als eine Explosion aus Verzweiflung bezeichnen. Knall und Fall. Wenn man will, ist Knall und Fall auch kitschig; aber so schlimm wie das mit der Uhr ist es nicht.

Und dann der Haß. Was trotz aller Hoffnungslosigkeit und Sinnlosigkeit und Aussichtslosigkeit noch kratzt und beißt und haßt wie ein zertretenes Tier: auch das bin ich selbst. Ich bin kaputt, aber ich paktiere nicht mit denen, die mich kaputtgemacht haben. Auch das letzte Endchen meines Ich, von Leid und Qual zermürbt und von Krebs zerfressen, stirbt jetzt – aber unter Protest. Der Protest aber ist ein Begriff, der über das Sinnvolle oder Sinnlose hinausgeht; der lebt losgelöst vom Begriff des Sinnvollen aus sich selbst heraus. War es sinnvoll, daß Ulrike Meinhof einer ganzen Nation den totalen Krieg erklärt hat? »Sinnvoll« ist wohl nicht das richtige Wort dafür, »sinnlos« auch nicht. Meinetwegen war es sogar sinnlos, aber *konsequent* war es. Ich weiß nicht, was für Umstände dazu geführt haben, daß Ulrike Meinhof Terroristin geworden ist; aber gute Umstände können es auf keinen Fall gewesen sein, denn niemand, dem es gut geht, wird zum Terroristen. Höchstwahrscheinlich war ihr Leben ein unglückliches Leben, vielleicht war es auch ein sinnloses Leben, aber eben das *eine* hatte ihr Leben: Konsequenz. Ich werfe zwar im Moment keine Bomben; die Konsequenz, glaube ich, habe ich auch. Selbst wenn die Konsequenz das einzige sein sollte, was ich habe.

Wenn ich mich frage, ob es denn für mich wirklich kein Glück, keinen Trost und keine Erlösung gibt, so kann ich der Antwort auf diese Frage nicht ausweichen; sie lautet: Nein. Diese Dinge hat mir das Leben nicht gewährt. Aber zwei Dinge hat es mir gebracht: Klarheit, die Fähigkeit, die Katastrophe meines Lebens klar zu erkennen, zu verstehen und mir nichts mehr vorzumachen. Und zweitens die Stärke, die Wahrheit dieser Erkenntnis zu ertragen. Mein Leben ist die Hölle; ich weiß es, und ich stehe dieser Tatsache ohne Verschleierungsmanöver gegenüber.

Ich bin jetzt im KZ und werde durch das »elterliche« Erbteil in mir vergast. Aber ich bin *im* KZ, und die mich vergasen sind *draußen*. Innerhalb des KZs habe ich eine gewisse, wenn auch äußerst beschränkte individuelle Freiheit. Ich habe die Freiheit, zu wählen, ob ich unter den erhaltenen Schlägen schreien oder mich mit meiner Mißhandlung einverstanden erklären soll. Ich kann wählen, ob ich, während ich vergast werde, »Heil Hitler« rufen soll oder »Mörder«. Ich habe die Freiheit, die Perversität der Gesellschaft, die mich zu dem gemacht hat, was ich bin, zu erkennen und unter dieser Erkenntnis zu leiden. Ich könnte auch resignieren und zu meiner Ermordung ja und amen sagen. Dieser Wille, mich insofern von meiner familiären Vergangenheit zu distanzieren, als ich darunter leide, das ist meine Freiheit. Ich bin zerschlagen und zerstört, kastriert, geschändet, vergiftet und umgebracht worden, aber in eben dieser meiner individuellen Freiheit unterscheide ich mich von einem bloß abgeschlachteten Stück Vieh; darin erlange selbst ich eine gewisse menschliche Würde.

Ich glaube, daß es die Maßlosigkeit meines Schmerzes ist, der mich zuletzt trotz allem von meiner familiären Vergangenheit emanzipiert (in meinen ehemaligen Kreisen pflegte man gesitteter zu sterben). Ich habe mich zu Tode gegrämt, ich sterbe aus Leid. Vielleicht muß ich mein Anders-als-meine-Eltern-sein-Wollen mit dem Tode bezahlen. Vielleicht ist sogar der Krebs ein freiwilliger Entschluß, der Preis, den ich zu zahlen gewillt bin, um von meinen Eltern freizukommen. Man könnte hier einwenden, das heiße das Kind mit dem Bade ausschütten. Wenn das Kind aber ohnehin schon verloren ist, wenn das Kind ohnehin sterben muß,

geht es dann nicht erst recht darum, wenigstens noch das Bad aus-
zuschütten, vor allem, wenn das Bad so furchtbar verhaßt ist, daß
es um *jeden Preis* ausgeschüttet werden muß? Die Emanzipation
von meiner familiären Vergangenheit muß um jeden Preis stattfinden, denn meine Bedrückung durch sie ist der überwältigend
große Inhalt meines Lebens; wenn es wirklich um keinen anderen
Preis geht als um den Tod, dann ist auch der Tod nicht zuviel dafür
bezahlt. Kein Preis ist zu hoch, wenn das dadurch Erworbene eine
Notwendigkeit darstellt. Ich könnte ja auch resignieren und mich
damit abfinden, daß ich eben so bin, wie mich meine Eltern gemacht haben; aber dann würde ich zum Verräter an jenem kleinen
Teil meines Ich, den ich als »ich selbst« bezeichnet habe. Wenn ich
resignieren und weniger unter dem leiden würde, was ich bin,
würde ich vielleicht auch nicht vor Kummer sterben und weiterleben. Dann hätte ich mein Leben, und zwar den verabscheuungs-
würdigen Teil meines Lebens, um den Preis eben jenes Teiles von
mir gekauft, der als einziger noch nicht vergiftet worden ist. Dann
wäre meine Niederlage überdies dadurch vergrößert, daß ich noch
an mir selbst zum Verräter geworden wäre. Daß dies nicht eingetreten ist, stellt für mich trotz allem im Rahmen der unermeßlich
großen Niederlage einen kleinen Sieg dar.

Zürich, 7. VI. 1976

DRITTER TEIL

RITTER, TOD UND TEUFEL

Ich empfinde die Notwendigkeit, jetzt noch einen dritten Teil meiner Geschichte zu schreiben, obwohl ich weder glaube, daß sich meine Situation wesentlich verändert hat, noch daß ich zu wesentlich neuen Einsichten gekommen bin. Es bleibt für mich alles beim alten, aber es ist trotzdem anders geworden. Ich möchte das an einem Beispiel erläutern, von dem ich annehme, daß es wieder psychosomatischen Charakter hat. Meine medizinische Diagnose lautet nämlich seit kurzer Zeit etwas anders als vorher. Die Ärzte haben neulich nach abermaligen Untersuchungen herausgefunden, daß ich nicht an Krebs leide, sondern an einer anderen bösartigen Krankheit, die man malignes Lymphom nennt. Diese Krankheit hat die meisten Züge mit dem Krebs gemeinsam, weist aber einige Unterschiede zum Krebs auf, die hinreichen, sie anders zu benennen. Dazu kann man folgendes bemerken: Diese Unterschiede zwischen dem malignen Lymphom und dem Krebs sind zu wenig offenkundig, als daß ein medizinischer Laie sie zu erkennen vermöchte. Für einen Laien habe ich auch jetzt noch »eine Art Krebs«; nur der Mediziner vermag festzustellen, daß meine Krankheit kein Krebs ist. Man kann die Sache auch vom historischen Blickwinkel her ansehen; vor nicht allzu langer Zeit wäre die Medizin noch nicht fähig gewesen, meine Krankheit als Nicht-Krebs zu erkennen und hätte sie noch als Krebs bezeichnet. Es bedarf also gewisser besonderer Umstände, um den Unterschied zwischen Krebs und Nicht-Krebs überhaupt erkennbar zu machen.

Zudem muß man noch meine individuelle und reale Situation berücksichtigen. Auch das maligne Lymphom ist eine bösartige Krankheit und deshalb lebensgefährlich. Wenn ich binnen kurzem an malignem Lymphom sterbe, kommt es für mich auf dasselbe heraus, wie wenn ich an Krebs gestorben wäre. Oder, was dasselbe bedeutet, selbst wenn ich jetzt Krebs hätte – wie man bis vor kurzem angenommen hat – und ihn überlebte, so hätte ich ihn eben wirklich überlebt, aller seiner Bösartigkeit ungeachtet. Diese Erkenntnis läßt auch die statistischen Werte relativ werden: Die

Überlebenschancen für malignes Lymphom sind zwar etwas besser als die für Krebs; aber für den einzelnen bleibt es belanglos, ob er jetzt an der Krankheit mit der statistisch höheren Überlebenschance gestorben ist oder an der anderen. Für den Kranken ist nur eine Sache interessant: wieder gesund werden; die statistischen Ziffern in bezug auf seine Genesung können ihm gleichgültig sein.

Ich glaube deshalb, daß der größte Unterschied zwischen meiner jetzigen medizinischen Situation und der vorherigen der stilistische ist. Das Wort »Krebs« ist der Ausdruck für alles sprichwörtlich Böse; das Wort »Lymphom« sagt in stilistischer oder, wenn man will, in poetischer Hinsicht nichts aus, es ist nicht blumig, inspirierend und schauerlich, sondern es ist nur ein gewöhnlicher medizinischer Fachausdruck. Es ist kein magischer Begriff, sondern ein Wort, das man im medizinischen Fachwörterbuch nachschlägt. Das bedeutet für den Rahmen dieses Essays, daß das Wort »Krebs« für das allgemeine und undifferenzierte Böse steht, das Wort »malignes Lymphom« aber für ein ganz genaues und differenzierbares Böses. Dies ist eben der Sinn dieses Essays, das ungenaue Böse vom genauen zu unterscheiden.

Für meinen emotionalen Zustand ist dieser Unterschied freilich kaum von Bedeutung. An meinem Elend hat sich nichts geändert, und das einzige, was ich angesichts dieses Elends tun kann, ist, es immer und immer wieder aufzuschreiben. Solange ich von meinem Jammer noch nicht erlöst bin, muß ich es immer wieder sagen und all mein Elend herausschreien, selbst wenn ich nie mehr alles ausspeien kann und ich mein ganzes Leben lang nur mein Leid von mir geben muß. Es ist nichts Schönes, sein ganzes Leben lang nur seine unverdaute Vergangenheit zu erbrechen; aber diese Vergangenheit nicht erbrechen zu können, ist noch schlimmer. Das beelendende Gefühl vor dem Erbrechen ist immer noch unangenehmer als das Erbrechen selbst.

Man könnte sich fragen, ob es denn jetzt noch nicht genug sei, und ob ich mich noch nicht genug mit meiner Vergangenheit befaßt habe; die Realität des Lebens stellt dem aber entgegen, daß es eben noch nicht genug und das Leid meines vergangenen und gegenwärtigen Lebens noch nicht überwunden ist. Bis zum heutigen Tag treten immer wieder und ununterbrochen neue Krebsschäden zutage, seien es körperliche oder seelische, und bis jetzt ist noch keiner der letzte gewesen. Der letzte kann in dem Sinne der letzte sein, daß nach ihm keine mehr kommen, und daß ich nach der Heilung des letzten Krankheitsschadens von der Krankheit geheilt bin; der letzte kann aber auch der sein, der mich tötet. Diese Alternative steht noch offen. Vorderhand steht nur fest, daß mir das Übel noch im buchstäblichsten Sinn in den Knochen steckt und ich, wie man sprichwörtlicherweise sagt, bis ins Mark zerfressen bin, denn eben dort, im Knochenmark, hat sich meine Krankheit in letzter Zeit am heftigsten bemerkbar gemacht. In jedem einzelnen der unzähligen Knochen des Skeletts sitzt mir die bösartige Krankheit und wartet nur darauf, diese Knochen und damit mich zu zerstören. Und ebenso verhält es sich mit meiner seelischen Krankheit. Auch die Neurose steckt noch in mir, genau so bösartig, genau so generalisiert und genau so lebensgefährlich. So wie es noch offen steht, ob nicht die vergiftete Masse des malignen Lymphoms mich tötet, so steht es auch offen, ob nicht die vergiftete Masse meiner Neurose zu schwer zu ertragen sein wird, als daß das Leben noch weitergehen könnte.

Dazu kommt die Angst, daß ich es nicht mehr schaffen könnte. Meine seelische Krankheit ist noch nicht geheilt; wenn ich an meiner körperlichen Krankheit sterben sollte, bevor die seelische geheilt ist, dann habe ich es nicht mehr geschafft, dann kommt der Tag, an dem ich mir sagen muß, daß ich die Aufgabe meines Lebens nicht erfüllt und daß ich versagt habe. Das Bedrückendste ist die Angst, daß ich nicht mehr genug Zeit habe, daß ich nicht mehr so lange leben werde, wie ich nötig hätte, um mich von meiner Vergangenheit zu befreien.

Denn das ist meine Aufgabe: mich von der erdrückenden Qual meiner Vergangenheit zu befreien. Diese Aufgabe ist für mich klar in all ihrer Notwendigkeit und Konsequenz, ob ich sie nun erfüllen kann oder nicht. Für das mir gestellte Problem spielt es keine Rolle, ob ich gewinne oder verliere. Der Gedanke, daß die Wahrscheinlichkeit zu verlieren groß ist, ist qualvoll für mich; aber an der Problemstellung ändert er nichts. Jeder Augenblick meiner Vergangenheit trägt die Fähigkeit in sich, mich zu töten, so wie jede Zelle meines Körpers die Möglichkeit in sich trägt, meinen Organismus zu zerstören. Der Fall ist klar: ich muß weg von hier. Ich muß weg von allem, was ich gewesen bin, denn alles, was ich gewesen bin, bedeutet für mich eine unmittelbare Todesgefahr.

Man kann es sogar mathematisch formulieren: Je weiter weg von allem, was mich umbringt, desto besser. Selbst wenn ich es nicht mehr schaffen sollte, so bedeutet doch jeder kleinste Teilsieg etwas, auch wenn ich mein Übel als Ganzes nicht mehr besiegen kann. Besser wenig als gar nichts. Oder umgekehrt gesagt: *Tanto molesta lo poco como lo mucho.* Selbst kleine Erleichterungen sind Erleichterungen, und selbst in der letzten Verzweiflung kann noch etwas passieren, was einen über alle Verzweiflung hinaus noch zusätzlich quält.

Ein sehr einleuchtendes Beispiel dafür hat Michail A. Bulgakow in *Der Meister und Margerita* festgehalten. Zum ersten Mal habe ich in diesem Buch von der Fliegenplage gelesen, die Jesus am Kreuz gequält hat. Das »Haupt voll Blut und Wunden« ist tausendmal schon besungen und gemalt worden, aber an die Fliegen hat bis Bulgakow noch nie jemand gedacht. Die Fliegen sind sicher nicht das Schlimmste, weder für einen Gekreuzigten noch für einen gewöhnlichen Menschen. Wenn man aber schon einmal in Blut, Qual und Schmach am Kreuz hängt und in der südlichen Hitze noch von einem Fliegenschwarm umringt wird, so kann man nur sagen: Das kommt dann noch dazu. Vielleicht werden die Fliegen von einem bestimmten Augenblick an sogar das Wichtigste. Ich kann mir vorstellen, daß das letzte, was solch ein Gekreuzigter fühlt, nachdem der Schmerz und die Erschöpfung schon längst zu einer allgemeinen und undifferenzierten Qual geworden sind, kurz bevor ihm das Bewußtsein erlischt, die Empfindung eines lästigen und schwarzen Fliegenschwarmes sein könnte.

Anderseits, wenn jemand dazu verurteilt worden ist, gehängt zu werden, und bereits, am Baum angebunden, an dem er aufgeknüpft werden soll, auf die Hinrichtung wartet, so muß man annehmen, daß er während dieser Wartezeit, falls es ein heißer Tag sein sollte, sich in den Schatten des Baumes setzen wird und nicht daneben. Am Gehängtwerden ändert das zwar nichts mehr; aber es ist sicher besser, im Schatten darauf zu warten als in der prallen Sonne.

Somit meine ich, daß auch für mich jede Linderung meiner seelischen Krankheit begrüßenswert ist, selbst wenn es für eine Heilung zu spät sein sollte. Dieses letztere aber ist immer noch nicht bewiesen. Ich bin zwar noch nicht geheilt, aber es steht noch nicht unwiderruflich fest, daß ich unheilbar bin. Solange die Hoffnungslosigkeit der Situation noch nicht bewiesen ist, besteht auch die Hoffnung noch, und wenn ich mich frage, was es ist, das mich immer noch aufrechterhält und bewirkt, daß ich mein Leben immer noch ertragen kann, so ist es eben diese Hoffnung. Bis heute ist die Hoffnung auf ein besseres Leben größer gewesen als die Verzweiflung über mein vergangenes und jetziges Leben, und der Drang, von meinem jetzigen Leben erlöst zu werden, stärker als der, mir das Leben zu nehmen.

Auch dies ist keine neue Erkenntnis; aber auch diese Erkenntnis drängt danach, von mir immer wieder gesagt zu werden. Auch wenn ich gar nichts Neues mehr sagen will, so will ich das schon Gesagte trotzdem immer wieder aufs neue sagen. Das Wesentliche meiner Geschichte habe ich schon aufgezeichnet, aber die Varianten und Verästelungen dieser Geschichte wollen immer noch in ihrer Eigenart beschrieben sein. Mein wichtigstes Anliegen ist jetzt die Klarheit, das Bedürfnis, die einzelnen Aspekte meines Jammers, an dem ich zu ersticken drohe, immer noch besser zu definieren und mit Namen zu nennen.

Ich habe schon einmal darauf hingewiesen, daß das Besondere meines Unglücks und meines Ausgeliefertseins an dieses Unglück etwas ganz Quantitatives ist. Jedermann ist neurotisch, aber ich bin es ein bißchen mehr. Jedermann ist krank, und vermutlich sind alle Krankheiten psychisch bedingt (man spricht sogar davon, daß selbst so mechanisch scheinende Katastrophen wie Verkehrsunfälle psychosomatischen Ursprung haben), aber Migräne vergeht, und Krebs tötet. Der Hinweis darauf, daß jedermann neurotisch ist und daß deshalb auch meine Neurose noch innerhalb des Bereichs des Normalen liegt, ist belanglos. Ich bin zwar auch davon überzeugt, daß ich insofern »normal« bin, als ich unter derselben Neurose leide wie alle anderen auch, glaube aber, daß das Anormale meines Falles in eben dem bißchen mehr besteht, aufgrund dessen sich mein seelischer Schaden von den seelischen Schäden der »Normalen« unterscheidet. Bei hundert Grad siedet eben das Wasser. Bei achtundneunzig Grad siedet es noch nicht, bei neunundneunzig Grad siedet es noch nicht, aber bei hundert Grad siedet es eben; das ist der kleine – oder große – Unterschied.

Der Unterschied vom neunundneunzigsten zum hundertsten Grad ist es eben, der die Sache in Wallung bringt, ein auf der Skala kleiner Unterschied, aber ein relevanter. Ich glaube, daß die Notwendigkeit besteht, die Dinge klar zu erkennen. Ich habe im ersten Teil meiner Geschichte beschrieben, wie »schwierig« in meinem Elternhaus alles war. Ich will nun nachzuweisen versuchen, daß nichts »schwierig« ist, sondern daß letzten Endes alle Dinge einfach sind oder zumindest einfach zu sagen. Ich meine damit, daß die Problemstellungen immer einfach sind, selbst wenn die Lösung der Probleme schwierig sein sollte. Das Leben ist nicht »schwierig«, sondern ganz einfach; es ist nur schwierig zu meistern. Die Dinge des Lebens sind auch nicht »schwierig«; sie sind an sich einfach, aber oft sind sie grauenvoll zu benennen. Den Satz: »Er ist tot« bringt man nicht deshalb kaum über die Lippen, weil er so schwierig wäre, sondern weil er so furchtbar ist.

Meine eigene Welt ist im Verlauf meiner Krankheit immer einfacher und immer bedrückender geworden. Meine Schrecken und Ängste und Verzweiflungen haben immer mehr zugenommen, aber alle Dinge im Bannkreis dieser Schrecken und Nöte haben ihren genauen Namen bekommen. Die Namen sind sicher etwas Wichtiges. So wie Adam am Anfang der Welt das Bedürfnis empfunden hat, alle Tiere zu benennen und zu sagen: Du bist der Tiger, und du bist die Spinne, und du bist das Känguruh, so empfinde ich angesichts meiner drohenden Zerstörung das Bedürfnis, zu jedem Stich, der mir das Herz durchbohrt, zu sagen: Du heißest so, und du heißest so, und du heißest so. Niemand mag anonym sein; vermutlich will auch niemand an etwas Anonymem sterben.

Vor allem aber möchte ich auch mir selbst einen Namen geben und zu mir selbst sagen: Und ich heiße so. Mein Leben besteht vor allem aus Unglück; das habe ich schon im ersten Teil meiner Geschichte beschrieben. Nach allem, was ich von mir weiß, ist es eigentlich klar und logisch, daß ich unglücklich bin, und darum ist es eigentlich auch nicht sehr interessant. Mein Unglück besteht daraus, daß ich nicht das sein kann, was ich will; es besteht daraus, daß der größte Teil meines Ich gar nicht ich selbst ist, sondern etwas mir Fremdes, das meinem »ich selbst« feindlich gegenübersteht und dieses »ich selbst« sogar aufzufressen und zu vernichten droht. Zum größten Teil bin ich ein Abfallprodukt aus bürgerlichen Vorurteilen und Frustrationen (wobei ich auf diese Begriffe noch zu sprechen kommen werde), aber zu einem anderen Teil bin ich das *nicht*. Ich habe meine Individualität schon als den Schmerz zu definieren versucht, den ich darüber empfinde, daß ich so bin, wie ich bin. Ich möchte diese Definition noch erweitern und feststellen, daß meine Individualität nicht nur aus meinem Schmerz über meine Lage besteht, sondern auch aus der Beurteilung dieser Lage. Wenn ich mich als Abfallprodukt der bürgerlichen Gesellschaft betrachten muß, so möchte ich jetzt diesen Teil von mir aus diesem Abfall herauskristallisieren, der über den Abfall reflektiert, denn dieser Teil bin ich. Dieser Teil ist auch das eigentlich Interessante an meiner Geschichte. Mein Unglück ist lediglich ein wahllos herausgegriffener Teil des allgemeinen Unglücks und steht nur für das Generische und Uninteressante. Was interessiert, ist nur meine individuelle Rebellion gegen dieses Unglück. Nur das *Individuelle* ist meine Geschichte; oder besser: nur das Individuelle ist *meine* Geschichte.

Fast alles an mir ist vorprogrammiert worden: meine neurotischen Eltern, ein neurotisches Milieu und auf meiner Seite offenbar eine gewisse Empfänglichkeit für meine neurotisierende Umwelt haben aus mir das Produkt zustandegebracht, das ich jetzt bin. Aber nicht nur. Ich bin nicht nur das mathematisch kalkulierbare Produkt des höllischen Computers, der mich produziert hat, ein Produkt, das ich durchaus hassenswert finde, sondern noch etwas mehr, um gerade jenes Etwas mehr, das sich dem Wirkungsbereich dieser teuflischen Maschinerie entzieht, und eben dieses Etwas hasse ich nicht; dieses Etwas ist nicht vorprogrammiert und nicht bezwungen und nicht degeneriert, sondern neu und wichtig. Daß man unglücklich ist, wenn man degeneriert ist, leuchtet ein. Aber was jener Teil von mir unternimmt, der nicht degeneriert ist, darauf kommt es an; das ist das Fesselnde und Besondere innerhalb einer Geschichte von uninteressantem, weil gewöhnlichem Unglück.

Dadurch, daß ich Eltern habe, die mir ihre eigenen unverdauten Probleme und ihre eigenen Neurosen vermacht haben, bin ich noch nichts Besonderes. Das ist doch immer so, und das machen doch alle Eltern so. Die Eltern sind eben ein notwendiges Übel; man braucht sie zum Existieren. Ich habe mich zwar schon gefragt, ob in meinem Fall nicht das Übel größer als die Notwendigkeit gewesen ist, muß diese Frage heute aber verneinen. Wenn es für mich wirklich besser gewesen wäre, nicht geboren zu sein als geboren zu sein, hätte ich mir schon längst das Leben genommen. Ich schließe daraus, daß für mich bis heute die Notwendigkeit zu leben trotz allem größer gewesen ist als das Übel des Lebens.

Das Besondere an meinem Fall ist lediglich, daß das Übel des Lebens und das Übel der Eltern um jenes verhängnisvolle Bißchen größer gewesen ist als bei anderen Anormalen oder Normalen. Ich möchte diesen Fall mit einem Beispiel geographischen Charakters erläutern. Die Individualität des Kindes und die Beeinflussung durch die Eltern, die dieser Individualität feindlich entgegensteht, ist mit einem biologischen Lebensraum vergleichbar. In einem Wald wohnen, zum Beispiel, Rehe und Wölfe. Die Wölfe fressen die Rehe, die Rehe fressen das Laub der Bäume, und der Wald bildet den Lebensraum für beide. Wenn die Wölfe überhandnehmen, fressen sie zu viele Rehe, d. h. es wird zu wenig Laub abgefressen: der Wald wird zu üppig und einem Urwald gleich, in dem weder Rehe noch Wölfe mehr leben können. Nehmen aber die Rehe überhand, so können die Wölfe nicht mehr genug Rehe fressen, d. h. die Rehe fressen zu viel Laub von den Bäumen: der Wald wird abgefressen und mit ihm der Lebensraum wiederum für die Wölfe wie für die Rehe. Daß die Rehe bis zu einem gewissen Grad von den Wölfen aufgefressen werden, ist richtig und sogar für alle lebensnotwendig; nur *zu viel* gefressen werden dürfen sie nicht, ebenso wie sie auch nicht *zu wenig* gefressen werden dürfen.

Ich möchte auch meine vitale Situation einem solchen gestörten Biotop gleichstellen: ein bißchen gefressen worden zu sein hätte den Rahmen des Gewöhnlichen und Gesunden nicht gesprengt; mein Problem ist, daß ich *zu viel* gefressen worden bin. Daß in dem von mir herangezogenen Wald gefressen wird, ist ganz in der Ordnung. Der Wald funktioniert so lange, als darin im richtigen Verhältnis gefressen wird; sobald aber zu viel gefressen wird, funktioniert der Wald nicht mehr und stirbt. Es kommt dabei gar nicht darauf an, was dem Geschmack des jeweiligen Betrachters gerade am nächsten liegt; ob der Betrachter lieber Rehe oder lieber Wölfe hat, spielt keine Rolle. Die Rehe sind keine »armen« Rehe, und die Wölfe sind keine »bösen« Wölfe; Fressen und Gefressenwerden der Viecher muß also bloß im richtigen Verhältnis zum Wald stehen – und schon funktioniert er.

Damit haben wir aber die Definition des Lebens: Der Wald lebt, solange er funktioniert. Wer vor einem solchen Wald steht, fragt sich nicht, ob es einen Sinn hat, daß einerseits die Wölfe die Rehe und anderseits die Rehe die Blätter fressen; er stellt nur fest, daß der Wald existiert und grün ist – und das genügt offenbar. Ich kann mich auch hier mit Wilhelm Reichs Auffassung einig erklären, daß das Leben gar keinen Sinn zu haben brauche und daß es genüge, wenn das Leben funktioniere. Oder mit anderen Worten ausgedrückt: Nicht aufgrund dessen, was man landläufig mit dem Wort »Sinn« bezeichnet, findet der Betrachter des oben erwähnten Waldes es gut, daß er funktioniert. Ich glaube eher, daß man es deshalb gut findet, daß der Wald funktioniert, weil es, wenn er nicht mehr funktionierte, ein »Unglück« wäre. Ich schließe daraus: Was nicht funktioniert, ist ein Unglück; was funktioniert, ist Glück. Oder umgekehrt: Glück ist, was funktioniert.

Ich glaube auch, daß das Glück etwas sehr Konkretes und von einer brutalen Direktheit ist. Das Leben ist auch nicht zart: wieso sollte das Glück etwas Feines sein? Man ist glücklich, so wie man lebendig ist; um das festzustellen, braucht man nicht besonders gebildet zu sein. Wenn einer unglücklich ist oder tot auf der Straße liegt, bedarf es auch keines Professors mehr, der den Fall eingehender studiert und dann aus der Fülle seiner Erfahrung heraus spricht: Er ist tot.

Auch zur Beurteilung meines Falles bedarf es keines Professors; es bedarf nur des Mutes, das Kind beim Namen zu nennen. Ich bin unglücklich, weil ich nicht funktioniere und nie funktioniert habe. Ich bin als Jugendlicher nicht jugendlich gewesen, ich bin als Erwachsener nicht erwachsen gewesen, ich bin als Mann nicht männlich gewesen; ich habe in jeder Hinsicht nicht funktioniert. Um dieses Nichtfunktionieren nun auch noch für alle Welt sichtbar zu machen, funktioniert nun symbolischer- und konsequenterweise auch der Körper nicht mehr, er ist krank, er ist vergiftet, er ist vom Tod durchdrungen. Dieses Nichtfunktionieren, dieser Tod, der Tod der Gefühle, der Tod des Körpers, der Tod des Lebens, das ist mein Unglück. Das ist nicht »schwierig«, sondern das ist logisch, das ist klar, das ist einfach, das ist so.

So wie das Unglück etwas einfach zu Erkennendes ist, glaube ich, daß auch das Glück etwas Einfaches ist, wenn der Begriff des Glückes im Verlauf der Jahrtausende auch mehr oder weniger *sophisticated* ausgelegt worden ist. Ich denke hier etwa an den Unterschied zwischen dem alttestamentarischen und dem christlichen Glück. Der Gott des Alten Testamentes verspricht Abraham, ihn sichtbar zu segnen, und er tut es auch: »Und Abraham aber war sehr reich an Vieh, an Silber und an Gold.« Jesus dagegen schlägt in seiner Bergpredigt vor: »Selig seid ihr Armen; denn euch gehört das Reich Gottes. Selig seid ihr, die ihr jetzt weint; denn ihr werdet lachen. Wehe euch, die ihr jetzt lacht, denn ihr werdet trauern und weinen.« (Luk. 6. 20).) Man wird zugeben, daß die neutestamentarische Auffassung vom Glück die raffiniertere ist – wenn auch gerade um jenes Bißchen zu raffiniert, das verhindert, daß man ihrer so richtig froh wird. Bei »Selig seid ihr Armen« hat man noch ein gewisses ungutes Gefühl in der Magengrube, aber bei »Wehe euch, die ihr jetzt lacht« dreht es einem den Magen schon um. Ein Verteidiger des neuen Glaubens könnte hier einwenden, daß Abrahams Gottesglück doch eine recht banale Sache sei, da es bloß aus Gold und Kamelen bestehe, während das von Jesus verheißene Glück doch das Feinere und Höhere sei. Er könnte einwenden: Was ist schon ein Kamel? Dagegen könnte ich einwenden: Was ist schon das Höhere? Bezeichnenderweise widersprechen sich auch die sprichwörtliche Weisheit und die christliche Theologie, was diesen Punkt betrifft. Die Hoffnung gilt, im theologischen Sinne, als eine der sieben Kardinaltugenden, während das Sprichwort behauptet: Am Hoffen und Harren erkennt man die Narren. Ich habe zwar selbst schon bekannt, daß die Hoffnung auch in meinem Leben eine vorherrschende Rolle spielt, und bin auch der Ansicht, daß sie eine gute Sache ist, aber eine *Tugend* ist sie nicht. Das ganze Problem scheint mir eine Geschmackssache zu sein, über die man bekanntlich nicht diskutieren kann. Ob jemand Abrahams Kamel oder das Reich Gottes von Jesus vorzieht, das ist eine Temperamentssache. Ich bin für das Kamel, weil es mir die vitalere Entscheidung zu sein scheint.

So wie ich mir das Glück als etwas Konkretes vorstelle, so erleide ich auch mein Unglück als etwas Konkretes. Mein Unglück ist der Krebs, wobei ich diesen Begriff, wie immer, als etwas zugleich Körperliches und Seelisches auffasse. Ich habe mir dieses Unglück auch zu erklären versucht und bin zur Formel gelangt: Meine Eltern sind mein Krebsübel. Ich bin nach wie vor der Meinung, daß diese Formel richtig ist, aber ich möchte sie nicht mehr als bloßes Schlagwort stehen lassen, sondern versuchen, sie noch mehr zu differenzieren. In diesem Sinne scheint es mir bedeutsam, daß mein jetziger medizinischer Befund nicht mehr lautet: Krebs, sondern eben – exakter und weniger sloganmäßig – malignes Lymphom. Zu sagen, meine Eltern seien mein malignes Lymphom, klingt nicht mehr nach Slogan, sondern drückt aus, daß meine Eltern nicht das Übel an sich für mich bedeuten, sondern ein exaktes und differenziertes Übel.

Ich behaupte jetzt, daß nicht nur das Wort »Krebs« ein Schlagwort ist, sondern auch das Wort »Eltern«, obwohl meine Eltern nicht nur ein theoretischer Begriff sind, sondern auf ganz reale Weise existieren und existiert haben. Ich will damit sagen, daß ich meine Eltern, genau so wie mich, als ein Gemisch aus den verschiedensten Teilen auffasse. Ich habe mich als ein Gemisch aus meiner eigensten Individualität und der mir wesensfremden Masse von bürgerlichen Vorurteilen erkannt, und so fasse ich auch meine Eltern als ein entsprechendes Gemisch aus ihrer Individualität und ihrem vererbten nichtindividuellen Ballast auf.

Ich habe schon früher geschrieben, daß ich meine Eltern nicht einfach als die »Bösen« verstehen kann, die mir das Böse angetan haben. Dazu noch eine Präzisierung: Meine Eltern waren für mich zwar nicht nur die Bösen, was aber noch nicht heißt, daß sie gar nicht böse für mich gewesen sind. Mathematisch ausgedrückt: Meine Eltern waren für mich nicht ein bißchen böse oder ziemlich böse oder halb böse, sondern zu einem großen Teil waren sie überhaupt nicht böse; aber in bestimmter Hinsicht waren sie für mich sehr böse, absolut böse. Was ihre Wirkung auf mein Leben und Schicksal betrifft, so hatten meine Eltern unter anderem einen Aspekt, der das für mich absolute Böse bedeutete. Ich fasse die Formulierung »das für mich absolute Böse« nicht als Widerspruch auf: relativ ist es nur im Vergleich zu den anderen, »absolut« ist es in dem Sinne für mich, als es mich mit dem Tod bedroht, und *mein* Tod ist für mich absolut.

Meine Eltern in ihrer individuellen Erscheinung waren nicht schlecht, mein Vater nicht und meine Mutter nicht. Mein Vater, der stille, bedrückte, noble und sogar edle Mann, der gewissenhaft und deprimiert zur Arbeit ging mit einem trübseligen Gefühl im Solarplexus, das er selbst, hätte man ihn danach gefragt, wohl als »Tapferkeit« bezeichnet hätte; meine Mutter, die als einsame alte Dame in lebloser Höflichkeit ihre Tage in einer großen Villa am Zürichsee fristet – sie waren doch nicht schlecht; und doch haben sie mir so viel Schlechtes getan. Ich hasse den Mann »Vater« und die Frau »Mutter« nicht, und doch hasse ich die, die mir Böses angetan haben, und sie heißen auf eine ganz generelle Art »Eltern«. Ich fände es nicht richtig, meinen Vater oder meine Mutter zu hassen, aber ich finde es richtig, meine »Eltern« im generellen Sinn zu hassen, denn man muß seine Peiniger hassen. Man muß sie hassen, die einen töten; es nicht zu tun, wäre eine Schande. Man darf zu dem, der einen tötet, nicht sagen: Ich bin ganz einverstanden damit, daß du mich umbringst. So etwas tut man nicht. Das ist auch eine Moral.

Ich habe mich früher viel mit dem Gedanken beschäftigt, meine Mutter umzubringen, und habe auch viel davon geträumt, daß ich meine Mutter umbringe. Auf visionäre Weise habe ich mich immer wieder gesehen, wie ich meine Mutter die Kellertreppe hinabwerfe und dann ihr blutiges Haupt immer und immer wieder auf den Steinboden hinschlage, bis es sich als formlose Masse in einer Lache aus Blut auflöst. Eine grauenhafte Vision – aber eine wirkliche. Ich muß mich immer wieder an Goya erinnern, der als Titel unter die furchtbarsten seiner Darstellungen von Alpträumen und Grausamkeiten der *Desastres de la guerra* bloß die Worte geschrieben hat: »Yo lo he visto« – ich habe es gesehen. Ich habe es gesehen, und darum ist es auch geschehen, und darum ist es auch Wirklichkeit und wahr. Wenn ich nun diese Vision auf meine leibliche Mutter übertrage und mir vorstelle, daß ich meine reale Mutter die reale Kellertreppe ihres Hauses hinunterstürzte – welch törichte und sinnlose Bluttat wäre das! Eine sinnlose Tat, gewiß – aber nicht *nur* eine sinnlose. Sinnlos wäre diese blutige Tat, wenn sie auf konkrete Weise stattfände, aber eine gewisse Dimension weist sie auf, in der sie nicht sinnlos ist und in der sie sogar geschehen *muß*. In der Dimension, in der meine Mutter das Böse für mich verkörpert, ist es sinnvoll und notwendig, daß ich ihr Haupt in Blut und Tod tauche, wenn auch auf eine Weise, in der die Begriffe »Haupt« und »Blut« nicht mehr konkret zu verstehen sind, sondern als Symbolwerte.

Es war einerseits auch *sinnlos*, Marie Antoinette zu enthaupten, denn sie war nicht schuld am Elend des französischen Volkes, aber es war anderseits doch *richtig*, sie zu enthaupten, denn sie war, abgesehen von ihrer individuellen Persönlichkeit, auch eine Symbolfigur für dieses Elend. Der Henker zeigte dem Pöbel von Paris nicht nur das abgeschlagene Haupt der Frau Marie Antoinette, sondern er zeigte ihm auch das Haupt der *Königin*, und dieses Haupt *mußte* der Pöbel haben, und daß er es erhielt, war richtig. Man darf hier nicht einwenden, daß der Pöbel doch nichts Feines sei und man seine Ansprüche deswegen nicht zu berücksichtigen brauche: der Pöbel existiert und stellt seine Forderungen; das ist die Realität. Der Krebs ist auch nichts Feines, aber es gibt ihn.

Nicht das Haupt der freundlichen alten Dame vom Zürichsee muß fallen, aber ein anderes, als Symbol zu betrachtendes Haupt *muß* fallen, denn daß ab und zu Häupter fallen, das ist der Lauf der Welt. Ich bin vom Tode bedroht und werde in diesem Augenblick umgebracht. Man bringt mich um oder hat mich schon umgebracht, aber ich weiß noch nicht, wer es getan hat. Meine Eltern haben mich getötet, und doch haben mich nicht *meine Eltern* getötet. Sie haben es getan und haben es doch auch wieder nicht getan, und vor allem haben sie nicht gewußt, daß sie es getan haben. Sie haben es ohne böse Absicht, unbewußt und letztlich wider ihren Willen getan. Mein Vater ist tot, meine Mutter lebt noch. In einem gewissen Sinne und unter anderen hat meine Mutter mich getötet, aber ich will und kann sie dafür nicht hassen, denn ich weiß, daß sie nicht weiß.

Eine andere, phantastisch scheinende und doch auf symbolhafte Weise sehr einleuchtende Vision früherer Zeiten war für mich die, die Schweizerische Kreditanstalt in Zürich in die Luft zu sprengen. Warum ausgerechnet die Schweizerische Kreditanstalt? Diese Vision leuchtet mir heute sehr ein, denn auf dieser Bank liegt all das Geld, das ich von meinem Vater geerbt habe. An diesem Ort liegt mein elterliches Erbe in sichtbarer Form, und dieses Erbe besteht ja nur zum allerkleinsten Teil aus Tausenden von Franken, sondern vor allem aus Tausenden von Ängsten und Nöten und Verzweiflungen. Daß die Schweizerische Kreditanstalt, als ein in die Luft zu sprengendes Objekt, ein plausibles Symbol ist, liegt auf der Hand. Die praktische Seite des Planes bietet keine Schwierigkeiten, denn heutzutage hat jedermann einen Freund, der einen Palästinenser kennt. Daß das Projekt von der finanziellen Seite her eine Torheit wäre, begreift man auch, denn schließlich brauche ich ja mein von meinem Vater ererbtes Geld, um meine vielen Ärzte zu bezahlen (die Krankenversicherung zahlt mir keinen Rappen mehr, denn Krebs ist teuer, und von etwas muß die Versicherung ja schließlich auch leben, so daß ich auf meine eigenen finanziellen

Ressourcen angewiesen bin). Ich betrachte dieses Geld als mein Schmerzensgeld: ich habe es erhalten für meine vielen Leiden und Schmerzen; ich habe es bitterer verdient als nur im Schweiße meines Angesichts, ich habe es mit den Tränen meines Angesichts verdient; ich betrachte es als wirklich verdient und mein. Ich sehe sogar eine soziale Gerechtigkeit hinter meiner aktuellen finanziellen Situation: ich habe zwar mehr Geld von meinen Eltern geerbt als andere Leute, aber ich brauche auch mehr Geld als andere Leute, denn die vielen Schäden, die ich *auch* von meinen Eltern geerbt habe, muß ich für viel teures Geld reparieren lassen.

Das ganze ehemalige Projekt, die Schweizerische Kreditanstalt in die Luft zu sprengen, finde ich heute in seiner Bedeutung als symbolische Tat höchst begrüßenswert: der Ort, wo mein Erbe liegt, verdient es sicher zu explodieren – bloß braucht es nicht gerade das konkrete Prunkgebäude an Zürichs Paradeplatz zu sein, in dem mein Geld auf seine Ärzte wartet, denn solange ich krank bin, kann ich es mir nicht leisten, pleite zu sein. Auch aus anderen als finanziellen Gründen leuchtet es ein, daß es nicht mein wirkliches Anliegen sein kann, Zürichs schönste Bank in einen Schutthaufen zu verwandeln, denn das, was dieser Ort für mich verkörpert – der Platz, wo der Inbegriff meines todbringenden Erbes geballt gehortet wird –, kann ich nicht mit Dynamit in die Luft sprengen. Die Schweizerische Kreditanstalt ist auch der Inbegriff des Zürcherischen, des Bürgerlichen und des Schweizerischen in seiner schlechtesten Erscheinungsform; aber dieses bösartig Zürcherische, Bürgerliche und Schweizerische befindet sich nicht in einem aus Stein gebauten Haus, das man explodieren lassen kann, sondern diese bösartige Substanz steckt mir in den Knochen, und die Knochen werden nicht mit Dynamit geheilt.

Zudem halte ich Banken nicht nur für verabscheuenswert. Ich finde zwar, daß die Zürcher Banken kein schöner Fleck im Stadtbild sind, sondern des Zürchers schnöde Art auf unverblümte Weise bloßstellen, denn nicht wegen seines Sees und seiner Türme wird Zürich weltweit gehaßt und verachtet; aber ich sehe auch ein, daß die Banken, von ihrem symbolischen Gehalt einmal abgesehen, ihre notwendige Aufgabe erfüllen. Kehrichtgruben sind auch nicht angenehm, aber notwendig sind sie doch.

Ich habe deshalb im Zusammenhang mit meinen Eltern und meinem in der Schweizerischen Kreditanstalt liegenden, von meinen Eltern ererbten Geld von Symbolwerten gesprochen. Aus diesem Grund habe ich meine früheren gewalttätigen Visionen auch ernst genommen, weil in ihnen diese symbolischen Werte konkrete Gestalt annahmen, die zwar in ihrer konkreten Verwirklichung sinnlos gewesen wären, ihrer symbolischen Bedeutung nach aber zutrafen.

Allerdings muß ich hier hinzufügen, daß, was dem Intellekt gelingt, dem Gefühl nicht immer so reibungslos gelingen will. Ich begreife, daß meine Eltern zweierlei sind: erstens ein Herr und eine Dame in einem Haus mit Garten am Zürichsee, und zweitens die Verkörperung von etwas für mich Furchtbarem und Tödlichem. Wenn ich an meinem Schreibtisch sitze, »kühl bis ins Herz hinan«, dann sind meine »Eltern« für mich ein intellektueller Begriff, den ich als gebildeter Mensch kunstvoll und geschickt manipulieren und mit dem ich wie an einem Glasperlenspiel nach Belieben die verschiedenen Facetten einer virtuellen Problemsituation durchspielen kann. Manchmal sitze ich auch nicht an meinem Schreibtisch, sondern wälze mich voll verzweifelter Wut in meinem Bett herum, weil ich nachts vor Schmerzen nicht schlafen kann, und dann bin ich kein Intellektueller mehr, der geistreiche Bemerkungen über den Schmerz in seine Schreibmaschine hämmert, sondern einzig und allein meinem körperlichen und seelischen Schmerz ausgeliefert, und dann bin auch ich der Pöbel von Paris, der ein blutiges Haupt sehen will, bei dem es ihm einerlei ist, ob es vordem das Haupt einer gewissen Marie Antoinette war, sondern bei dem es ihm nur noch darauf ankommt, daß es das Haupt der Königin sein muß.

Als Rezept und Prognose für mich könnte ich aufstellen: sobald ich meine Eltern – meine »Eltern« – überwunden habe, sobald sie mir gleichgültig geworden sind, werde ich geheilt und gerettet sein. Aber das ist noch sehr schwer für mich, solange das Maß der mir zugefügten Kränkungen noch nicht voll ist, sondern immer noch anwächst. Ich könnte den erlittenen Schaden vergessen, wenn er schon ganz hinter mir läge. Aber er liegt immer noch nicht ganz hinter mir, sondern wirkt immer noch auf mich ein, jetzt, hier, ununterbrochen. Ich weine meiner unglücklichen Vergangenheit keine einzige Träne nach, und ich fühle mich imstande, alles Vergangene zwar nicht zu vergessen, aber zu bewältigen. Aber daß alles, was mich in der Vergangenheit gequält hat, auch in der Gegenwart noch stattfindet, das bedrückt mich mehr, als daß ich es leichtnehmen oder gar ignorieren könnte. Nicht was ich Schweres erlebt habe, bekümmert mich, sondern daß es immer noch weiterwirkt, immer noch, immer noch, immer noch. Nicht die Schwere der Vergangenheit drückt, sondern daß auch für die Zukunft noch kein Ende abzusehen ist, das ist das nicht zu Bewältigende. Jeden Tag kann ein neuer körperlicher oder seelischer Schaden zutage treten; jeder Tag bringt einen neuen Schmerz, und jeder Schmerz birgt die Möglichkeit in sich, sich zu einem neuen bösartigen Tumor auszuwachsen. Jeder dieser Tumoren will meinen Tod, und jeder kann der letzte sein; der letzte aber tötet. In diesen Tumoren steigert sich ihr symbolischer Aspekt vom nur Symbolischen ins Dämonische. Jeder neue Tumor, der sich als geballte Ausbuchtung aus meinem glatten Körper hervordrängt, scheint mir aus der Tiefe seines psychosomatischen Ursprungs heraus die ins Teuflische verzerrte Fratze meiner dämonischen »Eltern« darzustellen, wobei hier der Begriff »Eltern« im Wirbel eines grauenhaften kosmischen Spiralnebels ins Unendliche, Ur-Schreckliche und Unsagbare hinein zerflattert.

Es mag nun fast den Anschein haben, als solle hier bewiesen werden, wie sehr meine Eltern nur meine »Eltern«, d. h. meine Eltern in ihrem nur symbolischen Gehalt gewesen seien, und als sollten aus meinen Eltern zwei irreale Wesen gemacht werden, die nur noch auf dem Schachbrett meiner gedanklichen Konstruktion als intellektuelle Spielfiguren hin- und hergeschoben werden können. Das sind meine Eltern sicher *auch*, aber sie sind nicht *nur* Symbolfiguren für das allgemein Elterliche, das allgemein Bürgerliche, das allgemein Zürcherische und das allgemein Schweizerische, sondern auch ganz reale Menschen, mein Vater, der vor etlichen Jahren an einem Aneurysma gestorben ist, und meine Mutter, die als seine Witwe in ihrem geerbten Haus am Zürichsee lebt. Als solche konkrete Eltern waren sie nicht nur die Vertreter und Archetypen der Gattung »Zürcher Eltern aus bourgeoisen Kreisen«, sondern hatten auch ihr Individuelles und Besonderes. Wenn ich mich nun aber jenem Besonderen zuwende, das für mich dann verhängnisvoll geworden ist, so komme ich wieder zu dem Schluß, daß der Unterschied zwischen meinen Eltern und anderen, ebenso normalen oder anormalen Eltern, ein bloß quantitativer gewesen ist. Ich meine damit, daß meine Eltern in bezug auf ihre Verwerflichkeit durchaus unoriginell waren.

Sie waren nicht in besonderer Weise verwerflich; sie waren nur um ein kleines bißchen verwerflicher als andere verwerfliche Eltern aus denselben bürgerlichen Kreisen auch. Sie waren nicht einmal böser als andere Eltern (ich habe schon früher darauf hingewiesen, daß es sogar ausgesprochen liebe Menschen gewesen sind), sie waren nur ein bißchen degenerierter, als man das an der ohnehin schon ziemlich degenerierten Zürcher Goldküste von vornherein ist. Sie waren ein bißchen mehr bürgerlich, ein bißchen mehr gehemmt, ein bißchen mehr lebensfeindlich, ein bißchen mehr sexualfeindlich, ein bißchen mehr sauber, ein bißchen mehr comme il faut, ein bißchen mehr schweizerisch als alle ihre Nachbarn, die das auch waren – und eben diese kleinen Bißchen mehr töten mich jetzt. Ich kann nur noch einmal darauf hinweisen, daß es zuletzt immer nur ein einzelner Tropfen ist, der das Faß zum Überlaufen bringt.

Und ich? Ich war eben ein bißchen mehr sensibel als gewöhnliche andere Kinder, und deshalb habe ich mein Milieu schlechter überlebt als andere Kinder. Darf man daraus schließen, daß meine Erziehung im Grunde genommen gar nicht so schlecht gewesen sei, weil ich sie nämlich ohne weiteres überlebt hätte, wenn ich nur nicht so sensibel gewesen wäre? Natürlich nicht, denn eine Erziehung ist dann schlecht, wenn nur die Kinder sie überleben, die *nicht* sensibel sind, und nur dann gut, wenn sogar die sensiblen Kinder sie überleben. Ich glaube nämlich nicht, daß die Sensibilität etwas an sich Negatives ist; vor allem aber ist sie nicht schuld daran, daß jemand stirbt. Wenn ich gestorben sein werde, wird man nicht sagen können, daß ich »halt« gestorben sei, weil ich immer so sensibel war, sondern es wird feststehen, daß ich an den Folgen meiner verfehlten Erziehung gestorben bin, Sensibilität hin oder her. Ich rebelliere dagegen, »halt« gestorben sein zu werden, denn wenn ich gestorben sein werde, so weiß ich *warum*. Noch ein Wort zur Sensibilität. Ich glaube zwar nicht, daß die Sensibilität etwas Minderwertiges ist, bin aber der letzte, der es – wie es in bürgerlichen Kreisen gern geschieht – beglückend findet, wenn man von einem Menschen sagt, daß er ein »sensibler Typ« sei. Schiller hat in seinem Essay über das Naive und Sentimentalische schon bewiesen, daß das Sentimentalische für den einzelnen zwar sehr unangenehm sein kann, für die Gesellschaft aber etwas äußerst Wichtiges darstellt. Ich möchte noch weitergehen und darauf aufmerksam machen, daß die Sensibilität für den Betroffenen oft sogar ein großes Unglück bedeutet und dem sensiblen Menschen viele Leiden, aber kaum Freuden bereitet. Ein Unglück für den damit Geschlagenen ist sie sicher, aber ein Grund, ihn deswegen auszurotten, ist sie meiner Ansicht nach nicht. Ich betrachte sie als ein Leiden, aber nicht als eine Schwäche in dem Sinn, wie die Schwäche ihrer Jungtiere für die Zugvögel einen Grund darstellt, sie zum Wohle einer gesunden Gemeinschaft zu Tode zu hacken. Die Schwäche der jungen Zugvögel mag im Rahmen ihrer Gesellschaft eine Minderwertigkeit darstellen, aber eine solche Schwäche und Minderwertigkeit ist die Sensibilität innerhalb der menschlichen Gesellschaft nicht. Im Gegenteil ist sie sogar eine Notwendigkeit, denn nur der sensible Mensch empfindet die Schlechtigkeit seiner Gesellschaft so qualvoll deutlich, daß er sie in Worten auszudrücken und durch die Formulierung seiner Kritik eine mögliche Verbesserung hervorzurufen vermag.

Um hier einen kurzen Exkurs von meinem eigentlichen Anliegen zu machen, nämlich meinem Willen, als Individuum zu überleben, so möchte ich hinzufügen, daß ich auch in soziologischer Hinsicht höchst ungesund finde, was mit mir geschieht. Ich betrachte mich nämlich, soziologisch gesehen, durchaus nicht als einen »schwierigen«, sondern als einen notwendigen Fall und finde es auch in dieser Hinsicht nicht gut, umgebracht zu werden. Man weiß heute, daß man keine Gattung ausrotten darf, ohne damit nicht auch viele oder sogar alle anderen Gattungen der betreffenden Gemeinschaft auszurotten. Was mit mir geschehen ist, ist nicht nur mein persönliches Unglück, sondern, in bezug auf die Öffentlichkeit, ein Skandal, und zwar einer mit Folgen. Wenn man alle Federicos umbringt, geht die Welt unter, denn die Gattung Federico auszurotten ist eine Art Umweltverschmutzung; und Umweltverschmutzung hat *immer* üble Konsequenzen.

Ich habe meine Situation als das Resultat eines Konfliktes zwischen meiner Individualität und dem Bürgerlichen darzustellen versucht, wozu ich jetzt bemerken möchte, daß man hier das Bürgerliche – so wie meine Eltern hier meist als meine »Eltern« in Anführungszeichen aufgefaßt worden sind – auch am ehesten als das »Bürgerliche« in Anführungszeichen zu verstehen hat. Auch das

Bürgerliche ist nicht nur das Böse, und nicht alles Böse ist bürgerlich, aber das Bürgerliche hat *auch* einen Aspekt, der das Böse, das absolute Böse verkörpert. Ich verstehe hier das Bürgerliche zwar auch im politischen Sinn, aber nicht *nur* im politischen Sinn, vor allem aber nicht dahingehend, daß alles Antibürgerliche dem Bürgerlichen unbedingt vorzuziehen sei. Deswegen, weil die bürgerliche Gesellschaft so schwarz ist, ist die *à tout prix* kommunistische Gesellschaft auch noch nicht überall rosig; und deswegen, weil Europa degeneriert ist, herrscht bei den primitiven Negern auch noch nicht eitel Jubel und Freude. Europa ist zwar eine vor lauter Kultur zerbröckelnde Ruine; aber Idi Amin Dada ist – trotz seiner ganzen ungebrochenen Primitivität – auch keine verlockende Alternative. In Europa muß zwar fast jedermann zum Psychiater, aber ob die Wilden im Urwald, die mit tellergroßen Scheiben in der Unterlippe und Giraffenhälsen herumlaufen, in ihrem abstrusen Schmuck so natürlich und so frei von Neurosen sind, möchte ich bezweifeln. Nicht in dem Sinne also stehe ich dem Bürgerlichen feindlich gegenüber, daß ich meine, daß außerhalb der zürcherischen, schweizerischen und europäischen Welt, zum Beispiel in den sibirischen Konzentrationslagern und im Busch bei den Zulukaffern, alles viel besser wäre, sondern darin, daß ich glaube, daß im Begriff »bürgerlich« etwas steckt, das allen feind ist und nicht zuletzt auch den Bürgerlichen selbst.

Es ist dasselbe an meinen Eltern erkannte feindliche Prinzip, das ich auch in dem Komplex feststelle, den ich den bürgerlichen nenne (was wohl alles in einen Begriff zusammenfällt, wenn man bedenkt, daß das Unnatürliche bei meinen Eltern eben der Umstand war, daß sie sich in nichts von dem von ihnen angenommenen Ideal des Bürgerlichen unterscheiden wollten). Ich muß hier noch einem Zweifel Ausdruck verleihen, der sich auf die anscheinend reibungslose Identifikation meiner Eltern mit dem bürgerlichen Ideal bezieht. Früher schon habe ich darauf hingewiesen, daß ich den Krebs auch als eine Chance betrachtet habe, als die Chance, wie sie ein Warnsignal bietet, das einen auf drohende Gefahren aufmerksam machen kann. Von meinen Eltern habe ich geschrieben, daß sie diese Chance eben *nicht* gehabt hätten und es darum für sie schwieriger gewesen sei zu merken, in welch verfahrener Situation sie sich befanden. Aber muß es denn immer unbedingt Krebs sein? Muß nicht *jeder* merken, wie es um ihn steht, der es nur merken *will?* In dieser Hinsicht kann ich meine Eltern nicht von jeglichem Verdacht freisprechen: ihre Identifikation mit dem allgemein Bürgerlichen war ein bißchen *zu sehr* gelungen, als daß man annehmen dürfte, daß sie das Werk vollkommener Ehrlichkeit gewesen ist.

Ich muß also annehmen, daß es nicht genau dasselbe ist, was ich in meinen Eltern einerseits und im Begriff des Bürgerlichen anderseits an Bösem dingfest mache, aber in beidem bin ich derselben bösen Sache auf der Spur: dem Bösen an sich. Ich wage zu behaupten, daß das Böse immer wieder dasselbe ist, und daß es eigentlich nur *ein* Böses gibt. Worunter die Menschen leiden ist immer dasselbe Böse, oder: was ihnen angetan wird, ist immer dasselbe Böse. Kosmokriminalistisch ausgedrückt: Es gibt nur ein Verbrechen, das ununterbrochen und an jedermann begangen wird; das Entscheidende ist nur die Quantität. Wenn dieses Verbrechen im ortsüblichen Rahmen an einem begangen wird, so schadet das wohl nicht einmal viel. Man empfindet es zwar als unangenehm, wenn an einem ein Verbrechen begangen wird, aber man überlebt es – meist sogar ziemlich gut. Ich habe mich schon weiter oben als normal in dem Sinne bezeichnet, daß ich, wie alle anderen auch, ebenfalls etwas abgekriegt habe. Das Anomale an meiner Geschichte ist nur, daß ich zu viel abgekriegt habe. Oder mit anderen Worten: Das Böse ist an mir im Übermaß verübt worden.

Ich habe es schon vorher als gut bezeichnet, daß etwas funktioniert, und als schlecht, wenn etwas nicht mehr funktioniert. Vermutlich kann man hier noch weitergehen und sagen, daß es nicht nur gut ist, wenn etwas funktioniert, sondern daß dies das Gute an sich ist. Daß es einen Sinn haben muß, daß etwas funktioniert, habe ich schon oben verneint. Das einzige, worauf es ankommt, ist, daß eine Sache funktioniert. Die Atome funktionieren, indem die Elektronen um den Atomkern kreisen. Das hat zwar keinen Sinn, aber das ist den Elektronen gleich, und sie tun es trotzdem. Der Ameisenhaufen funktioniert, indem es in ihm wimmelt. Es ist sinnlos, daß die Ameisen immer so emsig sind, aber es ist gut. Der vorher geschilderte Wald funktioniert, indem der Tiger den Hirsch frißt. Die Welt funktioniert, indem der Mond um die Erde und die Erde um die Sonne kreist, wobei wir wieder beim Kreisen und bei den Atomen angekommen sind. Falls es jemandem nicht einleuchten sollte, daß kreisen gut ist, braucht er nur ein kleines Kind zu fragen, das Karussell fährt, ob kreisen gut sei, und er wird die Wahrheit erfahren, denn kleine Kinder sagen bekanntlich immer die Wahrheit. Alles, was krabbelt und wimmelt und kreist, ist gut. Aber nicht jedermann findet das gut, sondern viele Leute sind dagegen.

Während ich in meinem Haus an der Krongasse in Zürich die Notizen zu diesem Essay zu Papier bringe, ruft man aus den Fenstern der Nachbarhäuser: Ruhig! Die Krongasse ist eine privilegierte Wohnlage in Zürich, denn die Gasse ist so eng, daß kaum Autos hindurchfahren können, und wenn einmal ein Auto vorbeikommt, gleitet es lautlos die Gasse hinunter. Es ist auch eine anständige Gegend, in der es keine Wirtschaften und Bars gibt, und in der man nachts nie das Gejohle der Betrunkenen hört. Aber das ist den Leuten noch nicht ruhig genug. Mittags spielen nämlich manchmal kleine Kinder auf der Gasse, was sie eben gut tun können, weil es keinen Autoverkehr gibt. Diese Kinder schreien manchmal beim Spielen, und dann sehen sich die alten Weiber von der Krongasse veranlaßt, »Ruhig!« aus den Fenstern zu rufen. Es ist zwar schon ruhig hier, aber es muß *noch* ruhiger werden, und darum ruft man »Ruhig!« zum Fenster hinaus. Wenn abends ein paar junge Leute auf der Terrasse Lieder singen, dann ruft man die Polizei, denn Lieder zu singen stellt eine Störung der Nachtruhe dar. Wenn jemand über Mittag an einem Brunnen in der Altstadt Gitarre spielt, dann ruft man in Zürich auch die Polizei, denn das ist eine Verletzung der Mittagsruhe. Jede Tageszeit hat ihre besondere Ruhe, und wenn diese Ruhe nicht respektiert wird und jemand Lieder singt, dann kommt die Polizei, denn für den Bürgerlichen ist die Ruhe nicht nur seine erste Pflicht, sondern auch sein erstes Recht. Jeder verblödet innerhalb der Ruhe seiner vier Wände, und wenn er bei seinem Verblöden durch ein fremdes Geräusch gestört wird, fühlt er sich an seinem Recht zu verblöden beeinträchtigt und verlangt nach der Polizei. (Es versteht sich wohl von selbst, daß ich hier nicht für den Krach rede, denn ich gehe von der Voraussetzung aus, daß zwischen dem Geräusch einer Autobahn und dem einer Gitarre ein Unterschied besteht; ich erkenne auch einen Unterschied zwischen der Notwendigkeit, daß in Zürich jeder einzelne in einem eigenen Auto zur Arbeit fährt und dabei Geräusche verursacht, und der Notwendigkeit an, daß kleine Kinder spielen und dabei Geräusche verursachen.)

Der von mir herangezogene Begriff des Bürgerlichen scheint mir dann etwas Böses einzubegreifen, wenn er mit dem »Ruhigen« identisch zu werden droht, wobei dieses »Ruhige« seinerseits mit dem auch schon erwähnten Sauberen, Sterilen, Korrekten und dem *comme il faut* zu tun hat. Abgesehen davon, daß jedermann manchmal gerne »seine Ruhe« hat, worunter man etwa soviel wie Entspannung, Ferien, Freizeit versteht, hat das Wort »Ruhe« für mich auch einen unheimlichen und grauenvollen Aspekt. Die Ruhe ist so still (was ich hier nicht als ein Wortspiel auffasse, sondern eher im lyrischen Sinn als etwas Trauriges). Wer Ruhe sagt, sagt immer auch fast schon Grabesruhe und auch schon Tod. Wenn jemand gestorben ist, sagt man von ihm, daß er jetzt seine Ruhe habe. In der Schweiz muß immer alles ruhig sein, und man drückt dieses Verlangen nach Ruhe immer als Imperativ aus. Man sagt: Ruhig! Ruhig! – in der Befehlsform, als sagte man imperativisch: Tod! Tod!

Auch in meinem Elternhaus war es früher immer ruhig, und es galt in jenem Haus als Tugend, ruhig zu sein. Die sympathischen und charaktervollen Menschen waren ruhig – nein, sie waren mehr als nur ruhig, sie waren »ruhig«. Wenn die heiratsfähigen Töchter aus meiner ehemaligen Familie und deren Umgebung ihren zukünftigen Ehemann gefunden hatten und man fragte, wie der neue Auserwählte denn sei, so hieß es in meinem Elternhaus immer: Oh, er ist sehr sympathisch; er ist sehr ruhig. Die jungen Ehefrauen solcher ruhigen Männer ließen sich nach ein paar Jahren ruhiger Ehe dann meist wieder scheiden, offenbar weil ihnen der Mann allzu ruhig gewesen war. Diese Frauen hatten sich meist mehr oder weniger offen darüber beklagt, daß es ihnen in ihrer Eheruhe zu langweilig gewesen sei und sie sich frustriert gefühlt hätten. Nur meine Mutter harrte aus in ihrer ehelichen Ruhe und konnte sich dreißig Jahre lang mit Annette von Droste-Hülshoff sagen:

> *Nun muß ich sitzen so fein und klar,*
> *Gleich einem artigen Kinde.*

Vieles im Leben ist Zufall. Aber es gibt Zufälle, die ins Schwarze treffen. Der Vater meiner Mutter hatte den Vornamen Gottfried. Und alle Zorns hießen Gottfried: der Vater meines Vaters und auch der Mann meiner Mutter. Sie hießen alle Gottfried Zorn und zürnten niemals ihrem Gott. Sie lebten in Frieden – in Frieden mit Gott und der Welt. Sie wurden nie zornig, sondern sagten: Ruhig, ruhig. Ich glaube, einmal, nur ein einziges Mal, hat sich meine Mutter mir gegenüber mit Worten darüber beklagt, daß sie eigentlich auch gerne lustig sei, daß »es aber eben nicht gehe«. Bezeichnenderweise wiederholte sie damit ein Wort ihrer eigenen Mutter, meiner Großmutter, die mir einmal gestanden hatte, daß sie als junge Frau auch gerne tanzen gegangen wäre, aber »es sei eben nicht gegangen«, weil dem Großvater (sie sagte »Väterchen«) schwindlig wurde. Das »Väterchen« saß den ganzen Tag hinter seinem Schreibtisch, gegenüber dem mittelalterlichen Bild eines fast lebensgroßen gekreuzigten Christus. An der zweiten Tür seines Schreibtisches hing ein kleineres Bild, auf dem die Kreuzigung Christi dargestellt war. Meine Großmutter war nichts Feines, gewiß nicht; vielleicht war sie sogar ein Schwein – aber sicher war sie auch ein armes Schwein. Wenn ich daran denke, daß sie gerne getanzt hätte, während »Väterchen« Gottfried vor seinen Christussen hockte, vergeht mir die Lust, ihr böse zu sein.

Auch meine Mutter – meine arme Mutter! Jeden Sonntag abend rief meine Mutter immer irgendwelche Verwandte an und rapportierte ihnen über den vergangenen Sonntag, und jedesmal lauteten ihre Worte: Wir haben es geruhsam. Geruhsam – o scheußliches Wort! Am Sonntag spielte mein geruhsamer Vater immer Patience – wobei ich schon einmal darauf hingewiesen habe, daß er nur eine einzige konnte, nämlich die »Harfe«, die ohnehin die langweiligste ist. Ich spiele selbst ab und zu Patience, aber doch nicht jeden Sonntag, und ich kenne wenigstens eine ganze Menge davon, und vor allem die »Kleine Napoleons-Patience« ist doch sehr interessant; kurz, auch Patiencen können lustig sein, aber diese ewige »Harfe« am Sonntag – das hat etwas so Bedrückendes und Trauriges. Dazu hörte mein Vater Schallplattenmusik, am liebsten traurige romantische Musik von Schumann, Schubert oder Brahms, manchmal auch Schuberts *Winterreise*, worin es zu allem Überfluß noch heißt – wie wenn es dessen noch bedurft hätte:

Und immer hör ichs rauschen:
Du fändest Ruhe dort.

Dafür, daß mein Vater immer Patience spielte, gab es natürlich auch einen Grund: mein Vater war eben »müde«. Mein Vater hatte es »schwer«, und deshalb war er »müde«. Ich habe die Müdigkeit als etwas sehr Komplexes aufzufassen gelernt. Manchmal bin ich müde vom Arbeiten; manchmal bin ich müde vom Nichtstun – nach dem Nichtstun bin ich aber immer viel müder als nach dem Arbeiten; und manchmal bin ich auf eine Art müde, bei der das Wort »müde« zu einem Synonym von »traurig« geworden ist. Dann aber, wenn meine Müdigkeit mit Traurigsein identisch ist, dann bin ich am allermüdesten. Nicht umsonst spricht man von einem Drang nach Ruhe, den man mit dem Adjektiv »lebensmüde« charakterisiert.

Und noch etwas stimmt mich traurig. Mein Vater, dieser intelligente, begabte, talentierte, gebildete, feinfühlige und edle Mann – er ließ alle seine Fähigkeiten brach liegen und spielte Patience. Sein größtes Verbrechen hat mein Vater sich selbst gegenüber begangen. Mein Vater, als ein zu schöpferischer Produktivität geborener Mann, war immer müde und legte seine Karten zur ewig selben »Harfe« aus, und meine Mutter, als treue Gattin, störte ihn nicht dabei und muckte nicht auf, denn der Gatte war »müde«. Meine Mutter ihrerseits war eine zum Lustigsein geborene Frau, aber sie »hatte es geruhsam«, ihr ganzes Leben lang. Diese Ruhe in meinem Elternhaus – welcher Jammer!

Wenn ich die Geschichte meiner Familie überdenke, komme ich zu dem Schluß, daß ich, in all meinen Leiden und Schmerzen, mein Leben viel, viel intensiver erlebe als meine Eltern das ihrige in ihrer Geruhsamkeit. Ich bin unglücklich, auf eine heftige und leidenschaftliche Art unglücklich; meine Eltern »hatten es geruhsam« – das letztere aber ist *noch* schlimmer. Ich bin von tausend Bedrückungen umringt und erlebe tausend Schrecken – aber ich *erlebe* wenigstens etwas, und meine Eltern haben gar nichts erlebt. Ich bin in der Hölle, aber ich *bin* wenigstens in der Hölle, und meine Eltern, die waren, na, die waren höchstens im Limbus, und eigentlich *waren* sie gar nicht. Ich bin jetzt so mehr oder weniger am Sterben, aber meine Eltern – haben die überhaupt gelebt? Mein Vater hat jetzt seine »ewige Ruhe« gefunden; meine Mutter sitzt einsam in einem großen toten Haus und ist traurig.

Aber nicht jeder qualifiziert als »traurig«, was ich als traurig empfinde. Meine Eltern hielten sich nicht für traurig, sondern für korrekt, richtig und *comme il faut*. Die Ruhe ihres Hauses war für sie nicht ein Leiden, sondern eine Tugend. (Dabei unterschieden sie sich wohl nicht einmal so sehr von anderen Leuten, denn wie viele Leiden gelten in unserer Gesellschaft nicht als Tugend!) Mein Elternhaus funktionierte nicht, und darauf waren meine Eltern stolz. Und weil es nicht funktionierte, wurde niemand davon in Mitleidenschaft gezogen und niemand dadurch gestört. Es war bei uns immer ganz, ganz ruhig; es konnte niemand durch diese Ruhe gestört werden. Es brauchte uns niemand »Ruhig!« zuzurufen, denn wir waren es schon. Und eben weil wir niemanden und niemandes Ruhe störten, waren wir *comme il faut*. Und das war unsere Tugend.

Ich glaube, ich darf folgende Formel zur Definition des von mir erahnten »Bürgerlichen« wagen: das »Bürgerliche« ist das »Um jeden Preis Ruhige, weil sonst jemand anderer in seiner eigenen Ruhe gestört werden könnte«. Und eben das ist das Böse. Es ist das Bürgerliche und das Böse, wenn man etwas dagegen hat, daß die Elektronen um den Atomkern kreisen, »weil das vielleicht irgend jemanden stören könnte«. Es heißt, dagegen zu sein, daß die Ameise durch den Wald krabbelt, »weil der Pfad, worauf sie krabbelt, vielleicht eine Privatstraße ist, deren Betreten bei Buße verboten ist«. Es heißt, dagegen zu sein, daß der Löwe die Gazelle frißt, »weil erstens der Löwe Ausländer und zweitens die Gazelle nicht polizeilich angemeldet ist und drittens beide noch minderjährig sind«. Es heißt, dagegen zu sein, daß der Mond sich um die Erde dreht, »weil der helle Mondschein in der Nacht als störend empfunden werden könnte«. Es heißt, dagegen zu sein, daß die Sonne aufgeht, »weil die Bank bereits die Aktienmehrheit für die Domäne Himmel aufgekauft hat und erst noch die Besserung der Wirtschaftslage abwarten muß, ehe die Sonne aufgehen kann«. Es heißt, daß immer ein potentieller Jemand da ist, den man möglicherweise stören könnte; und wenn dieser Jemand einmal durchaus nicht zu haben ist, so erfindet man ihn.

Ich glaube, daß das Nicht-stören-Wollen deshalb etwas Schlechtes ist, weil man sogar stören *muß*. Es genügt nicht zu existieren; man muß auch darauf aufmerksam machen, daß man existiert. Es genügt nicht, bloß zu *sein*, man muß auch *wirken*. Wer aber wirkt, der *stört* – und zwar in des Wortes edelster Bedeutung.

Aus Bachs Kantate *Auf, schmetternde Töne der muntern Trompeten (nomen est omen)*:

> Dort blühet manche schöne Blume,
> Hier hebt zu Floras großem Ruhme
> sich eine Pflanze in die Höh
> Und will ihr Wachstum zeigen.

Es genügt nicht, daß sich die Blume nur in die Höh hebt, sie muß auch »ihr Wachstum zeigen«.

Ich habe im ersten Teil meiner Geschichte schon eine Menge Beispiele für das Phänomen dieses im verhängnisvollsten Sinne Bürgerliche, Ruhige und Schweizerische geschildert und brauche diese Reihe hier nicht mehr weiterzuführen. Nur auf ein Beispiel möchte ich noch einmal zurückkommen, das stellvertretend für alle anderen stehen kann, die Sexualität nämlich. Wenn ich geschrieben habe, daß das Bürgerliche der Sonne verbietet aufzugehen, so wird man das im übertragenen Sinn und, als lyrische Formulierung, stellvertretend für viele andere Dinge auffassen. Wenn man aber bedenkt, daß es alles Sexuelle in der bürgerlichen Welt »nicht gibt«, d. h. nicht gibt, weil es verboten worden ist (wie wenn etwas dadurch inexistent würde, daß man es verbietet), so haben wir es nicht mehr mit einem Lyrismus zu tun, sondern mit einer Realität, und zwar einer perversen. Die Sexualität existiert, aber sie »stört«, oder, was noch schlimmer ist, sie »könnte vielleicht stören«, und deshalb tut man so, als ob sie nicht existierte. Die Sonne scheint, aber es ist hier verboten zu scheinen, und deshalb tun wir so, als ob sie nicht schiene. Der Mond geht auf, aber sein Aufgehen könnte vielleicht irgend jemanden stören, und deshalb tun wir so, als hätten wir nicht gesehen, daß er aufgegangen ist, und rennen in einer mondhellen Nacht *absichtlich* mit dem Kopf gegen einen Baumstamm, um zu beweisen, daß wir gemeint haben, der Mond scheine nicht und es sei dunkel.

Das ist nicht dumm, sondern das ist böse. Denn was man an Dummem begeht, tut man unabsichtlich, und was man an Bösem begeht, tut man mit Absicht. Wer im Dunkeln mit seinem Kopf gegen einen Baumstamm prallt, ist dumm; wer im Mondlicht gegen einen Baumstamm prallt, ist böse.

Jetzt kommt der Punkt dieses Berichts, der mir am schwersten auf dem Herzen liegt. Ich habe im ersten Teil meiner Geschichte die Atmosphäre meines Elternhauses und das geschildert, was aus mir als dem Produkt dieses Elternhauses geworden ist. Ich habe auch dargelegt, warum ich meine Eltern, trotz aller ihrer Verfehlungen, nicht hassen kann und sie letztlich nicht als die »Bösen«, sondern als die »Armen« erkannt habe. Ich habe auch zu schildern versucht, wie meine Eltern »gewissermaßen«, wenn auch auf komplizierte Weise, »mitschuldig« an meinem Unglück waren. Dieses »gewissermaßen« mißfällt mir heute, weil es andeutet, daß die Beantwortung dieser Frage »schwierig« sei. Die Frage ist nun aber aufgeworfen worden, und als Antwort darauf kann die Rede nur lauten: ja, ja, oder: nein, nein.

Ich stelle mein Unglück fest; das ist eine Realität. Diese Realität ist nicht aus dem Nichts entsprungen, sondern sie ist geworden. Ich bin nicht »halt eben« unglücklich, ich habe nicht »Pech gehabt«, es ist kein Zufall, daß ich unglücklich bin. Man hat mich unglücklich gemacht. Daß ich unglücklich bin, ist nicht das Resultat eines Zufalls oder Unfalls, sondern eines Vergehens. Es ist nicht »passiert«, sondern es ist bewirkt worden; es ist nicht Schicksal, sondern Schuld.

Ich bin bereit, meinen Eltern jeden, aber auch *jeden* mildernden Umstand zuzubilligen; aber auf die Frage, ob sie an meinem Unglück schuldig oder unschuldig sind, lautet mein Urteil: Schuldig. Ich bin auch bereit, meinen Eltern zu verzeihen, und im Grunde genommen habe ich es im Laufe meiner Überlegungen bereits getan, aber der Umstand, daß jemand begnadigt worden ist, bedeutet noch nicht, daß er deswegen schon vorher unschuldig war. Im Gegenteil: nur wer *schuldig* ist, kann begnadigt werden.

Nach dem Zweiten Weltkrieg waren alle Nazis auf einmal nur noch »brave Deutsche«, die nur den Befehl des Führers ausgeführt und ihre Pflicht getan hatten. Sie alle hatten »eigentlich gar nicht gewußt«, was in den Vernichtungslagern wirklich geschehen war und hatten es »eigentlich nur gut gemeint«. Ich halte mich für imstande, ihnen dies sogar zu glauben. Aber die Juden waren tot. Auch meine Eltern haben es mit mir »nur gut gemeint« und mich nur *»comme il faut erzogen«*. Ich glaube es meinen Eltern; ich glaube es meinem toten Vater und ich glaube es meiner armen Mutter. Aber an diesem *comme il faut* bin ich jetzt im Begriff zu sterben. An ihren Früchten sollt ihr sie erkennen.

Und jetzt kein Wort mehr über meine Eltern. Ich habe erkannt,

was sie an mir getan haben, ich habe sie verurteilt, ich habe ihnen
verziehen und ich habe Erbarmen mit ihnen. Mehr kann ich für
sie nicht tun. Sie interessieren mich jetzt nicht mehr. Was bleibt,
bin ich. Das Leid ist an mir ergangen; das ist eine Tatsache, und
ich anerkenne sie. Es ist in unserer bürgerlichen Gesellschaft nicht
üblich, leidvoll zu sein; es ist nicht *comme il faut*. Man lebt in Zürich seinen Schmerz nicht aus, sondern man verdrängt ihn, denn
der Umstand, daß man leidet, »könnte vielleicht jemanden stören«. Man wagt der Tatsache, daß man traurig ist, nicht ins Ange-
sicht zu sehen, weil man »die Ruhe stört«, wenn man leidet; und
diesen fehlenden Wagemut, durch sein Traurigsein jemanden zu
stören, nennt man im bürgerlichen Jargon meiner Heimat »tapfer
sein«. Aber eben dieser Meinung bin ich nicht. Es muß nicht nur
heißen:

> *Dort blühet manche schöne Blume*
> *Und will ihr Wachstum zeigen,*

sondern es ist auch notwendig, daß die Minderung gezeigt wird.
Nicht nur die Freude drängt nach außen, sondern auch das Leid.
Wenn ein Leid geschehen ist, so muß auch darum geklagt werden.
Ich finde das richtig so. Es braucht gar nicht immer nur angeklagt
zu werden, es genügt oft schon, *daß* geklagt wird. Was ich in dieser
Hinsicht nun aber als bezeichnend für mein jetziges Leben emp-
finde, ist, daß die Dinge *stattfinden*. Das Leid findet statt, aber
auch die Trauer darum findet statt. Die Trauer ist auch eine Aufgabe (nicht umsonst spricht A. Mitscherlich von »Trauerarbeit«).
Ich vermute, daß diese Auffassung der Trauer unpopulär ist. Die
Totenklage wird in der bürgerlichen Gesellschaft unterdrückt. Der
vorletzte Vers von Schillers *Nänie* entspricht in der heutigen Gesellschaft keiner Wirklichkeit mehr, denn niemand ist mehr ein
Klagelied im Mund der Geliebten – von »herrlich« ganz zu schweigen; wohl aber der letzte Vers, denn das Gemeine geht immer noch
klanglos zum Orkus hinab – aber längst schon nicht mehr nur das
Gemeine. In Amerika spricht man bekanntlich nicht vom Tod, und
im *american way of dying* geht auch das Edle schon längst klanglos
zum Orkus hinab. In dieser Hinsicht ist bei uns aber *überall* Amerika: Zuerst wird man von einer emotional degenerierten Gesellschaft abgemurkst, und dann wird man totgeschwiegen. Wenn jemand gestorben ist, sagt man von ihm heutzutage nicht einmal

mehr, daß er tot sei, sondern nur noch, er »sei nicht mehr da«. Auch das ist bürgerlich, daß man das Wort »tot« nicht auszusprechen wagt. Jedes Ding hat seinen Namen, auch der Tod hat seinen. Aber jedem Fehler folgt auch die Strafe: Es ist das Schicksal des Bürgers, daß er eines schönen Tages einfach »nicht mehr da« sein wird. Aber nicht ich. Ich werde nie »nicht mehr da« sein, sondern ich werde tot sein, und ich werde gewußt haben, warum.

Ich habe schon mehrmals meiner Kritik an der bürgerlichen Gesellschaft Ausdruck gegeben, und zwar in bezug auf jenen Aspekt des Bürgerlichen, den ich als böse erkannt habe. Ich empfinde auch eine Aversion gegen diese bürgerliche Gesellschaft, weil ich selbst eines ihrer Produkte bin und weil mir diese Tatsache mißfällt. Ich erkenne, daß ich ein Produkt dieser Gesellschaft bin, aber ich fühle auch, daß ich nicht *nur* ein solches vorprogrammiertes Produkt bin. So wie ich glaube, daß die Rolle, die meine Eltern in meinem Leben gespielt haben, einmal ihr Ende hat, glaube ich, daß das Maß, in dem das Bürgerliche mir zum Schicksal geworden ist, einmal voll ist.

Ich glaube, ich bin dreiteilig. Zum ersten bestehe ich aus meiner Individualität; zum zweiten bin ich das Produkt meiner Eltern, meiner Erziehung, meiner Familie und meiner Gesellschaft; zum dritten bin ich ein Vertreter des allgemeinen Lebensprinzipes, worunter ich eben jene Kraft verstehe, die bewirkt, daß die Elektronen um den Atomkern kreisen, daß die Ameisen wimmeln und daß die Sonne aufgeht. Ein Teil von mir ist auch Elektron und Ameise und Sonne, und daran kann auch die bürgerlichste Erziehung nichts mehr verderben.

Mein Jammer ist auch ein Teil des universellen Jammers. Mein Leben besteht nicht nur aus dem Aufheulen eines von der Zürcher Bourgeoisie zu Tode erzogenen Individuums; es ist auch ein Teil des Aufheulens des ganzen Universums, in dem die Sonne nicht mehr aufgegangen ist. Als Kind hat mir immer eine bestimmte Stelle des Neuen Testamentes besonderen Eindruck gemacht, die nämlich, wo es heißt, daß nach dem Tod Christi der Vorhang im Tempel entzwei gerissen sei. Diesen Eindruck habe ich heute während der größten Heimsuchungen durch mein Elend auch: ich empfinde dann, daß in meinem Leben *ununterbrochen* der Vorhang im Tempel entzwei reißt, daß ununterbrochen alle Vorhänge in allen Tempeln entzwei reißen. Diese Empfindung ist eine der

möglichen Vorstellungen, die ich meine, wenn ich die Worte nie-
derschreibe: »Der Jammer findet statt.« Selbst diese Vorstellung
des ununterbrochenen Jammers ist etwas Universelles. Um nur ein
einziges Beispiel herauszugreifen: Ununterbrochen wird der Tod
des Tammuz, des Dumuzi, des »echten Sohnes«, des Geliebten und
Sohnes der vorderasiatischen Göttin Astarte, beklagt, sei es als die
Gottheit der von der Sonne versengten Pflanzenwelt und der
Dürre, sei es als der vom Eber getötete Adonis oder als der gekreu-
zigte Jesus. Der Tod jedes einzelnen Menschen ist der Tod aller
Menschen, und der Tod jedes Menschen ist der Weltuntergang.

Nach dem Energiesatz bleibt die Summe aller Energien immer
gleich. Ich glaube, daß auch die Summe allen Leides immer gleich
bleibt; und deshalb geht auch nichts davon verloren. Es ist mehr
als nur eine Redensart, wenn man sagt, daß das Leid zum Himmel
schreit. Das Leid schreit nicht nur zum Himmel, es kommt dort
auch an und wird dort gehortet.

So wenig ich aber, wie ich schon geschrieben habe, ganz im nur
Bürgerlichen und mir Überlieferten und Aus-mir-Gemachten
aufgehe, so wenig gehe ich auch im nur Universellen auf. Zum Teil
erleide ich auch den symbolischen und rituellen Tod des vorderasiatischen Tammuz; aber vor allem bin ich auch ein nicht-sym-
bolischer und konkreter Mensch, der vom konkreten Tod bedroht
ist, und zwar, wie ich schon gesagt habe, von einem Tod, der einzutreten droht, bevor ich meine Lebensaufgabe erfüllt habe. Und
diese Gefahr erzeugt Angst und Haß. Daß man in gewissen Situationen Angst und Haß fühlt, hat auch keinen Sinn; aber es ist so,
und es gehört zu diesen Situationen, daß man darin Angst und Haß
fühlt.

Wie es wirklich um mich steht, das weiß ich nicht, und das kann
mir auch kein Arzt sagen, denn das weiß kein Arzt. Vielleicht ist
das Spiel schon verloren, aber solange es noch nicht wirklich verloren ist, kann man auch noch nicht wissen, daß es verloren ist, und
außerdem spielt es für die Gestaltung des Lebens letztlich gar keine
Rolle, ob das Spiel verloren ist oder nicht, denn man tut doch in
beiden Fällen dieselben Dinge, selbst wenn diese Dinge nichts
mehr nützen sollten. Was heißt überhaupt schon »nützen«? Daß
eine Sache etwas nützt, besagt nicht viel anderes, als daß sie einen
Sinn hat – und daß sie keinen Sinn zu haben braucht, habe ich bereits geschrieben. Wenn man auf eine Biene tritt, sticht sie einem

auch sterbend noch in den Fuß. Es nützt ihr zwar nichts mehr zu stechen, denn sterben muß sie am Zertretenwerden ohnehin, aber sie hat dennoch richtig gehandelt, wenn sie vor ihrem Tod noch gestochen hat. Bienen machen das eben so.

Auch ich rebelliere gegen meinen drohenden Tod, auch ich haße es, umgebracht zu werden, auch ich steche noch vor meinem Sterben. Das machen nicht nur die Bienen so, das machen auch die Menschen so. Ich kann mich in meiner Situation mehr oder weniger richtig verhalten; ich kann mit dem Phänomen Tod mehr oder weniger treffend das anstellen, was man als Mensch mit diesem Phänomen anstellt. Ich kann die Gedanken der ganzen Menschheit über den Tod vor meinem eigenen Tode nachvollziehen; aber sterben muß ich als einzelner und allein. Die Erklärung und die Bedeutung meiner seelischen und meiner körperlichen Krankheit sind allgemein, die Reflexionen, die ich darüber angestellt habe, haben letzten Endes eine gewisse Gültigkeit für jedermann; die Ursache meines Todes wird, glaube ich, jedermann einleuchten, aber meine eigenen Ängste und Schmerzen sind nur für mich, denn die kann mir keine Erklärung abnehmen. Als Toter werde ich einer von vielen sein, und auch der Grund, warum ich gestorben sein werde, wird von vielen begriffen werden, aber als Sterbender bin ich allein.

Jetzt noch eine soziologische Hypothese. Selbst wenn ich als Individuum zerstört sein sollte, werde ich auf für die Gesellschaft verhängnisvolle Weise nicht ausgelöscht sein. Wenn ich jetzt sterben sollte, so wird mein Tod eben kein zufälliger, sondern ein zutiefst typischer gewesen sein, weil ich an dem gekrankt habe, woran in unserer heutigen Gesellschaft jedermann mehr oder weniger kränkelt. Die typischen Todesfälle neigen aber dazu, sich zu einer nationalen Epidemie auszuweiten. Es ist zwar noch nie ein Problem gewesen, etwas kaputt zu machen; es beginnt aber heute die Frage zum Problem zu werden, was man mit all dem kaputten Abfall anfangen soll. Ich werde auf eine für unsere Gesellschaft zu symptomatische Art gestorben sein, als daß man mich in meiner postumen Kaputtheit nicht auch als einen ebenso symptomatischen radioaktiven Abfall betrachten müßte, und zwar einen radioaktiven Abfall, den man nirgendwohin mehr abschieben kann, und der seine Umwelt verseucht. Ich behaupte, daß der Umstand, daß man mich umgebracht haben wird, weiterschwelen und letztlich eben diese Welt, die mich umgebracht hat, zu Fall bringen wird. Man hat mich aus dem Zwang des *comme il faut* so sehr *comme il faut* erzogen, daß ich vor lauter *comme il faut* kaputtgegangen bin. Eine Gesellschaft, deren Kinder aber daran sterben, daß sie diese Gesellschaft vollkommen verkörpern, macht es nicht mehr lange. Der Krug geht wirklich nur so lange zum Brunnen, bis er bricht. Dann ist es aber auch, finde ich, *comme il faut,* daß er zerbrochen ist: *il le faut,* sogar. Ich stelle hier wieder eine Erscheinungsform jenes kosmischen Humors fest, dem ich im Verlauf meiner Geschichte bereits häufig begegnet bin.

Alle gesellschaftlichen Torheiten rächen sich, manchmal früher, manchmal später. Im alten China hatten alle Chinesinnen verkrüppelte Füße. Gehinkt und Schmerzen ausgestanden (und, wie man liest, soll es auch gestunken haben) hat jede als einzelne; aber die Millionen von verkrüppelten kaiserlichen Füßchen bewirkten, daß die Revolution kam und mit ihr die verkrüppelten Füße samt dem Kaiser verschwanden. Armer Kaiser? Nein, dummer Kaiser – hätte er als Kaiser doch lieber selbst auf die Füße seiner Untertanen geachtet; dann wäre er vielleicht sogar das Haupt dieser vielen Füße geblieben.

Ich glaube, von einer bestimmten Anzahl verkrüppelter Füße oder anderer verkrüppelter Gliedmaßen oder Seelen an kommt die Revolution immer. Sie *muß* auch kommen, denn das Neue ist immer das Bessere. Ich bitte diesen Satz *cum grano salis* aufzufassen und auf Spitzfindigkeiten bei seiner Interpretation zu verzichten, dann stimmt er nämlich immer (was sich auch mit seiner Umkehrung beweisen läßt, denn »zurück« ist immer schlecht). Ich habe als anderes Beispiel einer Revolution schon die Französische erwähnt und festgestellt, daß, ungeachtet all ihrer – auch nutzlosen – Grausamkeiten und der Sinnlosigkeit, Marie Antoinette den Kopf abzuschlagen, doch niemand der Königin eine Träne nachgeweint hat. Oder wer wollte, daß sie nicht geschehen wäre und noch die Bourbonen in Versailles über Frankreich herrschten?

Dazu noch eine geradezu humoristische Note. Aus der Autobiographie des letzten Kaisers von China geht hervor, daß niemand mehr von der Chinesischen Revolution profitiert hat als er selbst, der, im goldenen Käfig seines Kaiserpalastes eingesperrt, am meisten unter dem Kaiserreich gelitten hatte. In einem Land, in dem die Privilegien ungleichmäßig verteilt sind, haben es die Unterprivilegierten sicher schlecht – aber wie schlecht haben es erst die Überprivilegierten! Das gilt nicht nur für China, sondern ist auch die Quintessenz meiner eigenen Geschichte.

Ich möchte noch einmal betonen, daß ich diesen Essay nicht als einen grundsätzlich politischen Text auffasse, obwohl mir die Behauptung nicht unbekannt ist, daß jede Aussage politisch ist. Auch wenn ich von der Notwendigkeit der Revolution überzeugt bin, glaube ich nicht, daß jede Revolution immer unbedingt eine politische zu sein braucht.

Zudem glaube ich, daß man gar nicht so unbedingt *für* die Revolution zu sein braucht; es genügt, daß man *nicht gegen* sie ist, denn die Revolution kommt ohnehin von selbst, und sie kommt immer, auch wenn sie meist viel Zeit zum Kommen braucht. So wie die vielen Millionen verkrüppelter chinesischer Füßchen je ein Rad im Triebwerk der Chinesischen Revolution darstellten, so ist auch meine Geschichte ein Rad im Mechanismus der Umwälzung der bürgerlichen Gesellschaft. Ich selbst bin nur ein kleines Rädchen, aber eben ein typisches Rädchen; eine bestimmte Menge kleiner und typischer Rädchen zusammengenommen ist aber nicht mehr nur ein Räderhaufen, sondern eine Maschine, und zwar eine Maschine, die etwas bewirkt. Oder medico-soziologisch ausgedrückt: Jeder Organismus ist so stark wie sein schwächstes Glied. In mir haben mich meine bösartig entarteten lymphatischen Zellen darauf aufmerksam gemacht, was an meinem ganzen körperlichen und seelischen Organismus krank ist; innerhalb meiner Gesellschaft bin ich selbst die bösartig kranke Zelle, die den gesellschaftlichen Organismus verseucht. Die Gefährlichkeit dieser erkrankten Zelle für den gesamten Organismus muß erkannt und diese kranke Zelle geheilt werden; sonst stirbt der Organismus daran. Soziologisch gesehen bin ich die Krebszelle meiner Gesellschaft, und so wie die erste bösartige Zelle in mir psychosomatischen Ursprungs gewesen ist, was man in einem gewissen Sinn als »selbstverschuldet« definieren kann, so bin auch ich als Repräsentant der Krankheit meiner Gesellschaft auf der seelischen Minusseite dieser Gesellschaft zu buchen. Deshalb wird die etwas pointiert klingende Formel vom bloßen Bonmot zum Ausdruck der konkretesten Wirklichkeit: Ich bin der Untergang des Abendlandes. Ich bin natürlich nicht der *ganze* Untergang des Abendlandes, und nicht nur *ich* bin der Untergang des Abendlandes, aber ich bin ein Molekül der Masse, aus der der Untergang des Abendlandes sich entwickelt.

In diesem Sinn möchte ich mich als einen Revolutionär bezeichnen: als einen aktiven und einen passiven. Aktiv aber nicht in dem Sinne, daß ich die Meinung vertrete, daß in der Schweiz jetzt auf einmal alles chinesisch, kubanisch oder negerisch werden müßte; das, finde ich, muß es entschieden *nicht*. Ebenso, wie ich es für töricht gehalten habe, die Schweizerische Kreditanstalt in die Luft zu sprengen (wenn auch die Explosion dieser Anstalt im symbolischen Sinn nach wie vor ein schönes und notwendiges Feuerwerk bleibt), würde ich es als töricht empfinden, den bürgerlichen Teufel durch den Beelzebub irgend eines anderen politischen Ismus auszutreiben (wenn man auch bedenken muß, daß nur dadurch, daß man *nicht* den Beelzebub herbeigerufen hat, der alte Teufel noch um kein Haar besser wird). Ich habe mich zwar heftig gegen das Bürgerliche oder Zürcherische oder Schweizerische gewendet, wenn auch nicht in der Absicht, diese Dinge abzuschaffen. Abgeschafft werden sollen sie nicht, aber so bleiben, wie sie sind, sollen sie ebenso wenig. Ein Patient, der an einem kranken Bein leidet, wird auch nicht dadurch gesund gemacht, daß man ihm das Bein abschneidet, sondern dadurch, daß man ihm das Bein heilt.

Als einen passiven Revolutionär verstehe ich mich insofern, als ich mit meiner Geschichte, meinem Leiden und vielleicht auch mit meinem Tod eines der vielen Elemente darstelle, die dazu nötig sind, daß der Mechanismus der Revolution ins Rollen gerät. Das ist im allgemeinen Sinne das Notwendige an meiner Geschichte und für mich persönlich auch das Traurige. Ich bin nur eine Revolutionsnummer, so wie die vielen hinkenden Chinesinnen nur Revolutionsnummern gewesen sind, um deren persönliche Fußschmerzen sich nach der Revolution auch niemand mehr kümmerte. Im Katalog der Revolution bin ich die Nummer 5743, die notwendig gewesen ist dafür, daß es auch eine Nummer 5742 und eine Nummer 5744 geben kann; aber mein persönliches Glück ist hin. Das ist mein Schmerz: Auch mein Leben hat für die Allgemeinheit eine Funktion, und damit ist dem Intellekt Genüge getan, aber das Herz darbt und schreit dabei.

Und somit komme ich aus diesem soziologischen Exkurs auch wieder auf mein persönliches Anliegen zurück: ich habe eingesehen, daß die Welt unter anderem auch in mir und durch mich und wegen mir funktioniert, und das befriedigt meinen Intellekt, aber die Seele will nichts von solchem Funktionieren der Welt wissen und verlangt nur nach dem Funktionieren ihrer selbst. Das Herz eines Chinesen schlägt vielleicht höher beim Gedanken, daß sein Besitzer für Mao und das chinesische Volk fleißig arbeitet und Überstunden macht, aber mein Herz ist eben kein solch chinesisches Herz, es ist anders. Die Gottesanbeterin verzehrt pro Tag sechzehnmal ihr eigenes Körpergewicht, aber die Boa constrictor frißt im Monat nur ein einziges Mal; sie sind eben anders. In meinem soziologischen Rechenexempel geht alles auf, bin ich eine der notwendigen Ziffern für das am Schluß gewünschte Produkt; aber ich selbst bin traurig dabei, und gegen das Traurigsein hilft keine Mathematik.

Ich will denselben Themenkreis, da man ihm auf rationale Art nicht ganz beikommen kann, deshalb auch auf irrationale – oder sagen wir: religiöse – Art zu umschreiben versuchen. Dabei möchte ich den Begriff des Religiösen weniger im Sinn des Ethischen als in dem des Dämonischen verstanden wissen. Dabei noch ein Wort zu dem, was das von mir mit Vorliebe verwendete christliche Vokabular betrifft. Ich selbst bin kein Freund der christlichen Religion, verwende aber oft Begriffe aus ihrem Wortschatz, wenn ich von religiösen Problemen spreche, weil ich glaube, daß diese Begriffe mir und meinen Mitmenschen besser vertraut sind als Begriffe aus anderen möglichen Religionen. Einerlei, ob man hierzulande nun für oder gegen die christliche Religion eingestellt ist, so ist man doch in ihrem Bannkreis aufgewachsen und kann somit alle religiösen Problemstellungen der Welt am besten innerhalb des christlichen Wortschatzes erfassen, nicht zuletzt auch im emotionalen Bereich. Der schlechte Charakter des aztekischen Schwarzen Tezcotlipoca kümmert uns Europäer nicht, und die Chinesen werden sich wohl auch über Abrahams Vaterkomplex kaum den Kopf zerbrechen. Zudem hat die Verwendung der christlichen Terminologie den Vorzug, daß sie unseren unbewußten Vorstellungen am besten entspricht. Der Name »Hans« ist auch jüdisch und biblisch, ohne daß wir bewußt dabei an etwas spezifisch Religiöses dächten. Es kommt mir somit weniger auf die historische Realität des jüdischen Rabbi Jeschua an als darauf, wie sein Bild in unseren unbewußten Vorstellungen weiterwirkt, und zwar bei jedem Mitglied unserer Gesellschaft, auch bei mir, der ich zuhause nicht christlich erzogen worden bin.

Ich habe im zweiten Teil meiner Geschichte darauf hingewiesen, daß man, selbst wenn man von der Hypothese ausgeht, daß es Gott nicht gibt, ihn geradezu erfinden müßte, bloß um ihm eins in die Fresse zu hauen. Ich möchte nun noch einen Schritt weitergehen und behaupten, daß man, wenn man die Notwendigkeit empfindet, einen Begriff zu erfinden, diesen Begriff in diesem Moment bereits erfunden und erschaffen hat. Ich glaube, die gequälte Seele empfindet die Notwendigkeit der Existenz Gottes. Er ist die Adresse, an die man seine Anklage richten und wo diese Anklage ankommen *muß*. Er ist das Gefäß, in dem der Mensch seinen Haß ausschütten muß. Er ist die Person, zu der man beim Letzten Gericht – wie es in der Bibel geschildert wird, nur mit umgekehrten Vorzeichen – sagen muß, daß man hungrig, bloß und traurig gewesen und nicht gespeist und gekleidet und getröstet worden sei. Es ist auch wichtig, daß *ich* es bin, der alle diese Wohltaten nicht erfahren hat, und daß man *mir* alle diese Kränkungen zugefügt hat.

In der christlichen Theologie wird der Gedanke ausgesprochen, daß Jesus ununterbrochen, in jedem Moment der Ewigkeit, ans Kreuz geschlagen werde, und ich kann diesen Gedanken verstehen, wenn auch wiederum mit umgekehrten Vorzeichen. Ich verstehe es, daß die gequälte Menschheit Gott ununterbrochen ans Kreuz schlägt, und ich weiß auch, warum; aus Wut über das, was Gott der Welt angetan hat, schlägt ihn die Menschheit ununterbrochen ans Kreuz. Ich glaube, auch ich bin einer von denen, die Gott ununterbrochen kreuzigen, weil sie ihn hassen und wollen, daß er ununterbrochen stirbt.

Ich komme somit zu einem Thema, das mir innerhalb dieses Essays bedeutsam vorkommt, zum Thema des Hasses auf Gott und der Notwendigkeit, daß Gott sterben muß. Ich habe mich in visionärer Sicht schon in einen Kampf mit Gott verwickelt gesehen, in dem wir einander beide mit derselben Waffe bekämpfen, und zwar beide mit Krebs. Gott schlägt mich mit einer bösartigen und tödlichen Krankheit, aber anderseits ist er selbst auch wieder der Organismus, in dem ich die Krebszelle verkörpere. Dadurch daß ich so schwer erkrankt bin, beweise ich, wie schlecht Gottes Welt ist, und dadurch stelle ich die schwächste Stelle im Organismus »Gott« dar, der eben als ein solcher Organismus nicht stärker sein kann als seine schwächste Stelle, nämlich als ich. Ich bin das Karzinom Gottes. Im großen Rahmen gesehen natürlich nur ein kleines – aber trotzdem eines. Die Größe spielt auch gar keine Rolle, denn der kleinste Nerv, wenn er nur richtig schmerzt, kann schon bewirken, daß der ganze Körper von der Empfindung des Schmerzes heimgesucht wird. Und so sehe ich mich den Nerv in Gottes Körper so treffen, daß auch er, genau wie ich, nachts nicht schlafen kann und sich schreiend und brüllend in seinem Bett herumwälzt.

In dieser Vision habe ich auch gesehen, daß beide Gegner, Gott und ich, zwar mit derselben Waffe kämpften, eben mit Krebs, der den Körper des Widersachers vergiftet und zersetzt, und daß zwar beide mit derselben Taktik kämpften, aber aus verschiedenen Motiven. Mein Motiv habe ich als einen flammenden Haß erkannt, Gottes Motiv aber eher als ein dumpfes böses Ressentiment. Bei mir habe ich die absolute Notwendigkeit erkannt, den Gegner mitten ins Herz zu treffen, bei Gott aber eher eine gewisse schläfrige und amorphe Bösartigkeit, mich im Rahmen eines allgemeinen Zerquetschungsprogramms auch gerade noch mitzuzerquetschen. In dieser letzten Vorstellung erschien mir Gott am ehesten wie ein riesengroßes böses Tier, wie eine ekelhafte Qualle, die mich zu ersticken und zu vergiften sucht, oder wie ein Krake mit tausend Fangarmen, die mich von allen Seiten umschlingen.

Wenn ich nun aber von diesem letzten Bild des Kraken ausgehe, so scheint mir vieles daran bekannt vorzukommen. Ich habe in meinem Leben immer und immer wieder das Gefühl gehabt, von etwas Feindlichem mit unzähligen Fangarmen umschlungen gewesen zu sein, das nichts anderes im Sinn hatte, als mich zu vergiften und zu ersticken, und dessen Umschlingung ich mich kaum noch entwinden zu können glaubte. In meinen Eltern habe ich so etwas gesehen, im Bürgerlichen, im Ruhigen, im Zürcherischen, im Schweizerischen, und meist war damit mehr als das nur konkret Elterliche und Bürgerliche und Zürcherische gemeint, sondern alle diese Begriffe zwischen Anführungszeichen gesetzt, also das »Elterliche«, das »Bürgerliche« und das »Ruhige«. Alle diese Begriffe bedeuteten nicht nur sich selbst, sondern gingen immer noch auf etwas tiefer Dahinterliegendes zurück: das »Elterliche« war nur ein Aspekt des »Bürgerlichen«, und das »Bürgerliche« war nur ein Aspekt des »Ruhigen«, und dieses letzte und alle anderen zusammen waren wiederum ein Aspekt des »Bösen«. Und dieses »Böse« scheint in der Vision vom großen Kraken mit dem »Göttlichen« zusammenzufallen.

Muß man daraus nun schließen, daß Gott das absolute Böse ist? (Ein an sich origineller Schluß, da er im Widerspruch steht zur landläufigen und ein bißchen banalen Auffassung, daß Gott das absolute Gute, das *summum bonum* verkörpert.) Diese Schlußfolgerung scheint viel Richtiges an sich zu haben, wenn sie mir auch nicht vollkommen gefällt. Und zwar mißfällt sie mir nicht wegen des Wortes »böse«, sondern wegen des Wortes »absolut«. Ich möchte als Arbeitshypothese deshalb einmal den Satz aufstellen: Gott ist das Böse, aber nicht das absolute Böse. Oder konkreter ausgedrückt: Die Welt ist schlecht (das Böse), aber man kann sie noch verbessern (das nicht absolute Böse).

Das Gegenstück zum Absoluten ist aber das Relative, oder, um einen etwas bildlicheren Ausdruck zu verwenden, das Regionale. Ich möchte meine These deshalb so umformulieren: Gott ist das regionale Böse. Ich meine damit, daß man Gott durchaus als etwas Regionales auffassen muß; ich glaube sogar, daß das Regionale gerade das ist, was Gottes Effizienz und Charme ausmacht. Der moderne Mensch, der in seinen philosophischen Betrachtungen gerne über Gott als etwas Absolutes nachdenkt, wird sich daran gewöhnen müssen, daß der absolute und universelle Gott eine bloße intellektuelle Konstruktion ist, daß aber Gott in dem Sinne, wie er eben das »Göttliche« und nicht das bloß Intellektuelle verkörpert, in jedem Winkel der Erde etwas ganz Verschiedenes ist.

Gott ist nicht nur in allen Religionen der Welt immer wieder etwas ganz anderes; auch der hypothetische christliche Gott ist in allen Ländern immer wieder ein ganz anderer. Gott ist nicht nur in Nordirland ein anderer als der Bon Dieu in Frankreich; selbst im südlich-katholischen Bereich ist der Gott Spaniens ganz anders als der Italiens. Auch die Große Göttin und Mutter dieser beiden südlichen Länder, die ins Mythologische erhobene Figur der Zimmermannswitwe Mirjam aus Nazareth, ist immer wieder eine andere: die Madonna der *Pietà* von Michelangelo, die sich in gebildeter Trauer über den gepflegten *body* ihres toten Sohnes neigt, hat nichts mehr zu tun mit der sevillanischen *Macarena*, die dem Betrachter aus der pompösen Monstrosität ihres afrikanischen Firlefanzes entgegenblickt.

Niemand kommt auf den Gedanken, der spanischen *Macarena* europäische Allgemeingültigkeit zuzuschreiben; für die Spanier mag diese Göttin gut und recht sein, aber außerhalb Spaniens ist sie unbrauchbar. Muß man nicht auch dieser anderen mythologischen Figur, die man auf europäisch etwas oberflächlich bloß als »Gott« bezeichnet – nicht einmal mit dem bestimmten Artikel davor – denselben regionalen Platz zuweisen, den man seiner Mutter schon längst zugewiesen hat? Warum sollte, wenn die Mutter nur national ist, der Sohn dieser Mutter international sein? Ich gebe zu, daß es die Originalität des christlichen Gottes ausmacht, daß er universell zu sein sucht, aber ich halte diese Originalität für etwas zu prätentiös. Götter sind nun einmal nicht so. Sie kommen immer aus einem geographisch bestimmbaren Raum und gehören immer in einen geographisch bestimmbaren Raum, denn sie sind ihrem Wesen nach zutiefst lokal. Außerdem sind sie nicht ewig, sondern endlich; das ist bei Göttern eben so, und das gehört sich auch so für sie. Kronos vertreibt den Uranos, und Zeus vertreibt den Kronos; Seth erschlägt den Osiris, und Horus erschlägt den Seth; und die Germanen haben ihre Götterdämmerung, die auch nach demselben Prinzip funktioniert.

Nur die christliche Religion faßt ihren Gott (oder ihre Götter) als universell und ewig auf und will durchaus keine neuen Götter heranlassen. Eine solche Haltung bezeichne ich als antirevolutionär und reaktionär. Ich glaube, das ist das Schlechte an der christlichen Religion, daß sie durchaus die beste von allen sein will, und daß man sich die von ihr geschaffenen Götter als unendlich und ewig vorstellen soll. Die anderen Religionen zeigen, daß alle Götter irgendwann einmal sterben und durch neue Götter ersetzt werden; nur der christliche Gott will nicht sterben und keinen Neuen und Besseren heranlassen.

Ich glaube nun auch zu erkennen, was ich mit dem Begriff gemeint habe, den ich schon als das »Elterliche«, das »Bürgerliche«, das »Christliche« und das »Ruhige« bezeichnet und zuletzt mit dem Wort »Gott« gekennzeichnet habe. »Gott« ist das Wort, mit dem ich die ganze Welt benannt habe, die so gut zu sein schien, weil sie eben so ruhig, so sauber, so korrekt, so *comme il faut*, so bürgerlich und so brav war; und die doch so schlecht war, die insbesondere für *mich* so schlecht war, daß sie mich jetzt umzubringen im Begriff ist. Alles scheinbar Gute, das man mir als Kind eingetrichtert hat, das ist meine mir jetzt feindlich gesinnte und todbringende Welt – eine todbringende Welt, die so total auf meine Vernichtung aus ist, eine todbringende Situation, in der jede Zelle meines Körpers vergiftet ist und in der jede Sekunde meiner familiären Vergangenheit vergiftet ist, eine Konsistenz meiner selbst, die so sehr *gegen* mich ist, daß ich nicht umhin gekonnt habe, die Summe all des gegen mich Gerichteten als etwas Totales zu empfinden und dieses Totale mit dem totalsten Wort zu benennen, das die deutsche Sprache kennt: Gott. Irrtümlicherweise. Denn so wie ich erkannt habe, daß ich nicht *nur* das Produkt meiner Eltern, das Produkt der bürgerlichen Gesellschaft und das Produkt der christlichen Universalneurose bin, sondern auch – wenn auch nur an kleinem Orte – ich selbst, so leuchtet mir jetzt ein, daß auch das, was ich als »Gott« bezeichnet habe, nicht unendlich ist. Gott ist *nicht* überall. Es gibt Gebiete, wo er nicht ist, wo er zu Ende ist, wo er aufgehört hat zu sein. Er hat irgendwo seinen Platz, und da gehört er hin; aber es gibt auch Plätze, da gehört er nicht oder nicht mehr hin, und dort ist er abgetan, so wie es Gebiete gibt, in denen meine Eltern abgetan sind und die bürgerliche Gesellschaft abgetan ist und überhaupt alles, was mich quält, abgetan ist. Nach allem, was ich über die Natur des Göttlichen geschrieben habe, kann man geradezu sagen: Gott existiert. Ich betrachte diesen Satz sogar als eine mögliche Tatsache. Aber selbst wenn dieser Satz stimmen sollte, so stimmt er nur dann, wenn man ihn präzisiert, und zwar so: Gott existiert nur zu einem Teil; zum anderen Teil ist er erledigt.

Über den Glauben an die Endlichkeit oder Unendlichkeit der Dinge kann man letzten Endes wohl nicht diskutieren; es ist eine Frage, die sich den Geschmacksfragen anzugleichen scheint, oder, wenn man lieber will: es ist eine Sache des Temperaments, an die Endlichkeit oder an die Unendlichkeit zu glauben. James Joyce gibt in *A Portrait of the Artist as a Young Man* eine erschreckende Beschreibung der Unendlichkeit und bezeichnet sie selbst als etwas Furchtbares: »Eternity! O, dread and dire word!« Jorge Luis Borges hingegen beweist in *La doctrina de los ciclos* mit der ganzen Prägnanz des lateinischen Geistes, warum die Welt endlich ist und aufhören muß: »Entonces habrá muerto.«

Ich neige – vermutlich ist das eben mein Temperament – der zweiten Auffassung zu. Nicht zuletzt deshalb, weil ich glaube, daß alles immer auch sein Gegenteil haben oder zumindest im Widerspruch zu etwas anderem stehen muß. Ich meine hier nicht nur im allgemein bekannten Sinne, daß es nur Schwarz geben kann, wo auch Weiß ist, sondern ich möchte diesen Glauben dahingehend ins Irrationale ausweiten, daß es auch angesichts des Universellen, Totalen und Absoluten etwas geben muß, was in diesem Universellen, Totalen und Absoluten nicht inbegriffen ist. Wenn man nun den Begriff des »Absoluten plus eben dieser Ausnahme« prägt, die im Absoluten noch nicht inbegriffen ist, so behaupte ich, daß es abermals etwas geben muß, das sich dem Absoluten-plus-eben-dieser-Ausnahme-die-im-Absoluten-noch-nicht-inbegriffen-ist entzieht, so daß das Totale eben nie ganz total und das Absolute nie ganz absolut werden kann. Etwas stört immer. Zum Glück! (Ich habe schon früher geschrieben, wie lieb und teuer mir der Begriff des Störens ist.)

Im philosophischen Vokabular läßt sich dieses A-Absolute oder Anti-Absolute kaum ausdrücken, aber im religiösen Vokabular ist das kinderleicht. Es gibt ein ganz einfaches Wort dafür. Dieses Wort lautet auf deutsch: der Teufel. Warum man je auf die Idee kommen konnte, daß der Teufel etwas Böses sei, wird mir immer schleierhaft bleiben. Ich glaube vielmehr, der Teufel ist unsere letzte und vielleicht sogar einzige Chance.

Merkwürdigerweise weiß man vom Teufel sehr wenig. Oder vielleicht auch nicht-merkwürdigerweise. Daß er in der Bibel kaum vorkommt, liegt auf der Hand, denn im Rahmen des Textes der Bibel ist der Teufel ein viel zu brisanter Stoff, als daß man ihn unbeschadet in größeren Dosen hätte beimengen können. Es ist nicht gut, wenn in der Pulverkammer zu viele Funken sprühen. Der Teufel oder Satan wird dort lediglich als der Widersacher bezeichnet, und es heißt einmal von ihm, daß er »in die finsteren Höhlen der Unterwelt hinabgestoßen« worden sei (2. Pet. 2. 4.). Viel mehr weiß man nicht von ihm, aber dieses Wenige gibt schon einige wichtige Aufschlüsse. Man weiß nur, daß der Satan »hinabgestürzt« worden und deshalb offenbar nicht mehr da ist. Das stimmt soweit schon, daß er nun nicht mehr *da* ist; aber eben deshalb, weil er jetzt nicht mehr da ist, ist er nun *dort*, nämlich in den oben erwähnten »finsteren Höhlen der Unterwelt«. Das Ganze erinnert mich an mein Elternhaus, in dem es hieß, daß die Kommunisten zwar sehr böse seien, daß es in der Schweiz aber eigentlich keine gäbe. Psychologisch bezeichnet man den Prozeß, daß man von etwas, das nicht mehr *da* ist, hofft, daß es auch *dort* nicht mehr sei, als Verdrängung. Daß man so wenig vom Teufel weiß, bedeutet wohl nur, daß er eben sehr stark verdrängt ist. Mich interessieren diese »finsteren Höhlen der Unterwelt«. Die scheinen mir nämlich den Ort zu verkörpern, der mir so sehr am Herzen liegt, nämlich den Ort »anderswo«. Der Teufel ist anderswo, er befindet sich dort, wo Gott *nicht* ist. Der Teufel befindet sich zwar in der Hölle, und die Hölle ist bekanntlich ein furchtbar unangenehmer Ort, aber es lohnt sich, in der Hölle zu sein, denn die Hölle ist da, wo Gott nicht ist.

Die Romantiker haben Satan sogar als einen Helden und edlen Rebellen geschildert, gewissermaßen als den Prototyp eines Revolutionärs. Satan ist der Rebell, der sogar lieber freiwillig in der Hölle sitzen will, als den Anblick des Monstrums Gott noch länger ertragen zu müssen. In dieser Hinsicht kann ich mich sogar mit Satan identifizieren, denn, wie ich im ersten Teil meiner Geschichte geschrieben habe, habe ich meine Krankheit und meinen Krebs (denn vor zwei Jahren hieß meine Krankheit noch Krebs) *gewollt*; ich habe in die »finsteren Höhlen der Unterwelt hinabgestürzt werden« wollen, um *anderswo* zu sein, als in der depressiven Welt, in der ich die ersten dreißig Jahre meines Lebens verharrt habe. In dieser Hinsicht sehe ich im Satanischen auch das Erlösende. Ich habe dreißig Jahre lang in einer Welt gelebt, die zwar nicht die Hölle, aber, um von den unzähligen Adjektiven, die sich jetzt zur Wahl anbieten, nur ein einziges herauszugreifen, die »ruhig« war – und das war noch viel, viel schlimmer. Jetzt bin ich in der Hölle, aber wenigstens habe ich darin »meine Ruhe« nicht. Die Hölle ist zwar grauenhaft, aber es lohnt sich, darin zu sein. Camus geht sogar noch einen Schritt weiter und behauptet in *Le mythe de Sisyphe* von Sisyphus in der Hölle: »Il est heureux.« Ich gebe allerdings einer anderen Lösung den Vorzug – schon weil ich nicht, wie Camus, von der Voraussetzung ausgehe, daß die Hölle unendlich ist – und denke dabei an die Möglichkeit, daß, nachdem nun, wie ich herausgefunden habe, alles einmal ein Ende hat, auch die Hölle einmal ein Ende haben muß. Oder mit den Worten der Brüder Grimm: »Du bist doch darin und mußt auch heraus«, womit nichts anderes gemeint ist als daß man, wenn man irgendwohin hat hineinkommen können, auch wieder daraus herauskommen können muß. Ich fände es nämlich nutzlos und banal, auf ewig in der Hölle zu verweilen und mich auf den Gedanken zu fixieren, daß Gott nun eben das Böse und der Teufel nun eben das Gute sei, denn das hieße nur die alten Fehler mit umgekehrten Vorzeichen zu wiederholen. Ich betrachte die Hölle nur als eine Zwischenstation – wenn auch als eine notwendige Zwischenstation – in der man nicht ewig verbleiben sollte, denn wenn man zu lange in ihrer Hitze verweilt, dann erweist sie sich als *allzu* heiß. Ein allzu langes Verweilen beim Satan würde auch dessen innerster Natur widersprechen, denn er ist ja eben der »Widersacher« und als solcher *wider* eine Sache. Sollte eine solche Sache aber einmal erledigt sein, so schwindet damit auch die Notwendigkeit eines Widersachers dahin, und der Teufel würde, wenn er die Erledigung Gottes überlebte, somit selber zum Beelzebub.

Aber für mich ist diese Sache noch nicht erledigt, und solange sie noch nicht erledigt ist, ist der Teufel noch los, und ich unterstütze es, daß Satan los ist. Ich habe über die Sache, wider die ich bin, noch nicht gesiegt; ich habe aber auch noch nicht verloren, und, was das Wichtigste ist, ich habe noch nicht kapituliert. Ich erkläre mich als im Zustand des totalen Krieges.

Comano, 17. VII. 1976

INHALT